読む哲学事典

田島正樹

講談社学術文庫

はじめに

世に多くの哲学事典の類は存在するし、私自身もそれらの仕事の一部を担当した事もある。しかし、そのような仕事を分担するたびに、疑問に感じたのは、多くの異なる哲学的立場の人が協力して一冊の事典を作り上げるというやり方では、概念間の必要な連関が見失われ、それぞれの事項の説明の間に大きな齟齬（そご）が生じてしまうという事であった。

ハイデガーは『存在と時間』という本を書いているし、ベルクソンは『物質と記憶』という本を書いている。それぞれの哲学者にとって、その題名に選ばれた概念の対は、当然考え抜かれた末に、独自の観点から、密接な連関を持つ根本的なものとして取り上げられたものである事は疑いない。それなのに、もし彼らが協力分担して事典の執筆に携わったとした場合、ハイデガーが「存在」の項目を担当しながら、他の人が「時間」の項を執筆したり、ベルクソンが「物質」の項を担当しながら、「記憶」は他の誰かに任されたとしたら、彼らが重視するそれらの諸概念の連関は、まったく無視されざるを得ないだろう。ところが、ここで重要なのは単独の概念の説明ではなく、まさに概念間の連関なのである。

大体において、哲学事典を引く人が、「存在」とか「記憶」とかの意味をまったく知らないで、それを事典から初めて学ぼうとする、などということは考えにくい。その点では「ランゲルハンス島」とか「デリヴァティヴ金融商品」などのような言葉を事典で引く場合とは違うのである。むしろ、ここで人が求めているのは、日常では一見自明な言葉に哲学者が見出す亀裂であり、それを通して見えてくる思いがけない意味連関ではなかろうか？

それゆえ、少なくとも哲学の事典に関するかぎりは、いかに不十分なものであれ、一貫した視点に立って、一人で全項目を担当すべきものだと思われるのである。形而上学や認識論から倫理学や美学まで、すべての領域をカヴァーするのには無理があると考える人がいるかもしれないが、それは、哲学という学問の営みをまったく誤解しているのである。哲学者には、形而上学だけとか倫理学だけを自分の専門にしているという事はありえない。哲学者は、どの分野に関しても（論理学に対しても、神学に関しても、栄養学や天文学に対すると同様）、まったくの素人であり、固有の専門領域も専門知識もあるはずがない。もし、倫理学や美学に何らかの専門領域があるとすれば、それは、たとえば「ネアンデルタール人の頭骨」とか、「副腎皮質ホルモンの役割」と同程度にしか、哲学には関係の薄い事柄であろう。

しかし、哲学としての倫理学や美学は、（あるいは、科学哲学とか宗教哲学とか、他の何とか哲学でもよいが）徹頭徹尾ずぶの素人の議論である他はない。実際、哲学は一つであって、科学哲学や倫理学や美学を含まない哲学などあるはずがない。また、形而上学や倫理学を含まない美学など、有り得ないのである。従って、哲学事典がそれらの事項を欠くことはできない。

これは、すべてを網羅するという事ではない。多くの知識を蓄える事が問題ではない。越境的な精神の自由を確保する事が問題なのである。

ここでは、諸概念の連関を強調するため、また関連する項目についての説明の重複を避けるため、事項を単独で説明するのではなく、一対の概念に対して説明を付与する事にした。概念の越境的連関を示す点に、本書の特徴の一つがあることを、強調しておきたい。

もちろん、諸概念のネットワークは複雑であるから、単に対概念だけでその連関を示せるものではない。だが読者は、概念から概念へと関連する事項説明を次々にたどることによって、より複合的な連関へと導かれるだろう。その結果、梁と梁がたがいに支えあうアーチによって大きなドームをなすイスラム建築のように、あるいはたがいに連関して図形を構成する夜の星空のように、やがて諸概念の天蓋が広がるのが見渡せよう。

明治以来、我が国の近代化に伴う人文諸学の歴史的制約から、未だに他律的な情報輸入業という傾向を克服できていない。そこから、学問世界のジャーナリズム化がもたらされるし、国内での議論が各翻訳代理店による代理戦争になることから、言葉が身内だけに通じるジャーゴンと化し、相互に理解困難にもなる。つまり、学際性はおろか、一つの学科内部でも、英米派、フランス派、ドイツ派と分立して覇権を競うという悲喜劇的なことになるのである。

これらのことは、いまさらあらためて言うまでもないことであるが、ことに人文諸学の分野においては、有害な障害を生み出さざるを得ないだろう。この分野に、社会的に一定の考慮や敬意が払われるとすれば、それは、我々の個々の経験や情報を、より広い視野で位置づけなおし、意味づけなおす英知を期待しての事であろう。そのような英知は、奔流のような情報そのものとは区別され、それらの意味や価値を判断し再評価するものであるがゆえに、日々の情報に追われる人からは期待しにくいからである。

しかし、正統の伝統が根づく前に異端の諸説が紹介され、主流も傍流も、何の区別もなく取り入れ、ただ流行を追うに忙しいところでは、情報が多ければ多いだけ、かえって自立的判断や見通しのきく大局的位置づけは困難となる。確固とした正統のないところでは、批判的言説の力も育たないからである。ただ、「時代遅れだ」ということが、すべての批判的吟味に取って代わるのである。

それは、文脈的思考の衰退として現れるだろう。自分を世界の中に位置づけ、世界についての知を自己の実存の中に位置づけることができず、日々の経験に対する距離を取れなくなると、すべての現象がいわば等距離に並ぶ事になる。そうなると、どのような主張も、文字通りの情報に還元され、異なる可能的文脈において発揮し得る意味への見通しを失ってしまう。

一方では、すべてのテクストはその歴史的文脈に貼りついたまま固定され、そこから離れて異なる文脈に置かれる可能性に対して閉ざされてしまう（歴史主義）。他方では、テクストは状況から完全に遊離した不変の意味を与えられたまま、どんな文脈に対しても生きた関係を失って、硬直した固定化に陥る（教条主義）。いずれにしても、テクストが文脈との関係において帯びる新たな意味の可能性を見失う点では同様である。教条主義と日和見主義は、しばしば表裏一体なのだ。

このようなことが滑稽なまでに痛ましい形で現れた実例の一つを、我々は明治期の帝国大学綜理、加藤弘之に見る事ができる。彼は、自由民権運動のバックボーンとなった「天賦人権説」から、「最新流行」の進化論に乗り換え、そこから、彼自身の過去の立場として人権論を批判したのである。彼自身の大勢順応主義的なメンタリティが、進化論の中に、その正当化を見出したと思ったのであろうが、それを彼は、主としてその西洋における流行によって根拠づけ得ると感じていたのだ。最新流行というからには、他の諸説を自然淘汰したものであるに違いあるまいし、自然淘汰で生き残ったものには、進化論そのものがお墨付きを与えていると、加藤は思ったのであろう。流行が進化論を正当化し、進化論が流行を正当化するわけである。いかなる原理原則も押し流してしまう時流の前に、無批判に屈服してゆく我が国の知的エリートの姿の典型が、ここにある。自他共に許す帝大の権威すら、自らの中に保守すべき規範的伝統を持たず、事象に対して必要な批判的距離を取ることができないのである。

こんな中にあって、我々は、奇をてらった「様々の意匠」や独創性を競うより、確固とした正統的伝統を確保して、以後すべての批判的知性に、共有財産になるべきものを提供することこそ、喫緊（きっきん）かつ肝要と考えた。

その必要は、ハイデガーとかマルクスといった、人を惑わすような大きな魅力を持つビッグ・ネームとつき合う時、特に痛感されるだろう。カール・ポッパーのように、それらを初めから拒否するか、それともそれらにどっぷり浸かってしまうかに、どうしても陥りがちだからである。だが、ハンナ・アレントが、ハイデガーに対してもマルクスに対しても、稔り豊かな距離を取り得たのも、深くギリシアの伝統を参照することによってではなかったか？

本書では、有名な「存在論的差異」（存在と存在者の差異）とか、「弁証法的唯物論」には、ほとんど何の考慮も払われてはいない。そこに人は、本書の批評的スタンスを読み取る事もできるだろう。しかしだからといって、ハイデガーやマルクスを無視したり、単に一刀両断で切り捨てたりしようとしているわけではない事は、もとより歴然としているはずである。アルベール・カミュ（『シジフォスの神話』参照）には失礼ながら、拒絶や「軽蔑によって乗り越えられる運命」など、何もないからである。しばしばそうできると見えるのは、錯覚に過ぎない。

何ものかを批判するのは、それを生かし、その本質において救い取る（ソーイゼイン）ためであり、何ものかを否定するにしても、それはより深い次元で肯定するためでなければならない。そして、実際にその肯定が与えられるのは、それが生きる新しい（あるいは、より旧い、見失われた）文脈を見出す事によってなのである。かくて、その仕事は、諸概念の新旧の文脈の諸層を、トータルに連関づける試みとなるであろう。太古の時代に克服された疾病や免疫システムの痕跡が、我々の遺伝子の中にはひっそりと残されているというが、メッセンジャーRNAの形をとったある種のヴィルスが、逆にDNAに働きかける事によって、それらの一部が再活性化することがあるように、思想史上も、とっくに克服されていたかに見えた思想や観念が、このような概念のモンタージュによって、あらたな生命を得る事は稀ではない。

我々は、できれば少なくとも千年の持続に耐え得るような伝統の基礎を築きたいと考えたものである。もちろん、ここに書かれたすべての部分が、そのまま千年たっても新しいというわけにはいかないだろう。しかし、その主要な部分は、日本語が残っている限り、ある程度の持続に耐えるはずである。なぜなら、その大部分は、すでに二千年以上の時間の試練に耐えて受け継がれたものだからである。

当然、本書のスタンスに異を唱える哲学者がいても不思議ではない。正統とは、多数の総意とは何の関係もないからである。異論のある方々は、どんどん御自分で哲学事典を提案・執筆していただきたい。その百家争鳴の中から、やがて単に一専門に限られない哲学と人文的知性の、真の伝統が生まれると期待できるだろう。有り得べき協力とは、そのように全体をもってたがいに競うところにあり、単に部分をもって継ぎはぎする所にあるのではないのである。

目次

読む哲学事典

読む哲学事典

愛と暴力

贈与としての暴力

暴力は、破壊以外何ももたらさないように見える。このことが破壊以上に破壊的なのである。被害者は、何ゆえ自分や自分の家族が、このような暴力の犠牲とならねばならなかったのか、いつまでもむなしく自問せねばならない。その苦悩に意味がないことが、苦悩以上に彼らを苦しめるのだ。

暴力を受けたくないから、他人に暴力をなすこともしない約束をするというのが、大雑把に言って社会契約説の理屈である。この約束がどのようにして維持できるかは、たしかに難問であるとしても、誰でもこのような相互取引が合理的であることは理解することができるだろう。暴力を受けることは、それがどのように値踏みされるとしても、誰でも暴力を控えることによって差し控えたいと思う。ここで、相互の断念は等価であると言ってもよい。みんな喜んでこの交換を受け入れるだろうからである。

しかし、このような理屈は、もし実際に何らかの暴力が起こってしまえば、もはや厳密には成立しなくなってしまう。どのようにしてそれを賠償しようとも、それで暴力を被ることを喜んで受容するような人はいないだろうからである。どのように償われても、せいぜいそれはいやいや受容されるものに過ぎず、事前にそのような交換が提案されたなら、そんな交換を受容する人はいない。「目には目を」と言われても、相手の目をつぶすのと交換で自分の目をつぶされてもいいとは思わないのである。目を奪われた苦しみが、人の目を奪うことで償われるはずはないと誰しも感じるだろう。暴力の行使が可能性にとどまっている限りは、相互にその可能性の放棄を交換することができるが、実際になされるや否や、それを償うことは厳密にはなし得ないのである。基本的に等価交換という擬制に立つ復讐が、しばしば過剰報復になり、結局は暴力と復讐の連鎖を招くのはそのためである。

しかし、復讐にいかに不都合なことがあろうとも、それがまったく無意味であるはずはない。もしそうなら、応報刑も無意味ということになりかねない。

一般に刑法については、応報刑論のほかに教育刑論という考え方がある。社会の自己防衛として刑法を考え、社会にとっての危険分子を隔離し、矯正（教育）するものとして刑罰を考える見方である。だが、そのような考えでは、防衛される社会の正当性そのものが無批判に前提とされ、そうなっては海賊やマフィアの掟（おきて）と国家の刑法とが原理的に区別しがたいものとなってしまう。また、実際には何も反社会的な行動をしていなくても、危険であるというだけで、人物を取り締まる必要があるということにもなりかねない。教育刑論では、矯正の倫理的正当性そのものが論議の外に置かれてしまうのである。従って、応報刑論の考えをまったくなしですますことはできない。教育刑論ではカヴァーできないような刑罰の側面は、どのように意味づけることができるだろうか？

奇抜に響くかもしれないが、暴力を一種の贈与と考えることはできないだろうか？　復讐とか刑罰は、与えられた贈与に対して、応答する贈り物なのである。贈与は同じ品物でお返しするべきものではない。贈与を、レヴィ＝ストロースのように、一種の交換と見なすことはできないのである。レヴィ＝ストロースによれば、外婚制の枠組みでの結婚も、異なる家族（または氏族？）同士の間の女性の交換である。しかし、この「交換」も実際にはかなりの時間差をおいてなされるものであり、同じ女性をやり取りするのではなく異なる世代の女性をやり取りするものである以上、交換と言うよりも、贈与の繰り返しであると言うべきだろう。

暴力の贈与は、予期や期待に反してなされ、しかもその意味を理解しがたい、あるいはたとえ意味を帯びていたとしても行為者の主観的意味づけにとどまり、公共的に認知された意味を欠いているという点に、多重に破壊的なところがある。それは身体の破壊にとどまらず、公共的な意味づけの枠組みや、他者の意味づけの習慣を危険にさらすのである。

しかし多くの場合、犯罪の暴力は、犯行者自身によっても合理的に意味づけられずに、しばしば自己破壊的に突発するものである。それ自身、彼が社会的意味づけの枠組みから疎外されていることの症候であると言えるだろう。かなり明確な目的意識を持って合理的に犯行に及ぶ銀行強盗や海賊でさえ、その社会的意味づけの秩序自体、我々の社会のそれとはずれているから、個々の行為の意味づけが違ってくる。刑罰は犯罪行為に対して、あらためて我々の社会からの位置づけをメッセージとして送ることを意味するのである。

一つの行動が、初めから一定の意味を帯びていて完結しているということはない。どのような行為も事件も、それ以後その行為や事件によっていかなる連関に置かれ、いかなるものとして意味づけられることになるかという事後の歴史、物語史の可能性に開かれているのである。裁きが与えるものは、そのような解釈の一部である。犯罪者がこの絆の欠如を生きている場合には、裁きの言葉がほとんど唯一の意味づけとなる。それによって、それまで一般社会とのコミュニケーション不全で悩んでいた犯罪者に、犯罪と刑罰によって社会的に位置を与えることができる。このようなメッセージを犯罪者に送り返すことによって、犯罪行為が遡って、「意味づけを要求する緊急のメッセージであったもの」として意味づけ返される。かくて、無意味な破壊的暴力に過ぎなかったものが、コミュニケーションの応答という意味を帯びて、社会の中に回収されるのである。

暴力としての贈与

このように暴力が贈与として捉えうるということは、逆に一般に贈与にも暴力としての意味が潜在しているということでもあろう。高価な贈り物を送りつけて、相手の意志を支配しようとする場合とか、マフィアが馬の生首を敵に送りつける場合とかを考えてみればいいだろう。一般に、コミュニケーションを取る為に行動を起こすということは、繊細な配慮を欠く場合には、相手にとって暴力的に感じられてしまうことがある（ストーカーの場合など）。いや、すべてのコミュニケーションの始動には、幾分かの暴力性が伴わずにはいないのである。問題は、いかにその暴力性を中和化したり昇華したりするかである。

当然、愛の表現にも、かかる暴力性はつきまとう。決して身近でない他者に対するコミュニケーションの始動は、とりあえずは相手にとって脅威と受け止められざるを得ないだろう。だからこそ、愛の表現においては、さまざまな儀式的な形式や作法がむかしから決まっていて、その暴力性を何とかオブラートに包む工夫を与えているのである。しかしだからと言って、その暴力性は完全にはなくならない。

それゆえ、きわめて親密な愛の関係（親子や恋人）においてこそ、時として先祖がえりのように凶暴な暴力が噴出することもありうるのだ。我々はそこで、相手に与えるものと受け取るもののずれ（内容的にも、時間的にもさまざまなずれ）を経験しなければならないのに、しばしばまったく同じメッセージ（すなわち交換）を求めてしまいがちだからである。こうなっては、白ヤギさんと黒ヤギさんとの間で交換されるけれども、そのつど食べられてしまって読まれることのない手紙のように、不毛な繰り返しになってしまう。メッセージの手紙が食われてしまうということは、相手を食べてしまいたいという幼児的欲望（暴力性）への回帰を象徴しているだろう。つまり母子一体の鏡像的関係への回帰が生じているのである。

暴力が愛に昇華するために潜り抜けなければならない試練とは、鏡像的な一心同体関係を断念することであり、理解のずれを受け入れ、理解が対等の理解によってすぐに報われることを断念することである。

旧約聖書では、アブラハムにしてもヨブにしても、神と直接対峙して対話している。神がアブラハムに一人息子イサクの犠牲を要求したとき、アブラハムはその意味を直ちに字義通りに理解した（『創世記』二十二章）。しかし何ゆえ、他の多くの比喩的解釈ではなく、この解釈こそが唯一の正しい神の真意であると、アブラハムは確信したのであろうか？　それは、それだけがアブラハムが受け入れることの絶対にできない解釈であったからであり、何があってもこれだけは避けなければならないと、アブラハムがあらかじめ心の奥深くに留保しておいたものであったからである。アブラハムにとって恐るべき神の見透す眼差しが、彼があらゆる犠牲を払っても守っておこうと隠し持っていた心の奥底を射抜いたことを、アブラハムは認めざるを得なかった。だからこそ、それが確かに神の声であり、それこそが神の真意であると承認したのである。ここには、神が一瞬にして見抜いたということを、アブラハムが一瞬にして悟るコミュニケーションの頂点がある。

「完全な相互理解」という幻想

一般に対話においては、当事者同士そのつど理解を共有しながら進められる。しかし一方、新約聖書では、イエスの言葉は直ちに理解されはしない。弟子ペテロは、イエスが「鶏が鳴くまでに、私を三度否認するだろう」と語っていた言葉を理解していなかったことを、後になってはじめて理解するのである。イエスが神の一人子であったとして本当に認められるのは、その生涯が閉じてからであり、弟子たちすべてによる裏切りと誤解を迂回してはじめて「まことに神の子であった」ということの意味がわかる。ここには、理解に要する時間が問題にされている。真の理解のためには、誤解による長い時間の迂回が必要なのである(「本質と時間」一九三頁参照)。

イエスのメッセージは、すぐに理解されればよかったというものではない。なぜなら、コミュニケーションに不可避に織り込まれねばならない、この理解と時間のずれの自覚こそが、イエスの愛のメッセージの眼目だからである。我々は、自ら身をもってコミュニケーションのこの挫折と復活のドラマを経験することなしには、そのメッセージを真に理解することはできないのである。

このことの含意は小さくない。完全な相互理解という幻想は避けるべきであり、さもないととんでもない暴力に路を開くかもしれないということ、愛にあっては不毛な清教徒的純粋主義や完全主義こそ忌むべきものであり、いかなる「最終的解決」も求めるべきではなく、むしろ理解の不全と長い迂回こそが不可欠であるとともに、祝福されるべきものであるということ、果たされなかった愛の約束は、遠く時間を隔てて違う場所で果たされねばならないこと、つまり愛においてすべては身代わりとして果たされるほかなく、身代わりとして生き、身代わりとして死ぬことが、愛においては可能でもあり、必然でもあるということなどである。(プーランクのオペラ『カルメル会修道女の対話』の中で、尊敬すべき修道院長さえも、死に臨んで激しく苦悩するさまを見て動揺する主人公修道女ブランシュに対して、同僚の修道女コンスタンスは、「院長先生は御自分の立派な死を、他の人に分けてあげたのだ、人はみな他人の死を、身代わりとなって死ぬのだと思う」と語って慰めている。）

愛と暴力がひそかに底流においてつながっているのであるから、暴力に手を汚すことを恐れて（ひとを傷つけることを避けて）、純粋な愛を蒸留しようとしても、カスのようなものしか残らないのである。我々は愛の表現の中に適度に辛辣な攻撃性の薬味を加え、逆に暴力と復讐には、うまくウィットと許しを混ぜ合わせて、いつしかそれが本当の愛に変わるのを待つべきなのである。

天使とヤコブの格闘（1659年）

旧約聖書（『創世記』三十二章）によれば、ヤボクのほとりでヤコブは天使と相撲を取ったとされるが、それを描いたレンブラントの絵がある。そこでは、ヤコブは必死の形相で攻撃の力を込めているが、それに対して天使はヤコブを優しく受けとめ、まるで抱きかかえるかのようにしながらヤコブを見下ろしている。このとき、ヤコブの暴力は、天使へのコミュニケーションの試みとして受け取られ、注意深い慈愛によって応答されるのだ。ここにも、神的なものとの直接面と向かった出会いを求めるユダヤ教的な渇望を見ることができるが、天使の慈愛すら、恐ろしい暴力を秘めていることを忘れるべきではない。ヤコブの右腰にそっと添えるように置かれた天使の左手は、それだけでヤコブの腰を脱臼させ、一生彼に足を引かせることになったものだからである。

アキレスと亀

パラドクスの読み取り方

アキレスと亀と言えば、ゼノンの有名なパラドクスのひとつである。一定の距離前にいる亀をアキレスが追いかけるが、彼が亀のいたところに到達した時には、亀はすでに少し前に行ってしまっており、かくてどこまで行っても、いくばくか残された距離があって決してアキレスは亀に追いつくことができない、というものである。この他にも、飛ぶ矢は飛ばないというものもある。矢が的に到達するためには、その真ん中の地点を通らねばならず、その地点まで到達するためには、四分の一の地点を通らねばならず、かくして矢は無限の地点を通り過ぎなければならないことになるのに、そんなことは不可能だから、矢は動くことができないというものである。

これらのパラドクスは、スフィンクスの謎のようにその意味自体が謎めいているので、そこにどのような謎を読み取るか、意味を読み取るかに応じて、答え方もいろいろにありうるだろう。

解釈1

普通は、空間も時間も無限に分割可能なものと想定されている。

しかし、たとえば空間が（ちょうど将棋の升目(ますめ)のように）量子化されているとしたら、アキレスがこの最小距離を行く間に、亀はすでにその半分先に到達していなくてはならない、とは言えなくなる。

あるいは、時間が量子化されている場合には、ある時点から先、アキレスが微小距離を行くために、この最小時間を要するので、実際に果てしなく分割された距離を行くのに、無限の時間を要することになり、アキレスも亀もまったく運動できなくなるか、それとも、ある距離以下では時間を要さずに行くことができ、すべての運動は分割することによって一瞬に完了することになるかであろう。

しかし、空間や時間について語るために、それぞれの単位が有用であるからといって、時空がその単位と同様、量子化されている必要はあるまい。なぜなら時空は無際限に分割可能だからだ、と言われよう。しかし「無際限に分割可能」とは、厳密に言っていかなる意味なのか？　実際、ゼノンのパラドクスは、この意味にかかわるものであるように見える。

その点から「アキレスと亀」を見返せば、彼らの運動は、それぞれに距離と時間の尺度を定義しているように見えてくる。先行する亀との距離という形で距離の単位が与えられ、その一単位をアキレスが行く時間として、そのつど時間の一単位が定められる。一単位時間に亀が行く距離が一単位距離であり、一単位距離をアキレスが行く時間が一単位時間というわけだ。アキレスから見れば、亀の先行距離がさしあたり距離の単位を定義するものに見える。すると、その単位距離を行くアキレスの動きは、亀から見れば、一単位時間を示すものと見えるのである。いつの時点でも、振り返る亀にとっては、追いつくアキレスが示す単位時間が与えられ、亀はその単位時間を利用して、そのつど単位距離前へ出ることができる。

実際このような尺度は、我々のそれとはかなり違っているが、許されないというわけではない。ただその場合、アキレスが亀より速いということがまったくカウントされていない。両者の速度が同じでも、逆に亀のほうが速い場合でも、まったく同様の議論ができるからである。我々の尺度から見れば、彼らの単位距離も単位時間も、どんどん短くなっていくだけで、そのように微細化しつつある尺度を使えば、当然有限の距離も測りつくせないというだけである。

ここから導ける教訓は、言葉を適当に選ばなければ、表現できないものが出てくるということである。

解釈2

しかしそれなら、すべてを描きつくすことができる「究極の言葉」を使うことはできないのであろうか？　たとえば、曲線を微細な線分を使って描こうとすれば、どうしても誤差が出てくる。その線分の長さをどんなに小さくとっても、その総和は曲線の長さを精確に表現するものではないだろう。曲線は、厳密には線分からなるものではないからである。それなら、究極の構成単位として、点を考えることができるだろうか？　このように考えるなら、線分は点から構成することができ、点で描くことができるということになりそうである。このような「点描画法」は、究極の表現方法ではないだろうか？　しかし、たしかに線分の中に点で表せないものはない（点ではないところ——点ではない点!?はない）からといって、線分が実際に点から構成できるということにはならないのである。（そう言う為には、それを構成する点を実際に列挙することができなければならないだろう。）

実はゼノンのパラドクスが示しているのは、こうした究極の描写方法としての言語の不在ではないだろうか？　どんな言語を駆使しても決して表現できないもの（そんな曰く言い難い「神秘」）があるとは言えないが、どんな言語にも、それぞれうまく表現できないものが何かしらある（例えば物理学の語彙で恋心のひだを描くのは難しい）ことは、認めねばならない。

すると、この話はそもそも分割に問題があるのではなくて、存在を言葉で正確に言い当てることができるかどうか、が問題だということになるだろう。分割とは、対象を手持ちの尺度で測ることだからである。つまり、言語と実在の間に開くギャップを、このパラドクスは示しているのではないか？

解釈３

理想の妻とは何か？　おそらく自分の夫を、その理想とする妻のことであろう。理想の夫にすべての場面で追いつこうとする妻は、いつまでたっても夫に追いつかない。妻が設定した理想の場所に彼女が到達した時には、夫のほうは一歩先に行ってしまっているからである。その一歩先とはどこのことであろうと妻が考える時間に、常にすでに夫はその理解を欺くことができるであろう。

しかし、そんな妻は、夫から見れば実に退屈な存在でしかなく、夫には妻の欠点しか見ることができない。したがって、自分の夫を理想とする妻は、「理想の妻」であるどころか、最悪の妻になりかねない。

人生の中において人生の意味を追いかけようとする場合にも、そのようなことになるであろう。それゆえ、首尾よく捉えようとするなら、追いかけるのではなくて、どこかで待ち伏せするのでなくてはならないだろう。

解釈4

アキレスが亀にあと三十センチまで迫った時、亀の甲羅をたたいて、亀が手足をすくませている間に、アキレスは亀を一またぎすることができる。

これは何を意味しているだろうか？ 距離の量的変化というものが、（ある近傍の限度を超えると）質的変化を生み出すことがあるということであろうか？ あるいは、アキレスと亀の実際の闘争は、単に言論だけで決着がつくとは限らず、場合によっては、暴力的介入も有力な手段となりうるということか？

あるいは、アキレスにとってその速さの能力の要（つまりアキレス腱）に弱点があったように、亀にとってその防御の能力の要（つまり甲羅）にこそ、敗北の原因があったということか？　あるいは……武勇一本やりで高潔で単細胞の英雄アキレスが、こんな卑劣で姑息なやり方で亀を陥れるとは思えないから、こんな解釈自体がでたらめだということであろうか？

一者と実在性

「幸福とは何か？」を探求することと「不幸とは何か？」を探求することとでは、どちらが先であるべきか？　幸福は不幸の欠如なのか、それとも不幸こそ幸福の欠如なのか？　これは倫理学上の難問であろう。

　もし不幸が幸福の欠如にすぎないのであれば、幸福が一様であるのに対して、不幸の形は多様であろう。一者の欠如には、いろいろの状態がありうるからである。そのばあいには、不幸の探求からはじめるのは先行きが暗いのに対して、幸福の探求はまさに幸福が約束されている。幸福にはひとつの本質が備わっているのに、不幸には探求すべき単一の本質がないからである。

言語主義の限界

「Aは幸福ではない」と「Aは不幸だ」は真理条件が同じだから、真理条件への貢献の仕方という点で見る限り、「幸」「不幸」いずれも遜色（そんしょく）ないように見える。性質を述語の弁別特性と見るこのような言語主義の限界がここにある。実際、従来単一の言葉で表現されていた現象が、よく調べてみると単一の現象とは言えず、まったく異なる複数の種類の現象からなることがわかる場合もあるかもしれない。たとえば、風邪と言われるものが、実はヴィルス性のものと、ある種の神経症を病因とするまったく別種のものがあることがわかる場合など。このような場合、「風邪」は一者に関係した言葉ではないことになろう。

アリストテレスが、善は悪と悪の中間にあるという**中庸**(プロスヘン)の説を唱えた時、一者に関する問題に直面していたと言えよう。たとえば勇気は、臆病と向こう見ずの中間であるとされる。美徳は一者であるのに、悪徳は多である（少なくとも二つ以上である）。多くのものの絶妙なバランスの上に、様々の二律背反を克服するところに、美徳はかろうじて存立するものなのである。悪徳は、美徳がかろうじて達成している絶妙なバランスが欠けていることであり、その欠如の方向は多様である。一者と多者、美徳と悪徳、実在とその欠如はこのように平行するのである。従って、善を否定すれば悪になるが、悪を否定したからと言って善を得られるとは限らないことになる。

さて、「カラスは黒い」と「黒くなければカラスではない」とは論理的に等価だから、もし「カラス」の探求で前者の法則的認識が得られるとすれば、「黒くないもの」の探求によって後者の法則を導くことも容易なはずである。しかし実際には、黒くない多くのもの（三角形とか、自然数とか、郵便ポストとか……）の列挙によって探求が迷い込む森は深い（ヘンペルのパラドクス）。これは「カラス」が一者に即して語られるのに、「黒くないもの」はそうではないからである。我々は、前者を「実在的」、後者を「非実在的」な述語として区別したい。この意味では、「無限」は非実在的である。

さて、実在的述語の場合、その価値を弁別特性だけに求める言語主義的ないし唯名論的態度は、十分ではないだろう。実在的述語には必ず、未だ知られていない多くの実在的性質が付随（supervene）しているはずだからである。たとえば、「カラスである」には「鳥である」とか「特定の遺伝子を持つ」とかが付随するであろう。「赤い」という性質には、「一定の波長の電磁波である」などが付随するであろう。（ちなみに「赤い」の発話条件が赤い感覚質（クオリア）を与えることと仮定すると、この逆、つまり「一定の波長の電磁波である」という性質に「赤い」が必ず付随する、とは限らない。特に他の動物にとっては。）

他方、「非赤である」とかN・グッドマンの「グルー」（一定の時刻以前はグリーンを、以後はブルーを指す人工的な性質）など非実在的な性質は、せいぜい非実在的な性質しか付随しないだろう。

これらのことから、実在的述語は、他の実在的述語と再帰的に関係づけられるネットワークをなすものとして規定されることがわかる。（実在的なものは他の実在的なものと一つのネットワークをなしており、従って孤立して実在するものはないということこそ、スピノザの根本洞察である。）実在的なものは、その本質を問えるが、実在性そのものの単一の本質は問い得ないのである。

「幸福がある」と言うためには、誰か一人幸福な人を発見するか、幸福な家庭を実際に構成すればよい。しかし、「幸福がない」と言うためには、どこにも幸福な人が見当たらないと言うだけでは十分ではない。最大の素数が存在しないと言うためには、それが存在不可能であることを示さねばならないようなものだ。それゆえ我々は「幸福があるかないかどちらかだ」とは言えないだろう。せいぜい「幸福が現にあるか、未だ見出されていないかどちらかだ」と言えるだけである（排中律の不成立）（「可能性と反実在論」六三頁参照）。しかし、もし実際に幸福な人が一人も存在せず、幸福な家庭を実際に構成した人が未だ誰もいなかったとしたら、「幸福な人は存在しない」とすら言えただろうか？　その場合には、「幸福」の使用実例がないのだから、我々はその意味を確定することすらできないのである。このことは、命題の有意味性を保証する真理があるということ、言い換えれば、その真理が証明されてはじめて有意味になる命題があるということを意味している。「幽霊が存在する」とか「神が存在する」とか「ネッシーが存在する」など。

真理と悲劇

真という概念

真という概念に関して、もっとも顕著な特徴は、任意の文pについて、pが真であるという主張は、pの主張と代替できるということであろう。してみると、「真」という表現はせいぜい冗長なものにすぎず、「真」という言葉など無しで済ますことができるように思われるかもしれない（真理の冗長説）。

しかし、どうしても「真」無しで済ますことができない文脈も存在する。「『明日雨が降る』が真である確率は五〇パーセントである」とか、「彼の言うことはたいてい真である」とか、「矛盾した命題は真ではありえない」など。とくに後者のような複合文の分析には、

p	q	pならばq	qでなければpでない
○	○	○	○
○	×	×	×
×	○	○	○
×	×	○	○

真理表

真偽という観念が不可欠になる。「カラスであれば黒い」という文は、「黒くなければカラスでない」という文と等価である、ということを知るためには、どんな内容の命題p、qに関してであれ、「pならばq」と「qでなければpでない」という文が、pとqの可能な真偽布置（四通り）に対して、同じ真偽の値を取るということを知るだけでよい。このように、要素命題の具体的意味内容のいかんにかかわらず、その真理値によって真偽が確定される複合文を、真理関数と言う。ここで登場する要素文や複合文は、主張されているのではない。

たとえば、「pならばq」という文が真となるのは、pが偽の時と、qが真の場合、そのときに限る。つまり、pが真でqが偽である場合を除くすべての場合に真となる（真理表参照）。これによって、接続詞「ならば」の意味が明確になる。ここで、「p」や「q」は、何かを主張する文ではなく、任意の文を代入すべき変項または図式にすぎないから、「pが真である場合」を、pの実際の主張で置き換えることは意味がない。

複合文の意味を明らかにするために、要素文の真理条件によって与えるということの延長上に、要素文の意味の解明にもそれを適用することが考えられよう。そして、一般に文の意味を知ることは、その真理条件を知ることであると見なすことができる。この場合でも、実際にその文を発話するわけでも、それを発話する条件が満たされているわけでもない状態で、その文が真となる条件を語ることが問題なのであるから、「真」という表現を無しで済ますことができないのである（この点、「言語と意味」七二頁、「Sinn（意味）とBedeutung（指示）」七四頁参照）。

しかし、もし上に述べたように、真理条件が一者の発見に基づかなければ、実際には主張可能性条件を与えないとすれば、意味の解明に必須なものは、そのような実在的一者の発見であろう。

言語と存在の深淵

ギリシア人は、真理を命題の正しさとはみなさず、隠れなく現れていること、発見されてあること（アレーテイア）とみなした。これは真と偽の非対称性を彼らが強く意識していたことを示している。現れたものには、その一者性があり、その本質が現れているが、現れぬものにはその一者性も本質も属さない。この非対称性は、結局実在性と非実在性との非対称性であり、一と多のそれである。真理が何ものか（一者）が隠れなく現れていることだとすれば、それが現れていないという意味での真理の否定は、その否定命題が真であるということではない。したがって、何ものかの現れ（アレーテイア）としての真理という考えは、反実在論的理解と親和的である。

言語は、構造主義言語学が明らかにしたように、対比と弁別特性の対称性を本質とするが、言語が表現する実在には、非存在との非対称性がある。ギリシア人は、言語と存在のこの深淵を常に意識していた。

しかしそれは、言葉では表現できないけれども、何らかの神秘的直観によって洞察すべき謎がある、ということではない。ギリシア人は、言葉が存在の現れとしての真理にとって、不可欠なものであるということについては、深い確信を持っていた。アリストテレスは、「真理そのものに突き動かされるかのように」（『自然学』188b30）、心ならずも語られてしまう真理があることを認めている。これは、言葉が発話者の主観的意図には還元できぬ自立性を持つということであり、彼の弁証論の根本にある考えである（「弁証法と（再）定義」一六二頁参照）。

つまり、個々の認識は他の認識全体のネットワークの中に適切な位置を占めることによって、真なる認識となるのであり、認識のネットワークの要が同一性を認定された存在者であり、認識の実在性（一者に関していること）である（「存在と存在論」一三三頁参照）。そして前述したように、一者に即して言語が習得可能になる以上、言語は個々の主観に先んじて、すでに存在者の実在的連関について、真理をもらしてしまっているはずなのである。言い換えると、言語の全体連関は、存在の実在的連関と一致せねばならない。なぜなら、存在は同一性の洞察として、認識連関の要に登場するのであるから、そしてまた、言語の習得は一者に即して可能となるのであるから、習得された言語の振る舞いをつぶさに観察することによって、いかなる存在についての真理をも明らかにできるはずだからである。

一見ばらばらに見える現象が、こうして存在する一者の現象として見えてくる。言語は、このように現象を取りまとめ、顕わしめる力を発揮するのである。ここでも断片と断片とは、たがいに支えあい、意味づけあうことによって、顕わに顕現した一者の一部として認知されるであろう。

真理の生成と隠蔽

さて、真理（アレーテイア）の生成にとってかくも重要な力を発揮する言葉は、その逆の側面として、事態を隠蔽し、虚偽を偽造する力をも持つことになる。これはある意味では当然のことであろう。言葉がばらばらな断片を取り集める力を持つ以上、ちょうど星々の散在の中に星座を幾通りも描けるように、多様な取りまとめ方を許すからである。アヒル＝ウサギの図形が、いったんアヒルに見えると解釈されてしまうと、そこにウサギの図柄を見るのが難しくなるように、ある解釈は、他の解釈を隠蔽する力を持つのである。

こうして、ありのままの天空に、我々が過剰な意味を読み取り、事の真相を知りたいという強い欲望を持つかぎり、つまりは我々が言語の中に生きるかぎり、我々は真理と隠蔽のめまぐるしい変転の中にさらされ続けるのである。

ギリシア人は、このような人間の運命の中に悲劇的なものを見ていた。

ヘロドトスによれば、リディアの王クロイソスは、知恵も慎重さも備えた人物であったが、新興のペルシア帝国を討つために兵を挙げるべきかどうか、デルポイの神殿に神託伺いを立てる。そのとき、デルポイの神託は、「挙兵すれば、帝国を滅ぼすことができる」というものであったが、実際にはリディアは滅ぼされてしまう。神託に言う「帝国」とは、ペルシア帝国ではなく、リディア帝国であったというわけだ。運命の意味を知ろうとする深い欲望が、クロイソスの目を曇らせ、神託の言葉への早まった誤解を促したのであり、その中で運命の真相を握ったと信じたからこそ、クロイソスは、いわば神託にたぶらかされて自ら破局への道を歩み始めるのである。

また、有名なオイディプスは、出生の秘密を問い、自分の存在の意味をあくまでも追い求める英雄であったが、その意味への過剰な欲望が、かえって彼を破局へと導くことになるのである。

ニーチェは、『善悪の彼岸』の有名な一節で語っている。


真理が女である、と仮定すれば――、どうであろうか。すべての哲学者は、彼らが独断家であったかぎり、女たちを理解することにかけては拙(まず)かったのではないか、という疑念はもっともなことではあるまいか。(『善悪の彼岸』木場深定訳、岩波文庫)

これは決して単なる気の利いた戯言ではない。問題は、真理と隠蔽という戯れについてのギリシア人的洞察なのであり、そのさい意味と真理を求める我々自身の暗い欲望を計算に入れない言説は、クロイソスのように、おしなべて素朴さを免れないということなのである。

イロニーとユーモア

空とぼけ、皮肉の二重性

最近は、学会と言えるようなものにはめったに足を運ばないが、以前に学会に出るたびに感じたのは、たいていの人が、そこで話題に上っているのとはまったく別のことを考えているらしいということである。多くの場合、一番の関心事は、真理より人事や人間関係なのだ。誰か若い講演者の話に対して、フロアから大家然とした人が質問し始めるとき、たいてい「これは瑣末（さまつ）なことかもしれませんが……」と言いながら、妙な謙遜とも傲慢とも取れるような薄ら笑いを浮かべつつ話を切り出すのだが、もちろん御本人は、それを決して瑣末なこととは思っていず、相手に与える致命的な一撃へとつながっている取っ掛かりの布石と確信して、言い出しているらしいのである。それが証拠に、「本当にそれは瑣末なことですね」と言って片づけたりすると、質問者は激怒するに違いないのだ。

このように、自分が実際に考えているより低く見せかけながら語ることを、ギリシア人はエイロネイア（空とぼけ）と言った。テオプラストスによれば、空とぼけをする人とは次のような人である。

> 自分に敵意を抱く人たちのもとへ出かけた場合、ことさらにあれこれと口をきき、憎んでいる素ぶりも見せない。そして、陰ではやっつけておきながら、いざ面と向かうと、その人たちをほめそやし、またその人たちが落ち目になれば、同情すら示す。……要するに、彼は、つぎのような言葉使いを口ぐせにしている人なのだ。すなわち、「私は信じませんね」、「私にはとんとわかりません」、「私は度肝を抜かれましたね」……。（『人さまざま』森進一訳、岩波文庫）

しかし空とぼけに特有なのは、単に本心を偽る見せかけのことではない。むしろ、聴き手にも、彼の本心が言葉づらとは違うことを、うすうす気づかせるような態度を見せるのである。「私は度肝を抜かれましたね」と言うときにも、彼は決してびっくりしたような声音（こわね）で話すのではないだろう。むしろ、妙に取り澄ましたクールな様子で話すのである。こうして彼は、言葉の表面上のメッセージと食い違うような裏のメッセージを、その発話態度の中に忍ばせる。

これは、ベイトソンが言うダブルバインド状況に似ている。彼によれば、母子関係などで、母親が表面上は子供を受け入れるようなことを言っているにもかかわらず、同時に子供を拒絶するような態度を日常的に取り続ける場合、子供の精神疾患の発病の可能性を準備することになりやすい。そんな中で育つ子供は、親の発話の真意を読み取りがたいという状況の耐え難さを逃れるために、言葉の表面的意味以外のものを読み取ることを拒否する習慣を身につけていくためである。そのため彼らは、裏のメッセージを読み取りそこなう過度に論理的な人格に成長すると言われるわけである。

テオプラストスの例に見る限り、エイロネイアは、あまり愉快な性格とは言えない。しかし、豊かな社交生活を持っていたギリシア人なればこそ、このように特殊な言語使用にも注意が向けられたのである。後のイロニー（またはアイロニー）は普通日本語では皮肉と訳されるが、ここでも表面的メッセージと裏の意味との二重性という点では、ギリシア人のエイロネイアの場合と同じである。たとえば、借金取りのしょっちゅうやってくる家に対して、「君のところは客が多いね」と言ったり、離婚歴のある花嫁のウェディング・ドレス姿に対して、「さすがに慣れた着こなし」と言ったりするのが、まあ皮肉とされよう。皮肉は、同じ表現内容に対して、正負二重の価値を割り振れる場合、表面上はプラスの価値を表現しているると思えるものに、裏でマイナスの価値を付与するような表現を用いることであると言える。「ほめ殺し」と言われるものも同様である。

このような「皮肉」は社交界ではなくてはならぬものである。そこで無作法なやり方で相手をやりこめることはできないが、作法にかなった表現の中に相手への毒を盛ることなら許されるからである。その場合、皮肉は単に相手に差し向けられたものではなく、むしろまわりにいる第三者を必要としている。一般にジョークやウィットは、話し手と聞き手の二者の間だけでは、まったく味わい乏しいものになってしまうだろう。まわりで耳を傾けている観客を意識しているのである。

笑いが呼び出す第三者の審級

この点では、ソクラテスのイロニー（エイロネイア）もそうである。実際には一番なんでも知っているのに、何も知らない振りをして（空とぼけ）、人々の知を吟味するソクラテスのいやみな態度が、このような評判をとったのである。はじめ無知と言っていたソクラテスが議論の終わりでは最大の知者になり、はじめ自ら知識を誇っていた対話者が、最後には無知を暴露される。このような逆転がある点で、たしかに我々の「皮肉」と似ていないことはない。

しかし、ソクラテスは、対話者を真理へと導くためにだけ、無知を装っていたのであろうか？　そうではあるまい。ソクラテスの空とぼけは、実際には観客に向けられていたのである。対話者をコケにしながら、まわりの観客に笑いを喚起するという社交的戦略をそこに見なければならない。逆に言えば、ジョークやウィットは、笑いを喚起することによって、この第三者（インパーシャルな判断者）という審級を呼び出していると言うこともできる。笑うことによって、人は敵・味方とは違う距離を置いた第三者の立場に立つからである。

社交界で、ウィットやジョークを飛ばして笑いを取ることが重要なのは、このようにして第三者の判断を自分に有利なものにする戦略が働くからである。逆に、笑いの的にされた人は、第三者の支持を失ってしまうのである。

ただ、ソクラテスのイロニーが画期的なのは、言葉の表面のメッセージをあくまで論理的に追究した点である。ソクラテスは無知を装うから、相手の言い分をそっくりそのまま受け入れる、または受け入れる振りをする。そして、表面上あくまで相手の言い分に忠実に論理をたどるのである。普通の推論と違うのは、そして相手にとって予想外なのは、普通よりソクラテスが少しばかり余計に厳密に論理に執着する点である。それによって相手は、本来そこまでは主張するつもりのなかった論理的諸帰結まで導かれてしまい、その結果、自分の主張に内的不整合をきたしたり、明白に不合理な主張まで含意していることを暴露してしまうのである。ソクラテスのエイロネイアは、こうして単なる空とぼけによる率直さの欠如から、むしろ潔癖なまでに合理性・首尾一貫性を尊重し、そうではない主張のあいまいさやごまかしを掘り崩す武器となったのである。

だが、イロニーは新しい意義を獲得したとはいえ、単なる論理的一貫性ではない。イロニーを論理学に還元することはできない。それは、言表内容そのものの内的矛盾を摘発することにその眼目があるのではなく、言表内容とそれを発話する主体の態度との不整合に、もともと由来するものである。それゆえ、イロニーがもっとも効果を発揮するのは、一応首尾一貫して完結しているかに見えるものに対して、実はそうではなく、隠された利益や（言表外の）理由によって決定されていることを暴露するような場合である。

たとえば、大岡昇平は芸術院会員を辞退したとき、「戦時中虜囚（りょしゅう）の辱（はずかし）めを甘受したという過去があるから、天皇の前に出ることはできない」という理由を挙げている。ここで大岡は、国家の戦陣訓を遵守する身振りによって、国家の官僚たちが思いもしないほど厳格に、ある。

その掟を引き受けて見せる。しかしそのことによってかえって、戦争責任もあいまいなま、一個の芸術家に栄誉を下賜するかのような、あつかましい振る舞いをぬけぬけとやっている天皇や取り巻き連中の倫理的インテグリティの欠如を、見事なまでに暴露しているのである。

恩賜の栄誉というものは、それを受け入れる者を臣従させるが、かといって、それを拒否することも難しい。なぜなら、自分の価値は自分では判断できないものであるのに、他者からの評価を拒否するのは、たとえ賛美の評価を拒否する場合でも、傲慢のそしりを免れないからである。そこで残された道は、国家の論理をイロニー的に引き受けて、自らを厳格に裁いて見せることによって、その国家自体の倫理的空洞を一撃する、いわば肉を切らせて骨を切る戦略となるのである。

これはかつて旧国鉄労働者によって闘われた「遵法闘争」の論理に似ている。当時、国鉄の過密ダイヤは、法令どおりに運行されるならほとんど不可能なものであり、労働者の臨機応変の対応によって、調整されるほかないようなものであったが、国労は与えられた規則を字義どおり遵守することによって、ダイヤに著しい遅れが出ることを示すという、いわゆるサボタージュ戦法を取ったのである。彼らは、公務員としてストライキ権を奪われていたために、このような戦法が必要だったのである。これは、彼らを機械のように見なして人間らしい職場環境を保証しようとしない当局に対して、当局が言うように文字どおり機械的に働くということを実践して見せたものである。国鉄の運行が、実際には労働者の人間的配慮に大きく依存しているにもかかわらず、それを無視して規則どおり機械のように働かせようとした当局の論理を、そのまま逆手に取ったイロニー的戦術と言えるだろう。それはシステムの中にかくれていて見えにくい要素、にもかかわらずそれなしではシステム自体が立ち行かない要素を、システムの論理に臣従することによって暴露するのである。規則への過度に厳密な固執によって、かえって規則自体の不全を明らかにすることになるわけである。

ユーモアの破れかぶれ

これに対してユーモアはどうか？　humeur とは、フランス語ではもともと体液とか気質を意味していた。体液の具合によって気分が左右されると信じられていたのである。生のニュアンスにとんだ現実は、もともと言語には尽くしがたく、言葉を使うときも、この測りたい脱中心化された距離をとって表現されねばならない。生と言葉とのこの距離のニュアンスが、言語表現そのものの中に折り返されて投射されたものが、ユーモアであろう。

イロニーは、その論理の破綻(はたん)をとって表現されるから、それが怒りを呼ぶか笑いを誘うかはともかく、とにかく言語的に理解されないことはない。しかしユーモアのほうは、語りうるものと語りえないものとの距離を、語り自体の中で示そうとするものであるから、初めから言語がすべてと考える人にとっては、理解できないか、せいぜい不真面目だとしか理解されないことになる。

だがユーモアが単なる不真面目とか言い逃れではなくなるのは、生への愛によって言語が自らに制約をおく場合であろう。

右のほほを打たれたら、左のほほも差し出せ。上着を取られたら、下着もくれてやれ。

——これは、なかなか合理的には理解しにくい。あるいは、理解しにくいということが、理解されにくい。「無償の愛」などを持ち出して「説明」したつもりになることこそ、この際もっとも慎むべきことであろう。それは、本来語りえぬことを、語ってすまそうとすることだからである。

これは一種の破れかぶれのユーモアとして理解するしかあるまい。「何？　ドロボーが入って、上着を取って行ったって？　何デイ、それなら下着だって、フンドシだって、何だってくれてやろうじゃねえか。こちとラ、スッポンポンだい。ざまあ見やがれってんだ！」

ユーモアは、言葉がぴったりと実在に重なるわけではないことを、語るのではなく示す。

フロイトはユーモアについてのエッセーにおいて、月曜日に絞首台に引かれていく罪人が「こいつは、今週初めから縁起がいいぞ」と叫ぶという、いかにもブラックなユーモアの例に言及している。この発言は、文字どおりにはもちろん理解しがたい。実際には縁起がいいどころではないからである。普通には適切な発話の条件を満たしていないような状況での発話をあえてすることで、この発話は何を狙っているのだろうか？

フロイトは、悲惨な現実をはるかに超越する超自我の立場に立つことから得られた解放感が、この際の笑いの効果を説明すると考えている。そのような説明も可能かもしれないが、この発話は、理屈に合わないことを語ることによって、そもそも理屈から距離をとることが可能であること、理屈（たとえば、罪びとを断罪する観念）とは別の観点から、生に肯定を与えることも可能であることを示唆しているという点に、特色があると言えるだろう。そしてそれは、明示的に語りえないことなのである。

ルネ・マグリットの絵画に『これはパイプではない』というものがあったが、ここでは題名は作品の一部であって、それに言及するものではない。デュシャンの『泉』以後、我々は題名が作品に言及するメタ的装置ではなく、作品の一部と受け取らねばならない事態に慣れている。マグリットの場合、描かれたパイプと題名の間の矛盾が、描かれたもの（パイプ）より、描くという行為へと我々の注意を向け返すように、フロイトが言及する罪びとの発言と彼を引きずる運命（つまりこの発話状況）とのギャップが、表現された言語の限界に、我々の注意を向け返すのではないだろうか。

以前、さる高名な経済学者の夫妻が、テレビ・インタヴューで話をしていた。

　我が家では、大事なことはすべて主人が決定します。――でも、何が大事なことであるかは、私が決めてます。

中央銀行の金融政策（それらは、おそらく夫が決定する）が大事なことであることは、何ぴとも否定し得ない。しかし大事な問題についての夫の大事な主張が帯びる価値は、その発言内容によって客観的に決まっているわけではないこと、「重要でない」はずの妻の決定に依存せざるを得ないことが、この会話の面白さである。しかも、イロニーと違って、この根拠の底抜け状態は、論理的に突き詰めていった末に見出されるものではなく、誰にでも明白なまま晒されていることがユーモアの特徴である。（だから、イロニーに理屈っぽさがつきまとうのに対して、ユーモアには、とぼけた間抜けさの印象がつきまとう。実際、金融政策などについての意見以外、一切の家の方針を妻が決定するのを許している夫は、実質的に何の決定権も持たないということではないか！）

　しかし注意すべきは、この発言が文字どおりの内容で受け取られるなら、なんらユーモラスではないという点である。もし妻が、自分がやりたいようにしたいのであれば、その事柄をすべて「非重要事項」の中に分類し、他を「重要」として夫にゆだねればいいだけである。つまりこれが決定権をめぐる政治的分配の問題であれば、ここでは妻が絶対権を持つというに過ぎない。

　しかしここにおけるユーモアの効果は、そのような内容に関わるものではない。夫の「重要な」主張が、妻の「重要でない」枠づけと権威づけにゆだねられていることを、夫自身が受け入れているという身振りの中で、言語がすべてを尽くすわけではないことが示されている点にあるのだ。夫自身が、自覚的に「間抜けさ」を引き受けているのである。

　夫にゆだねられた領域（たとえば政策金利）での発言は、ある意味では重要だが、ある意味では（たとえば、家をいつリフォームすべきかとか、子供をどの高校に通わせるべきかと比べて）重要ではない、と言ってしまっては、ユーモアの効果は消えてしまうだろう。そんなことは自明なことだからである。ユーモアを、説明することによっては伝えられないものがあるのは、そのためである。ユーモラスな表現の中に、一見すると不条理なものがあっても、文脈を補ってやれば合理的に理解できる。――しかし、説明されたからといって、微笑を誘われるわけではない。ユーモアの文脈と説明の文脈とでは、すっかり文脈が変わっているのである。

しかし、説明をいくら重ねてもユーモアが理解できない御仁を、もしうまく描き出すことができれば、これは再びユーモラスな効果を生むだろう。宮藤官九郎氏のテレビドラマ『タイガー＆ドラゴン』で、落語のオチをいくら説明されてもわからない小虎の中に、我々はこの実例を見るだろう。説明されてもわからないこと自体、示されることはできても説明されえないことだと納得されるところに、ユーモアの効果が生まれるのである。

運（テュケー）と偶然

アリストテレスの悩み

アリストテレスは、生成を自然によるものと、技術によるものと、偶然によるものとに区分する。自然によるものの場合、種子から木が生成するように、同じ種（しゅ）から同じ種が生成する。人から人が生まれるなど。技術による生成では、家の観念から家の本体が生成するように、同じ形相が実現する。つまりこれら二つの場合では、「事物と同じ名前のものから生じる」（『形而上学』1034a25）。これらいずれの場合においても、可能態から現実態への運動として生成が理解されることになる。

アリストテレスにとって扱いが難しいのは、偶然による生成である。一方では何事にも原因があるので偶然ということは無いように見える。しかしそれは直感に反することであろう。アリストテレスが出している例は、金を貸している人がたまたま宴会へ出かけたらそこで貸していた相手に出会って、幸運にも取り立てることができたという場合である。ここで、確かに彼は金を取り立てるために宴会に出かけたわけではない。しかし彼が宴会に行ったのは原因がないわけではなく、そこに行こうとした意志が原因であろう。このように、原因事象の本質が（ロゴスが）結果事象の本質を合理的に説明することができない場合、偶然とか幸運にも、と言われるのである。ここでアリストテレスは例によって「自体的な原因」と、「付帯的な原因」の区別をすることで、事態を説明している。宴会に出かける意志は、彼が宴会に出かけたことを自体的に説明するが、彼が借金の取立てに成功したことを自体的に説明しない。なぜなら彼の意志は金の取立て成功の付帯的原因でしかないからである。

さて、アリストテレスはさらに偶然（アウトマトン）と運（テュケー）を区別する。運は偶然の一つだが、ただ人間の活動に関係する場合のみに限定される。

運としてギリシア人に意識されたものは、一体どんなものだろうか？　コンフォードは、ツキュディデスの『歴史』の研究において、背後から歴史を動かしてそれを意味づけている（半ば神格化された）テュケーの役割に注目している。

ピュロスでアテナイがスパルタ軍に対してかち得たすばらしい勝利が、いかに危うく、たまたまの僥倖（ぎょうこう）によって与えられたものに過ぎなかったのか、また、そのことを忘れてアテナイが自分の力を過信してシラクーサイに対して華々しく戦いの火蓋を切ったとき、いかに手ひどい運命の逆転に見舞われたのか、これらに焦点を当てることによって、ツキュディデスは、悲劇作家の世界観を反復しているのである。ごく瑣末なことが、思わぬ大きな結果を生む。これがギリシア人の考えるテュケーである。戦いの真っ只中で両軍あい譲らず戦局が膠（こう）着（ちゃく）状態にあるとき、突然にどちらかに形勢が傾くことがある。どちらの側も力が拮抗（きっこう）し、たがいに全力を出し切って戦っていたのに、戦局が傾くときは一挙に勝敗が決する。それは、些細（ささい）なことから大きな結果が生まれる場合である。ここにギリシア人は神々の助力を見るのだ。投入された入力をはるかに超えた結果が現れるからである。

一般に意味が生起するときには、原因と結果の非対称性が現れるだろう。現れた意味はそれ以前にはない意味的複雑さを帯びているのだから、それを因果的に説明することに困難が生じる。因果的説明は、原因事象の可能性に、それぞれに対応する結果事象の可能性を割り振り、反事実的仮想の可能系列を想定することによって、その中のひとつとして現実の出来事の系列を位置づけるものであるから、結果事象の分節化に対応する原因事象の分節化がないところでは、説明の図式に載らないからである。そこに無理に原因を探そうとすると、神秘的な意志のようなものを想定してしまうことになるのである。意味の生起は無意味からの生起である以上、生起した結果を、同程度意味的に豊かな原因で説明することはできないのである。

たとえば、ランダムに数を出力する装置（サイコロなど）があるとしよう。我々が何か意味があると見なしがちな数の連鎖がいくつかあるだろう。たとえば1,1,1,1…とか、1,2,3,4,5…とか、1,2,1,2,1,2…とか。長い時間のうちにはこれらの連鎖が出現することもあるだろう。また、これら「有意味な連鎖」の出現の頻度にも、ばらつきとか波とかがあるだろう。その出現頻度がほかよりも著しく高い場合、「ついている」と言われるのではないか？　ここには、これといって何の原因もないのに、この有意味な頻度の高さに、何か意味を求めてしまうのは、結果における有意味性と同程度の有意味性が原因のほうにもあるべきだと感じられるためである。

「それも一局の碁」

しかし、これは因果性の説明図式（カントの言うカテゴリー）を誤って適用した結果でしかない。因果法則を探究するリサーチ・プログラムの前提として、何事にも原因があるはずだという要請があるだろう。これは、事実または物自体の性質ではなく、法則探究の形式的要請に過ぎない。つまり結果事象の弁別的多様性は、それぞれに対応するそれと同程度の弁別的多様性を持つ原因事象によって説明されねばならない。

それというのも、現象の因果的説明は、因果類型（原因と結果を連続継起させることによって成立する出来事パタン）を説明概念として構成することにあるからである。つまり因果法則的説明が成功するのは、原因・結果が、因果法則またはその複合によって結びつけられ、それぞれの諸可能的事態が、対応する因果系列の類型として捉えられるときである。このようにして、目の前の出来事を、類型的な可能的経験の一事例として、それも類型的な因果系列の一事例として捉えることによって、その因果の流れの中にある出来事として解釈されるのである。

目的合理的・技術的実践においては、目的と手段の間に意味上の分節化が保存されているが、それも当然である。因果法則の中で保存される因果の分節化を、そのまま、我々の関心のある現象と、我々に制御可能な操作との結びつきに適用することから、技術は成り立っているからである。この意味で現象の因果的理解と目的合理的・技術的実践とは親和的である。しかしここから、すべての意味を目的合理性から理解しようとすると、偶然的な意味の発生が理解できなくなろう。

碁で「それも一局の碁」と言われることがある。ある局面で、どの手を打つべきかは、単純なやり方で決まっているわけではない。Aという手を打つには、それなりの理由と戦略があり、その長所と短所がある。それに対して、まったく別の戦略のもとに、Bという手を打つオルタナティヴがあるとしよう。単純に比較しても、どちらがよいとか言えない場合がある。このようなオルタナティヴの検討は「それも一局」として打ち切られる。つまり、それは可能的なまま実現されなかった人生のようなものである。いくら「それも一局」であっても、それはそれ以上の考察に値しない。その考察は、もはやこの一局の検討ではなくなってしまうからである。

碁の一手一手は、はじめからその意味が決まっているわけでも、打ち手がそれを決定づけるわけでもない。当初意図しなかったような意味を布石の石が帯び始め、思ってもみなかった働きによって、後の戦略に後から役立てられるということがしばしば起こる。そのとき、打ち手の意図を超えた知性の導きによって、あらかじめその布石が打ってあったかのように、自分の計算を超えて成果が成就したかのように、つまりは意図を超えた意味が発生したかのように、感じられるだろう。このようなことが起こるのは、シニフィアン（記号表現）としての石の潜在的多義性によるのである。

布石の意味は、主体がそこに置き入れたような何ものかではなく、後から打ち手自身によってそこに発見されるものであり、次第にはっきりとした意味をあらわにしつつ立ち現れることによって、打ち手自身がその実現に手を貸すべく誘われるようなものである。そこに現れつつあるシニフィアンの意味は、次第にはっきりと姿をとり始め、自らを自覚してくるもの、いわば自らの成就を次第に強く要求してくるようなものである。碁では時々、「振り代わり」というような戦略の大幅な変更が起こることがある。そのときには、当初実現しつつあった戦略自体が、別の新たな戦略のための犠牲の捨石になったり、手段的位置に落とされたりする。これまで主要な中心と見られていた要石が、単なる捨石になり、まったく顧みられていなかった領域に新たな「主体」、実現を要求する戦略的中心が生まれている。

詩作において、ある行またはある詩句が、虫食い算のように空欄のまま後々まで残ることがあろう。こんなとき、そこに収まる語句には、意味上からも、音韻上からも満たされるべき要請があろう。しかし、たとえば音韻上はぴったりでありながら、意味上などの理由でぴったりしない場合、その語句が自動的に退けられると決まったものではない。その語句を残し、他の部分に手を加えるという選択もあるからである。この場合にも、一種の振り代わりがある。作品の部分として要求されていた条件は、作品全体から来るのであり、作品とは別に我々の意図が先行して、不動のまま作品の成立過程のすべてを制御しているわけではないのだ。ある意味では生成しつつある作品それ自体が、漠然とであれ自らなりゆく生成自体を導くのであり、そこで大きな振り代わりが起こる場合、生成しつつあった作品自体が別のものと置き換わるわけであるから、生成の主体が置き換わっていると見なさねばならない。

遡及的に理解される意味

意味の生成は無意味からの生成である限り、生成した意味を同じように豊かな意味によって説明することができない。(テュケーと言われるのはそのような場合である。)もしそうできるとしたら、それは目的合理的な製作になってしまう。(それは、アリストテレスが、原因事象と結果事象が同じ名前のものと言う場合である。)しかし、意味の生成にとって本質的なことは、生成の意味がその結果を待たなければ理解されないということである。それが何の生成であるか、何が、いかなる意味が現象したのか、その結果を見なければわからない。その中に多様な因果法則が働いているのは想定できても、それらを全体として何ものかの生成として取りまとめているものは、進行しつつある生成過程の中では、未だ十分には見て取ることができない。意味が結果として十全に立ち現れてはじめて、そのものが何であったか、それが何の現象の運動であったのかがわかるのである(「本質と時間」一八七頁参照)。

したがって、この生成において働いていた諸要因の偶然的組み合わせは、結果からさかのぼって、はじめて意味深いものとされる。それは客観的にはありそうもない稀有な可能性のひとつであったのに、実現してみると有意味な結果を結実させたわけである。かくて、遡及的に意味深いものとされた稀有な偶然が、運命的なものとされるのである。

重要なのは、この過去の偶然を意味づけることができるのは、成就された結果の意味によるということであり、これによってはじめて、生成完了した観点から過去における進行過程を、ひとつの意味生成として見ることができるようになるということである。ニーチェの永劫回帰とか大いなる正午とは、このように過去の偶然を遡及的に有意味なものたらしめる観点の生成のことである。

可能性と反実在論

可能的世界について語る

「クレオパトラの鼻が低かったら……」と言われるとおりにクレオパトラの鼻の可能性だけを切り離すことはできないように、単独の出来事をそれだけ孤立させて、その可能性を論じることには無理がある。世界の現象がたがいに連関しているのだから、その事象を含む世界全体の可能性、すなわち可能的世界について語ることが必要になる。

可能的世界について論じるやり方には、大雑把に言って、二通りのやり方がある。ひとつは、たとえばシーザーがルビコン河を渡らないこともまた可能だったという場合、ルビコン河を渡った現実のシーザーの代わりに、他の点ではほぼ類似しているが、ルビコン河を渡らなかった**シーザー的**人物が存在するような世界、が存在する可能性を考える方向である。ライプニッツによれば、実際のシーザーの概念には、ルビコン河を渡ったなど、すべての細部が含まれるから、あのシーザーがルビコン河を渡らなかったことは、厳密にはありえない。考えうるのは、ルビコン河を渡らなかったシーザー的人物の存在可能性のみである、ということになる。

このような考えによると、シーザーがルビコン河を渡らなかった可能性も、シーザーが人間ではなく神（または宇宙人）であった可能性も、同じように可能的世界として構成できることになろう。後者は、シーザーと呼ばれる人物が（実際にはもちろん人間であったが）、神または宇宙人の化身であることもできたのではないかという可能性である。「神」や「宇宙人」がどういうものかはともかく、その意味が理解できるとすれば、このような可能的世界は、ルビコン河を渡らなかったシーザーを含む可能的世界と同様に構想できるだろう。

しかし、実際には我々が反事実的な可能性を構想するとき、実際の存在者とその実際の本性に基づいて構想するのであり、それを離れて一般的な可能的世界を考えても、空想でしかないだろう。そのような空想をしても別にかまわないが、実際我々が歴史を顧みて、シーザーがルビコンを渡っていなければどうなっていたとか、ポツダム宣言を日本帝国が即座に受諾していれば、原爆の犠牲もなかっただろうと考えるとき我々がしているのは、このような空虚な空想ではあるまい。我々は、実際のシーザーやポツダム宣言に言及しているのであり、それに基づいて反事実的可能性について考えているのである。

そこで、第二の考え方によれば、シーザーがルビコン河を渡らなかった可能性とは、他の点でシーザーに類似した存在の存在可能性ではなく（またそのような存在者を含む可能的世界の存在ではなく）、あくまで現実にルビコンを渡ったあのシーザーの可能性として考えねばならない。そのさい、現実のシーザーに言及することによって、彼の可能性について語らねばならない以上、この言及のさい前提とされている種概念（人間という本質）の制約は、失われてはならない。それを失う場合には、もはやあのシーザーの可能性とは言えないからである。したがって、シーザーには、人間でない可能性はないし、いま現に持っているのとは異なる遺伝子を持っていた可能性もないだろう。その対象が別の本性を持つ可能性を考えることは、その対象の可能性について語る眼目を欠いているのである。

亜鉛と希塩酸をしかるべく接触させれば、水素を発生させることが可能である。これらの可能性は、亜鉛と希塩酸それぞれの本性に基礎づけられており、また、それぞれの本性は、それがさまざまの条件で取りうる可能的反応を関数的・機能的に規定することによって記述されるというふうに関係づけられている。どのような存在も、神の一存で存在することもありえたとするような語り方では、可能性の構造と自然本性のこの連関を、うまく救い取ることができない。

さて、このように現実の対象に依拠して、可能性（可能的世界）を構想するとき、現実には存在しない対象の存在可能性について語ることはできない。存在しない対象は指示できないのだから、その存在可能性について語りえないのは明らかであろう。これは、一定の性質を持つもの一般の存在可能性とは、根本的に異なる。確定した意味を持つ述語を使って、たとえば「黄金の山は現実には存在しないが、存在することも可能だ」と語ることはできる。しかし「桃太郎は現実には存在しないが、存在することは可能だ」とは言えない。

これに対して、現実の存在する対象ソクラテスを指示することによって、ソクラテスが存在しない可能性（可能的世界）について語ることはできる。実際存在する対象に言及しながら、その非存在の可能性について語るのに、何の困難もないからである。これが一見奇妙に思えるのは、可能的世界について語ることを、可能的世界の描写であるかのように考えてしまうからに過ぎない。

未だ存在しない個体（桃太郎など）の存在する可能性について語りえないのと平行して、未だ存在しない自然種（「幽霊」、「雪男」など）、発見されていない本質、証明（ゴールドバッハの予想の証明など）、問題解決（パレスティナ問題や核軍縮問題の解決など）の存在（発見）可能性についても、同様に語りえない。そこで、いったい何の存在（発見）可能性について語っているのか、はっきりしないからである。

自転車に乗ることが可能か／不可能か……

一般に、ある対象領域に関して述べられた一見有意味な任意の命題に関して、その命題が真か偽かいずれかの値をもつはずだということを承認する原理を二値原理と言い、その命題（p）か、その命題の否定（~p）か、少なくともいずれかが真であるということ（pまたは~p）を無条件に承認するという原理を、排中律と言う。認識や検証のいかんにかかわらず、それと独立して存立している事態が実在していると見なせれば、それについて語る命題の真偽はすでに確定していると考えられ、したがってまた二値原理も排中律も、当然成立していると考えられよう。このような考え方を、その対象領域に関しての実在論的な見方と言う。この場合には、命題（p）の否定（~p）も（p）に劣らぬ表現力で、否定的事態を描写していると見なされ、写真のネガとポジのように、たがいに否定操作で反転するため、二重否定（〜〜p）は元の命題（p）の肯定に等しくなる。

いま、任意の可能性命題を対象領域と考えてみると、ここでも実在論的な見方を取り続けることには大きな困難がある。それは、可能性が主張可能である場合と、不可能性が主張可能である場合とのあいだに、いずれとも言えない場合が残るからである。自転車の乗り方を知らない人は、自転車に乗ることができるとは主張できないだろう。実際に乗りこなす能力を備えていなければ、自転車に乗ることができると言うための主張可能条件は満たされない。しかしだからといって、彼に特段の障害（手足が麻痺して動かないなど）がない限り、彼が自転車に乗ることは不可能とは主張できない。実際、少し練習すれば乗れるようになるからである。

これは一見すると、屁理屈のように見える。「可能性」が多義的に使用されているだけではないのか？　一方では原理的可能性が、他方では、実践的能力としての可能性の有無が問題となっているのであり、両者を区別すべきだと言われるかもしれない。

しかし、マニュアル化された「能力」の習得には解消できない問題が、新たに問題を解決する場合には生じてくる。この場合やはり、可能性の主張可能性と不可能性の主張可能性の狭間（はざま）が生じてくるであろう。ここでもなお、原理的可能性と実践的能力としての可能性の区別をすることには意味がない。なぜなら、原理的に可能とは、どのような観点から主張可能なのであろうか？　そのような、実際に得られていない神の視点のような立場から主張することは、許されないのではないか？

一般に、可能性の主張可能性自体、実際の存在者に依存するのであるから、存在者が増えるにつれて、変化（増大）していくはずである。可能性の領域でも無理に実在論的な見方を取ろうとすることは、可能性の拡大・可能的経験の拡張というダイナミズムを無視するものである。それが先鋭的に問題となるのは、問題解決としての自由をめぐってである（「自由と問題」一〇九頁参照）。

共通感覚と感覚質（クオリア）

白さと甘さの区別はどうしてできる？

我々は、普通、視覚や触覚などいわゆる五感を備えている。色は視覚でしか感知できないし、匂いは嗅覚でしか感知できないのに対して、形とか数などに関しては、視覚と触覚など異なる感覚器官で感知することができる。このように複数の感覚で感知されるものを、アリストテレスは**共通感覚**と呼ぶ。まれには、そうした共通感覚を感知する能力をも、共通感覚と呼ぶこともある。ただし、その場合も、五感に属する普通の個々の感覚能力のことを言うのであって、それを超えた自己意識や統覚のごときもののことではない。

それなら、それぞれの感覚が異なるということは、いかにして知られるのであろうか？白と黒は目で区別されるが、白さと甘さは、それぞれが目と舌とで感知されるという点で、たがいに区別されると言ってよさそうである。つまり感覚器官が違う。

しかしそれなら、右手で感じる触覚と左手で感じる触覚とはそれぞれ受容する感覚器官が違うから、区別されねばならなくなる。

我々は、このようなアリストテレスの問題提起を、普通はあまりまじめに取り上げようとはしない。というのも、意識とか統覚とか悟性とか、何らかの近世哲学的常識になれている我々にとって、白さと甘さの区別が、それら意識やら統覚やらによって可能になるのは、あまりにも自明のことだからである。それゆえ、これらの区別が「共通感覚によって」可能になるとアリストテレスに言われてみると、「なるほど、共通感覚とは、自己意識のことなのか」と早合点してしまうのである。

しかし、そんなふうに「理解」してしまっては、『デ・アニマ』でアリストテレスがしている悪戦苦闘が、ほとんどまったく理解できなくなってしまうだろう。

一般に、白さとか甘さというのは、感覚質（クオリア）と呼ばれ、物理的現象に還元不可能な心的領域を形成するとされる。物理主義や機能主義的な見方で心を説明しようとするとき、もっとも頑強に抵抗するもののひとつである。

いかなる感覚質も、初めから単独で知覚対象の性質を表示（represent）するものではない。このことは、たとえば青いサングラスを長くかけて見ていると、はじめ白いものが青く見えているが、やがて慣れてくると、もとどおり白く見えるようになるというようなことから知られる。つまり、物理的に青い光を感知していても、慣れてしまうと感覚質としては白く感じられるのである。このことから、クオリアとしての白は他の色とともに可能的色視覚の体系（シニフィアンの体系）をなしており、それぞれのクオリアの記号的弁別特性を使って、外界の特性の区別を表示（represent）しているのだということがわかる。クオリアの差異（シニフィアン）が、外界の差異（シニフィエ）の表現として使用され、またそのように学習されるのである。したがって、サングラスをかけることによって、外的刺激が全体として体系的にシフトしても、その記号的差異関係がそっくり維持されている限り、同じように外界を表現するように、たやすく翻訳を変更することができるのである。

この点は、逆さめがね（上下が逆転して見えるめがね）をかける実験の場合、より劇的に現れる。逆さめがねをかけることで、視覚的位置関係は逆転する。つまり、視覚的位置関係は、触覚的位置関係とは逆対応関係になる。しかしこれも、ずっとつけて生活しているうちに、視覚像はやがて身近なものから順に正立して見えてくるというのである。つまり、視覚的位置関係のクオリアは、触覚的位置関係のクオリアとやがて前と同じように対応づけられていると感じられてくる。これは、視覚的クオリアが、触覚的＝運動感覚的クオリアに適合的に再解釈（再翻訳）された結果と見ることができる。

クオリアは心的実体ではない

このように、身体運動的感覚質への適合ということは、すべてのクオリアにとって重要である。それは、生きて活動する上で、その感覚が特に重要な連関を持つということであり、それ自身生物進化の結果であろう。そうすると、身体運動という場で、複数の感覚が交差しあうことは当然であり、そこに共通感覚が成立する。たとえば、ある視覚的クオリアは、身体運動にとって意味を持つある触覚的クオリアに対応する部分（共通なもの、たとえば大きさ）を表示する限りにおいて、何らかの外界の表示内容（representational content）を持つことになる。逆に言えば、このように「外界の共通なもの」をそれぞれ表示することが明らかになった異なるクオリア群の間で、たがいに対応関係が習得され（たとえば、丸い視覚と丸い触覚、四角い視覚と四角い触覚の対応が習得され）、そこから、それぞれのクオリアが外界の同じ対象の違った感覚質の表現であるという解読がなされるのである。

感覚質の表示内容（志向的内容）の習得にとって、共通感覚（共通に感覚されるもの）の果たす役割にアリストテレスが注目するのは、この点である。こうして、同じ志向的対象（たとえば、丸い形）を表示する異なるクオリアとして、視覚と触覚が区別されることになるだろう。視覚に属するクオリア（たとえば丸の視覚）は、他の視覚的クオリア（たとえば四角の視覚など）といわばパラディグマティック（共時的）な差異関係で結ばれ、いわば「視空間」を形成する。触覚的クオリアも同様に「触覚空間」を形成する。こうして各クオリアの系列が、それぞれのクオリア空間を形成する結果、それぞれ異なる系列の感覚質――たとえば、白さと甘さ――も区別することが可能になるのである。

サングラスや逆さめがねを長くかけ続けることによって、同じクオリアが異なる外界の性質を表示するようにと、意味の翻訳対応関係が変化することは、いわばシニフィエの変更であるが、そのさいシニフィアンとしてのクオリアの同一性は揺るがないのだろうか？

シニフィアンとしての同一性が、それ自体他のクオリアとの弁別的差異の束としてしか与えられないということは、構造主義的音韻論が証明したところである。だから、たとえばRとLとを音韻として区別する習慣のない我々、日本人にとって、それらは同じクオリアと感じられるのである。それゆえ、シニフィアンとしてのクオリアは、それが実際にどう使用されているかということを離れて確立されている純粋に心的な実体ではない。環境への適応を通じて、我々がたまたま習得することを覚えたシニフィアンとして、クオリアは我々の生活適応の形が複雑になるにしたがって、洗練され、複雑化してゆく。

たとえば、書の達人はごく微妙な筆捌き（ふでさば）のクオリアまで習得しているであろうが、薬指を動かそうとすれば小指も動いてしまうような不器用な人にとっては、それぞれの指の動きを区別するクオリアの差異はないのである。

言語と意味

いかなる言語との間でも共有されるもの

まったく何の手がかりもなく言語を習得する場面を考えれば、一定の発話がどの場面で、その言語共同体のメンバーに是認されるか否かということが、その言語を理解する上で、唯一の手がかりとなるであろう。子供が発する発言のうち、適切なものは是認されるが、不適切と見なされたものは否認される。これが子供の言語習得の出発点であろう。やがて子供は、ある文の発話が是認される条件を体験的に習得してゆく。つまり文の意味を理解するとは、その文がいかなる条件で是認されるか、その条件のパタン（これを文の真理条件と言う）を知ることであると言えよう。

重要なことは、真であったり是認されたりするものが文の発話であることである。言葉の意味とは、したがって第一義的には文の意味であり、文の構成要素（単語など）の意味は、それが文の意味を構成するのに貢献する限りにおいて、派生的に問題になるということである。文の意味の解釈の場面でも、我々は単語の意味を前提として出発するわけにはゆかない。我々が、言語学者ないしは他者の言葉の解釈者として、はじめに手にする言語資料は、その言語の話者がいかなる文をいかなる条件の下で（場面で）是認したのか、ということだけである。

そのような言語資料の、できるだけ多くを説明しうるような解釈仮説を立てることが、解釈作業の手続きとなるだろう。つまりどのような「単語」(または音節)に、どのような意味を想定すれば、それによって合成された文に対して現地人が真と思う条件(適切な発話だと見なす使用パタン)に近い使用パタン(あるいはそれに対する肯定・否定の態度のパタン)をもたらしうるかを考えながら、意味解釈を与えていくわけである。言い換えれば、適切な意味解釈(翻訳)においては、与えられた文に対する現地人の態度のパタン(どのような条件でその文を真と見なすか)と、その翻訳文に対する我々自身の態度のパタンが、可能な限り接近せねばならない。同じ意味を持つ翻訳文は、もとの文と同じ真理条件を持つはずだからである。

このような方法論が前提しているのは、現地人と我々との間で、ほとんどの認識・信念が一致しているはずだという想定である。現地人が仮にウサギを見て「ガヴァガイ」と発話しているのを見て、我々がそれを「ウサギだ」と翻訳しようとするとき、彼らも我々も、共にその使用場面にウサギがいると認識していること、少なくともそう信じていることが、前提されているのである(「まさかその場面で、彼らは幽霊が出たとは思っていないだろう……」など)。

これはある意味では当然のことであろう。我々は、現地人の言葉を翻訳しようとするとき、できるだけ彼らの発話が合理的であるように、つまり我々から見てもよく理解できることを語っているように、つまり彼我の信念のギャップをできるだけ少なくするようにと解釈するからである。これを、慈悲の原則（好意的解釈の原則）と呼ぶ。

果たしてこのことは、重要な形而上学的含意を持つ。それは、どんな言葉であれ、それが言葉であると想定される限り、翻訳可能・理解可能なものであるばかりでなく、彼我の間で信念の大きなギャップはあるはずがないということである。

これは一見すると直感に反することではないか？　意見の食い違いなど、どこでも見られることだからである。しかし、どこで意見が食い違っているか理解可能である限りは、つまり異なる意見の意味が明確に理解できる限りは、他のほとんどの点で意見の一致があるほどまでに、考えは共有されているはずなのである。しかしこのことは同時に、逆に言えば、著しい意見の不一致が存在すれば、一体何がどう違うのか、相手の発言の意味も明瞭とは言えなくなってくるということである。この場合、ある言明に対する態度の違いが、どこまで意見の違いに基づくのか、それとも意味理解の差によるものなのか、見きわめ自体が難しくなる。

以上のことは、別に未開の現地人の言語の解釈だけに通用することではない。同じ言語（国語）を語っている人であっても、彼の発言があまりに不合理であると私が思う場合、その真意を取りかねることになるであろう。その極限には、ついに彼のすべての発話を、ただの叫び声や騒音と見なすことになる。一方では、言語と見なす以上、意見の一致があるはずだとするか、他方では、意見の不一致がある以上、すべての言語は私的言語であって、意味理解の共有はないとするか、――両極端の中間に、実際の言語活動はあるだろう。いかなる言語使用も、その使用者ごとに微妙な意味理解の違いがあるに違いないし、一個人としても、その信念・認識の総体がいつまでも同じでない以上は、意味理解の変容を伴わざるを得ないということ、しかしそれでもコミュニケーションは不可能にはならず、不完全ながら、意味理解や信念のある程度の共有が達成されるであろうことは疑いない。

Sinn（意味）と Bedeutung（指示）

明けの明星＝宵の明星で何を理解するか

さて、以上、意味にとって文の真理条件が重要であることを示したが、同一対象の違う名を代入しても、普通の文脈では当然、真偽（これを論理学では、数学での1とか0とかの数値との類比で、「真理値」と呼ぶ）は動かない。宵の明星について言えるすべてのことは、明けの明星についても言えるわけである。これはしばしば「ライプニッツの法則」と呼ばれることがあるが、石黒ひで氏の『ライプニッツの哲学』によれば、それはどうやら誤解のようである。むしろ実際のライプニッツの主張は、概念の同一性を規定するものであったという。たとえば、四角形と四辺形のような言葉は、真理値を変えることなく取り替えることができるから、同一の概念を表現していると言ってもよいわけである。これら、元の文の真理値を変えずに代入できる言葉は、フレーゲによって Bedeutung が等しいと言われる。

Bedeutungは、複合文（「pかつq」、「pかつ（qまたはr）」など）の構造を分析する場合、重要な役割を演じる。これらの複合文の真理値は、その構成要素の文（p、q、rなど）の意味内容がどうであれそれにかかわらず、それぞれの真理値のみによって決定されるからである。このように要素文の真理値のみによって、その真理値が決定される文を、真理関数と言う。

フレーゲによれば、Bedeutungだけで言語の意味のすべての側面が尽くされるわけではない。上で述べてきた意味と真理との関係（文の意味の理解は、その真理条件の理解である）と同時に、意味は主体に理解され、主体に何らかの態度を取らせる（信じるとか、肯定するとか、しないとか）という側面も、忘れてはならない。この二つの側面の関係が、結構なやましい。

フレーゲにとって、後者の側面が無視できなかったのは、数学における等号をどう考えるかという点があったからである。たとえば、2+2=4において、左辺と右辺は同一のBedeutungを持つ。（通常の文脈で）どの文においても、両者は真理値を変えずに代入できるからである。しかしだからといって、「2+2=4」は、（その文の2+2の代わりに4を代入してつくった）「4=4」と同じ意味だとは言えないだろう。一方（4=4）には誰でも同意できても、他方（2+2=4）には同意できない人（算術を知らない人なら）が存在しうるからである。

前者が、認識論的にほとんど何の実質も持たないのに、後者は、重要な認知的内容を持つはずである。2＋2＝4の数学的証明は、証明前に比べ何か新しい認識内容をもたらすはずである。（カントが数学を、認識を拡大する総合判断としたとき考えていたのは、このことかもしれない。）簡単に言えば、2＋2と4（または3＋1）とは構成の仕方が違うのである。違う筋道を通って到達したものが同一であるということが、等式で示されているのである。フレーゲは、この違いをSinn（意味）の違いとした。

同じ真理値に達するとしても、それに達する筋道に差がある場合、その文に対する認知的態度には差が出る。明けの明星についての文と、それを宵の明星によって代入した文とは、その真理条件が同じであるにもかかわらず、「明けの明星＝宵の明星」を知らない人にとっては、認知的態度に差が出ることもありうる。たとえば、明けの明星が明け方に空に輝く星であり、宵の明星が夕べに空に輝く星であるということを知っているだけで、それらの同一性を知らない人は、それが惑星だと知らされても、地球の内側に軌道を取る惑星だということを推論できないのに、その同一性を知っていれば、明け方と夕べとそれぞれの見え方から、地球の内側の軌道を取るということがわかるだろう。

「明けの明星」と「宵の明星」とは、同じ対象を提示するのだが、それぞれの提示様態が違っている（朝に出るか、夕べに出るか）ということは、それぞれの表現を使った文の真理を確証するための手続きに違いがあるということである。つまり、Sinnの確定にとって重要なのは、真理条件よりも、検証手続きであるということである。両表現をそれぞれ入れ替えても、文の真理条件には違いが出ないが、検証手続きにははっきりとした違いが出るのだ。

「明けの明星には衛星がある」という文の検証手続きは、当然、夜明けに輝き出る星を望遠鏡でよく観察することとなろうが、「宵の明星には衛星がある」の場合は違ってくるだろう。

　このことは、重要な含意を持つだろう。もし検証手続きがまったく知られていないとしたら（たとえば、未だ証明が与えられていない「ゴールドバッハの予想」）、その意味は未だ定まってはいないということである。ゴールドバッハの予想とは、2より大きなすべての偶数が二つの素数の和で表されるというものであり、未だ証明されていないが、反証もされていないものである。この推測された「定理」が、いつか証明されようと反証されることになろうと、その意味は一義的に決まっている、ということが否定されるとなると、我々は驚く他はない。最近証明されたとされるフェルマーの大定理も、証明される前にはっきりした意味を表していたからこそ、多くの人がそれを証明しようと目指してきたのではないか？

　しかし、この点は次のような例を考えてみれば、いくらか納得できるのではないだろうか？　雪男を探索するという課題（プロジェクト）、あるいはUFOを探ろうという課題が厳密に言って何を意味しているのかは、それらが発見されたときはじめて明らかになるのではないか？　一般に、問題の意味と本質は、それが解かれてはじめて明らかになるのではないだろうか？

実在論と反実在論

「雪男が存在する」という命題の意味

ここには、意味をめぐって、二通りの考え方があろう。一方は、可能的な全命題の宇宙（意味のイデア的実在世界）がすでに張り巡らされていて、真偽の確定は事後のことであると見るものである。これが、実在論であり、命題の真偽二値原理を承認し、ある命題が真かその否定が真か、少なくともいずれかであるという排中律を承認し、ある命題の二重否定は元の命題に等しいとする二重否定律を肯定する。（ちなみに、ここで言う「実在論」は、中世哲学で散々問題になった普遍論争に由来する言葉遣いである。つまり普遍観念が実在しているか、それとも名目的なものに過ぎないのかという対立において、実在論（レアリズム）、または実念論と呼ばれた立場に由来する。検証以前に命題の意味が確定しているという主張がポイントである。）

しかし、「雪男が存在する」という命題の意味は、実際に雪男が発見されてはじめて確定するだろう。雪男がいなければ、「雪男はいない」という命題の意味さえ定かとは言えないのである。実際にはそれは、「雪男なんてものはいない」ということで、他者の言語に対する弁証論的（論争的）批判になるのである（「弁証法と（再）定義」一六〇頁参照）。雪男が発見されてはじめて、「雪男」の使用法（適切な主張可能性条件）が確立する。それ以前には、それがある種の類人猿なのか、特殊な文化を持った一部族の人間なのか、はたまた、生き残った原人なのかもわからないのである。このような見方によれば、検証と意味とは密接な連関を持って一歩一歩我々の認識世界を広げていくものである。

ここでは、「雪男が存在する」（p）の意味は、その検証が初めて与えることになるから、それが真か偽かいずれかに決まっている（二値原理）とは言えない。雪男が存在しない場合、その命題は偽ではなく無意味となるから、その命題かその否定かいずれかである（排中律）も成り立たない。存在しない場合、「雪男は存在しない」も無意味になるからである。~p（p の否定）が主張可能でないとしても、p が主張可能になるわけではないから、二重否定（~~p）が肯定になるわけでもない。これは反実在論的な見方である。

重要なことは、実在論・反実在論は、単に形式論理上の問題にとどまるものではなく、意味、真理、実在、認識、そしてとりわけ自由などについての包括的形而上学的考察から、問題に応じて決定されなければならないということである。

検証主義とプラグマティズム

「愛してます」の二つの理解

言葉の意味を理解しているとは、あるいはその概念を所有しているとは、いかなることであろうか？　それは通常、二つの方向で示されることになろう。

一つは、その言葉の適切な使用法を知っているということ、つまりは適切な発話の条件を心得ているということである。普通は、文が真である時に、その発話が適切と見なされるから、文の意味を知っているということは、その真理条件を知っているということである。あるいは、それを真として検証する条件が与えられれば、適切な発話が可能ということであるから、検証可能条件を知ることが、その文の意味ないし使用法を知ることだと言ってもいい。

ただし、未だ検証されていないばかりか、検証の意味すら定かでない命題――たとえば数学の未検証命題――に関しては、一見すると、真理条件を知ることと検証条件を知ることとは、異なるように見える場合がある。つまり、検証条件は知らない場合でも、真理条件は知っているように見える場合があるのである。

たとえば、πの小数展開に出てくる数字がすべて均等に出てくるという仮説は、一、見すると、その真理条件が明確であるように思われるのに、検証手段が見つかっていない以上、検証条件が知られているとは言えない。これらの場合、意味理解としての真理条件と検証条件とを区別できると考えるか（実在論）、それとも、実際にどのように検証されるのかわからなければその真理可能性自体に未だ実質的な意味が与えられていないのだから、真理条件が検証条件と別に知られるわけではないと考えるか（反実在論）、しばしば論争になることがある。

さて、これらは主張可能性条件によってその文の意味を示そうとする立場であり、広義の意味で検証主義的な意味理解と言ってよい。それは実際に我々が幼児として両親から、あるいは言語学者として未開人から、言語を習得しようとする時、とにかく文の発話に対して彼らが示す適否の反応のみを手がかりにして、その意味を推測しようとする場面をモデル化したものと見ることができよう。

これに対して、プラグマティックな意味の理解と言うべきものがある。パースは有名な「プラグマティズムの格率」として、理解の対象となる概念を明晰に捉えようとするならば、「その概念が行動に及ぼしうる諸帰結として、いかなるものをもつかを考察せよ、そうすれば、これらの諸帰結の理解こそが、概念そのものの理解のすべてなのだ」と述べている。これは平たく言えば、ある概念を含む文の意味（の差）は、それを受け入れ、それの肯定に加担したとき、当然引き受けざるを得ない（または引き受けるべき）言動のタイプ（の差）によって示すことができる、ということである。そして、文を構成する個々の概念の意味は、引き受けられるべきこの行動パタンへの、その概念の貢献の仕方ということになろう。

たとえば、「明日雨が降る確率は五〇パーセントである」という単独事象の確率言明は、いかなる場合でも検証できないから、その検証可能条件では意味を与えることができない。しかし、こう言明する人の文の意味理解は、明日の天気で賭けをするときなどの彼の行動の中に、端的に表現されるだろう。検証主義だけでは及ばない意味理解への路を、プラグマティズムが開いているとも言える。

仮に「愛してます」という文の発話は、その人のことを寝てもさめても考え、その人と一緒にいたいと考えるような場合に、主張可能性条件が整うと見なすとすれば、それは、主張可能性条件からその文を意味づけていることになろう。しかし他方、ある文化のもとでは、この文の発話は、事情が整いさえすれば結婚のプロポーズをする責任（コミットメント）を発生させるものと見なされるかもしれない。したがって、「愛してます」と言いながら、しかもなんら具体的不都合が見当たらないにもかかわらず、いつまでたってもプロポーズしないのは、不誠実または無責任と非難されることになる。これは、帰結責任的（プラグマティックな）意味理解の方法である。この場合、結婚しないという「煮えきらぬ態度」は、「愛してます」の発話を「不誠実」にしてしまうのである。

主張可能性条件による意味理解（広義の「検証主義的意味理論」）と、帰結責任による意味理解（プラグマティックな意味理論）は、相互に連関する場合が多く、その場合、それらが整合的・調和的である必要があろう。たとえば、主張可能性条件の中の「いつも一緒にいたい」という欲求が、いつも一緒にいられる環境（結婚）をすすんで受け入れるという帰結責任と調和しながら、「愛してます」という文を一定の社会的文脈の中での使用法の中に置くわけである。

しかしもし、同じく「愛してます」という文を使いながら、一方は検証主義的にのみ理解し、しかももっぱらそれを主観的感情の湧出という主張可能性条件にのみ結びつけているのに、他方がその発話をプラグマティックにのみ理解している場合、両者の相互理解に重大な齟齬（そご）が生まれ、行動連関に大きな亀裂（予測不可能性）が生じることが十分予想されるであろう。フェリーツェとの婚約をめぐって繰り返しカフカが直面した問題には、言語と法に関するかかる事情が絡まっていたと見ることもできよう。カフカにとって、言語は、知らないうちに法で強制するものと感じられている。ある日気がつけば、言語の罠にはまって、身に覚えのない訴訟（Prozeß）に巻き込まれているわけである。

ここと私

「私が佐々木小次郎だったら」の誘惑

一般に、知識というものは何ものかの（または何ごとかの）知識であり、それゆえ広い意味ではそれは世界についての知識であると言えよう。世界についての知識を、包括的な事典、もしくは巨大な脚注つきの世界地図で表現したとしよう。しかしどんなにそれが詳しくても、ここについての理解、つまり私の場所についての理解を、そこに見出すことはできないであろう。もちろん、実際に私が住んでいる土地について、いくらでも詳しい知識を得ることはできるし、私がその人物である田島という人物についても可能な限り詳しい事実を知ることはできる。しかし、その場所にいるのが私であること、田島なる人物が私であるとはいかなることであるのかの理解は、その地図によっては与えられない。いくら詳しい地図を手にとっても、自分がどこにいるのかわからないようなものである。地図に加えて、自分のいる場所がわかるということには、何が必要であろうか？

世界についての知識でない以上、どこか世界の外にいる私、しかも可能的世界の外にいて、私が田島である現実世界のみならず、私が永井均氏である可能的世界をも通覧することができ、そのすべてを通して同一の存在であると知ることのできる知識であると、考えたくなるかもしれない。このような考えに誘われるのは、ここからほとんど何の情報も得られない暗闇の中でも、ひとは「ここはどんなところだろう？」と自問できるように思われるためである。しかしこれは、すでに「私」の観念が十分に豊かに形成された後の話であって、はじめからこのような手がかりなしの状態で「私」の観念が持てるかどうか、大いに怪しいだろう。

「ここ」とは、たまたま私がいる場所のことであり、「現実世界」とはたまたま私がそこにいる世界のことである、と言いたくなる。そして、私が田島という人物であるのは、たまたまの偶然であり、私が永井均氏であることも可能であったはずだ、とも思われるわけである。

しかしもちろん、もし実際に私が田島であるならば、つまり、「私」で指示される対象と「田島」で指示される対象が同一であるならば、これが同一でない可能性などは存在しない。それは、2＋2＝3＋1であることが真であるなら、それは必然的に真であるようなものである。その点はさておくとしても、「私」には、あたかも実際には私＝田島である退屈な現実を離れて、私＝永井均である楽しい可能性を自由に享受できるかのように、（幻想的に）思わせるものがあることは確かである。普通の固有名の場合、そんな幻想に思いをはせる誘惑は生じないだろう。たとえば、「武蔵が小次郎だったら、巌流島の決闘は行われなかったろう」などは、有意味とは思えない。それなのに、「私が小次郎だったら」は、何か有意味な想定であるように思わせる誘惑があるのだ。

その点はともかく、私が享受している自己知の中には、「ここ」の理解に類似したものがある。それゆえ、「ここ」を「私のいる場所」として片づけるのではなく、「ここ」の理解から、「私」の理解へ向かう道を探るべきではないか？　さもなければ、私の存在が世界に定位した身体から切り離されてしまい（デカルト的自己）、いったんそうなっては、「私」の観念が再び世界を取り戻すのは難しい。

暗闇での手探り

「ここ」の理解には何が含まれるか？

まず、客観的位置関係というものが存在し、ここはそのような場所のひとつであるという理解が、なければならない。さもなくば、すべての場所が幻想と変わらなくなり、「ここ」もそのような幻想としか関わらなくなってしまう。客観的位置関係とは、たとえば、東京駅のひとつ北の駅と、秋葉原のひとつ南の駅は、同じ駅（神田駅）であると言えるような、位置の同一性に明確な意味が与えられているということである。これに対して、桃源郷といった幻想的な場所は、私が夢に見た桃源郷と、彼の夢に出てきた桃源郷が果たして同一であるか、それとも類似した二つの場所に過ぎないか、と問うことには意味がない。同じ場所であるということに、明確な基準が与えられていないからである。

さらに進んで、「ここ」の理解は、主体の周囲の環境に対する感覚—運動的連関を恒常的に持っていること（周囲に、いわば情報網を張り巡らしていること）を前提にするだろう。

つまり、主体は、周囲に対して注意の網を張り、その網にかかる情報を感覚信号として知覚するが、それは環境の諸対象に対する行動の準備である。触覚の場合が一番典型であろうが、暗い中で手探りするとき、手は周囲のものの輪郭を捉えようとしてさまようが、それは、それ自身手探りするという行動の結果であると同時に、次の行動の準備でもある。知覚は、このようにして、周囲の情報から、主体の近傍の、行動のための地図を描いてゆくのである。こうして、主体は自らの近傍を行動的関心から、上下・左右・前後と、遠近という意味を帯びた空間として理解する。この主体に中心化された空間理解において、「ここ」は行動の原点として理解される。

ただし、この主体に中心化された空間は、客観的空間の部分として、重ねられなければならない。そのことによって、行動が決してまぼろしではなく、たとえばある種の知覚風景の変化が場所の移動によるもの、などという意味を持つことが理解されるのである。

このように、行動の原点としてここが理解されるということは、同時に行動の主体として私が理解されるということではないか？　それはとりあえず、行動し知覚する私の身体の理解であろう。気を失っていて、われに返るとき、まず自分の手足やからだの位置を確かめるようなものである。このような自己身体の最小限の理解は、次の行動のために不可欠であろう。我々は行動しつつあるとき、たえず周囲の状況へと注意を向けると同時に、自分の身体の向きや位置や足場の状態などを、自己確認しているはずである（右足を出した後は左足を出すなど）。これがもっとも基礎的な自己知をなすであろう。

しかし、このような運動―知覚的な身体としての自己知に納まらない「私」理解が存在する。たとえば荘子の胡蝶の夢。

意識と想像的なもの

「胡蝶の夢」は指示体を持たない

知覚であれ想像であれ、はたまた夢であれ、何らかの内容を持つ体験であるかぎり、その体験内容には、「われ思う」が付加可能である。つまり「私は～を知覚している」とか、「私は～と想像している」に対して、「私は～と知覚していると思っている（知覚しているらしい）」とか「私は～と想像していると思っている（想像しているらしい）」と言える。そして実際、知覚しているということが誤りであったとしても、知覚しているように思えるということは疑い得ない、と言われるのである。ここから、それらすべてを思惟する私というものの存在は疑い得ない（デカルト）、ということになるのだろうか？　たとえば、知覚していると思っている私と、別の時に想像していると思っている私は、果たして同一の私となぜ言えるのか？　またそれとは別に、「私は身長百七十センチである」と言われるときの私と、考える私が同一であるとどうして言えるのか？

身長の自己帰属は、意図的行為の中で前提される、身体の四肢の位置確認などの自己知の延長上に考えることができるだろう。その基礎には、自分の身長を、何か基準となる客観的なものと同じ長さだと判断する我々の能力があろう。それによって我々は、自己の身体を、長さや幅を持つ客観的世界の中に位置づけることができるのである。

しかし、胡蝶になったのを夢見る荘子のような体験の場合を、同じように考えることはできない。つまり「私は蝶になった夢を見た（と思っている）」という私の体験が、人間であり身長百七十センチの私に帰属できるとすれば、夢の中の私と人間である私とは、同一なのであろうか？　たとえば、同じ魂として私が、あたかも服を着替えるように、蝶になったり、人になったりするのであろうか？　体験内容が胡蝶であったり人間であったりするだけで、体験主体は一貫して同一の魂なのであろうか？

私は、蝶になって花の蜜を吸う夢を見たり、そのような幻覚を持つこともあるかもしれない。そのとき、蜜を吸う感覚と共に、それを感覚している（蝶としての）私という幻覚も、その夢の一部を成している。映画館の椅子に座って映像を見るように、現実の私が夢を知覚している、というわけではない。花の蜜を知覚しているつもりの「私自身」が、夢や幻覚の一部なのである。それゆえ、幻覚の私と現実の私（や現実の私の魂）との間に同一性は成り立たない。同じ私が、「自分は蝶である」という偽なる信念を持っているのではなく、明らかに、「蝶である私」は指示体を持たない幻想である。この場合に、「私」は、自己意識とか魂を指示しているわけではないのである。「私は「私が蝶である」と想像する」という場合、想像の内容をなす「私が蝶である」の中の「私」は、想像する私と同一の存在（たとえば私の魂）を指示すると考えるべきではなく、単に（私の）幻想の一部であり、指示体を持たないのである。ただし幻想を持っている私は、現実の身長百七十センチの私である。

それはちょうど「私は劇でハムレットを演じた」という場合と似ている。想像する人としての私と、想像される蝶としての私との関係は、演じる私と、演じられるハムレットの関係に近い。この場合、私はもちろんハムレットであるわけではないし、私の魂がハムレットを体験するわけでもない。ここでも、「ハムレットとしての私」は、「蝶である私」と同様、ハムレットを演じている日本人の私を指示するのでも、もちろんデンマーク王子を指示するのでもなく、指示体を欠いているのである。

しかし、このことから逆に考えれば、考える私の自己意識が証言する私——すべての体験表象に付加され得る「われ思う」——が、純粋に形式的なものである、というばかりではなく、夢の中の自己表象や劇の中での自己表象がまったく想像的であるように、すべての自己表象には、実は想像的なものが含まれるということなのではないか？ 我々は、意識とか自己意識を前提に、想像的なものを解明するのではなく、想像的なものの一つとして意識や自己意識を考えるべきである。

想像的な私と象徴的な私

ボクシングを見ていて、あたかも自分がリングで闘っているかのように客席で身を動かすとき、我々は想像的に私を演じているとか、想像的な私に取りつかれていると言ってもいいだろう。演劇や映画を見ていて容易に登場人物に感情移入できるのも、見ていながら、自らその登場人物を半ば演じてもいるからである。我々は自らの身体をいわば依り代（よりしろ）にしながら、想像的なものを模倣し、上演することによって、自分の現実の身体を離れたものを想像し、ないしは想像的に再現するのである。我々はたとえば体を揺らしたり、少なくとも眼球の運動でブランコの動きを模倣することなしには、ブランコの動きを想像することができない。想像は純粋にイメージを観想することではなく、身体を類似物（アナロゴン）として使った上演であると考えられる。

漫画や演劇などを見て、そこに想像的なものを理解する上において、おそらく人間は他の動物よりずっとたやすく想像的世界に入ってゆくことができる。子供でも、ままごとで母親の役を演じるとか、グランドピアノを家に見立てるとかして、遊ぶことができる。このような遊びは、他の動物にはあまり見られないものだろう。

それは、人間においては、自我が自然的所与として初めから本能的に与えられているのではないからではないか？　自己の身体運動感覚すら、母子関係を通じて、いわば自己の鏡像をもとにして統合されていかねばならず、そのため自己の統合的イメージが、もともと想像的なものとして、外から文化的に与えられたものに過ぎないのである。だからこそ、もともと想像的なものである自己を、他の想像的自己に代替することは、きわめて容易なのである。その代わり、この自己イメージは、容易に分断されたり、他者に簒奪（さんだつ）されたりし得る危険もはらんだものとなってもいるのである。つまり人間のもとにおいては、身体運動の自己知すらも、鏡像としての想像的自己の支配下にある、ということである。

主体は他者の欲望を模倣する

しかしこれで「私」のすべてではない。このような想像的自己イメージのもとで統合された私は、さらに言語的主体でもあるという制約のもとで、さらに別種の自己へと変成しなければならない。それは、同時に欲望の主体となることでもある。もともと人間の欲求を、生物体としての自然的必要という点からは理解することができない。しばしば必要以上のものを欲求し、また(拒食症のように)必要なものさえ欲求しないことが、人間の場合一般的だからである。

幼児にとって、授乳はすでに、彼らの必要を満たすという意味を逸脱する、過剰な意味を持つことが問題となる。授乳はすでに、自己イメージの形成にとって不可欠な母―子関係の中で、授乳は「愛の表現」としての意味を帯びるのだ。そしてその際、「愛」は自らを十全には現さず、そのしるしのみを主体に与えるものと経験されるから、主体には、以後、愛(欲望の意味)を求める長い探求の旅が開かれるのである。以後、主体にとって愛は、絶えず他のものの背後に身を隠し、他のものによって代理されている象徴的欲望として立ち現れることになるだろう。

金の卵を毎日一個ずつ産んでくれるニワトリを前に、その腹を切り裂いてしまおうとするように、幼児は母(の乳房)を切り裂いて、愛そのものを手に入れようとする攻撃性を母に向けるが、やがて、母の欲望の真の対象が自分そのものではないこと、自分以外の何者かに向けられていることに幼児は気づく。こうして、母の欲望の謎を解くことを、彼らの言語を解読することとして、幼児は言語に参入していくのである。

ポイントは、欲望が自然本性として備わっているものではなく、他者から模倣し習得する必要があるということ。そして、欲望の習得が、常に意味の解読と同時に進むこと（他者の欲望の意味の解読として）。母の欲望の意味が、母子関係を超えた第三者の価値という次元を開くことである。

こうして、第三者の価値の次元が、解読されるべき意味の次元として、すなわちシニフィアン（記号表現）一般の次元として存在し、母の欲望はそこへと差し向けられているものだということを、主体は理解せねばならない。

さて、このシニフィアンの秩序を受け入れることによってはじめて、主体は自らの欲望の主体となることができるのだが、それは同時に、他者の欲望の模倣に過ぎない。また、その欲望は、言語の秩序に従うから、彼の主張は、この言語の秩序によって制約され、自己主張自体、他者から押しつけられた制約に服さざるを得ない。つまり、自己表現という形をとって立ち現れる私は、同時に他者からの掟に服する存在（規範としての私）でもあるということである。逆に、他者から押しつけられた掟に臣従し、それを活用してはじめて、主体は自己主張できるということになる。限られたブランコで遊ぶ子供たちが、口々に「順番、順番」と叫びながら自己主張するようなものである（「観念論とヘーゲルの弁証法」一六九頁参照）。

「私」が発話の中に出てくるとき（象徴的な私）、発話の主体は発話の表現内容から事後的に規定される。この言語的規範に臣従する（subject）私と、知覚運動の主体としての私や、そういうものの統合の中心として想像された私との間には、ギャップが存在する。象徴的な私は、たとえば信念の一貫性を要求される主体であり、過去の行動の責任を問われる主体である。実際にした記憶のない行為でも、社会的に広く目撃され、記憶された行為であれば、私はその責任を取らねばならない。その行為の「記憶」を押しつけられ、それを引き受けることによって、私は自ら言語的規範の主体であることを、実証していくのである。

自然とユートピア

「自然」はいかがわしい？

自然という観念の起源を求めて、ギリシアのピュシスへ遡ったり、老荘思想に手がかりを求めることは、かえって事の本質を失することになるだろう。いずれもそれ自体としては興味深い話題であるとはいえ、今我々がこの言葉に託している問題圏につながるものではないからである。

我々が今日この言葉に込めている意味は、一方では包括的な全体とか、普遍的本性とか、存在全体の調和的秩序といったものであり、自然科学の前提ともなっている理念である。たとえば、実験室で起こる現象は、基本的には宇宙のすべてのところで遍(あまね)く起こりうるものと見なされねばならない。天上世界と地上世界では、別の原理が作用するというわけではないのである。このことは、実験的・経験的に確かめられることではなく、探究の前提なのである。他方では、不自然・不公正な人為的歪曲を免れた本来の秩序、物事の本来あるべき姿といった規範的理念である。

事実でありながら、同時に規範的理想でもあるというこの点に、自然観念の複雑さ、いかがわしさ、多面性の一部があるだろう。それだからこそ、一見すると、人間の規範的あり方をその本性の十全な実現発揮に見たアリストテレスの徳論とか、理（ことわり）のなかに物理と道理の両者を渾然一体のものとした朱子学のような考えの中に、何か我々の自然観の淵源を見たくなることにもなるのである。

しかし我々の自然観念の中には、事実と規範のこのような混淆（こんこう）よりも、むしろそれらが不調和であるという現実への、鋭い批判意識があることを見て取る必要がある。だからこそ、市民社会の初期に、自然法思想が革命的批判的原理ともなりえたのである。シラーの有名な詩にあるように、神的な歓喜の魔法が「現代が引き裂いてしまった世界を再び結びつける」――ここには、本来自然であれば調和していたはずの世界が、痛ましくも人為的に引き裂かれてしまったという現実認識がある。

ここには、ホッブズからルソーにいたる社会契約説の流れの中で、自然観がこうむった変化が前提となる。ホッブズでは、自然状態とは万人が万人にとって狼である戦争状態と見なされ、それを絶対的な主権者への自然権の委譲によって、克服することが課題とされていた。ところが、スピノザやロックを経るにつれて、自然状態はそれほど過酷な状態とは見なされず、あるいは法状態においても、自然権の幾分かは保持され続けるものとされるようになってくる。そして、ルソーにおいては、ついに自然は回復されるべき理想へと転倒される。

ルソーの場合はともかく、スピノザやロックの場合、自然状態をより積極的に見る動機となったものは、市場経済の進展と経済発展によるパイの拡大ではなかろうか？　内乱の克服を第一の課題としていたホッブズと違って、ロックは、自分の力量と労働に頼って取得した私有財産を基盤とする資本主義的秩序のリアリティを、より強く感じていたのであろう。

『フィガロの結婚』に描かれた「愛の自然」

モーツァルトの『フィガロの結婚』では、「初夜権」を放棄したはずの伯爵が、小間使いのスザンナと下男のフィガロの間の結婚の邪魔をしようとする。二人の結婚はいかにも自然なものと見えるのに、伯爵は旧時代の意地悪連合のように見える人々――ゴマすり楽士のドン・バジリオ、高利貸のマルチェリーナ、医者のバルトロ、法律家というより権力に阿る法匪クルチオたちを味方につけて、この結婚を無効にしようと図る。フィガロがマルチェリーナへの借金を返せなければ結婚するという以前の証文をたてに、若い恋人たちの結婚を阻もうとするのである。

ドラマは、明らかに若い下層民衆であるスザンナ、フィガロ、ケルビーノ、バルバリーナなどと、年かさの旧時代的中・上流知識人たちとの対立軸を基礎にし、はつらつとして同時に抜け目のない前者と、不自然な既得権益にしがみつき、また権力に阿ることで自らの権威を振りかざしながら、どこか間が抜けている後者の対立がくっきりと描かれる。

やがてその対立は、マルチェリーナとバルトロが、フィガロの実の両親であったことが発覚することで、一挙に前者の勝利へと傾く。ここで愛し合う若い恋人たち（スザンナとフィガロ、ケルビーノとバルバリーナ）が結ばれることが自然なこととして祝福されるのに対し、二人の仲を裂こうとして介入する伯爵の横恋慕や、年齢差にもかかわらず証文をたてに結婚を迫るマルチェリーナが、不自然として、こっけいに描かれていることが注目される。これは、市場経済の自由を阻む多くの既得権や封建的残滓（ざんし）が、不自然なものと見なされ、若い恋人たちの愛の自然さに、象徴的に対置されたということである。

しかし、これで終わりではない。自然は、単に勃興するブルジョワジーの市場経済の理想ではない。モーツァルトの『フィガロ』では、ボーマルシェのそれと違って、最後に見せ掛けではない真の和解がやってくる。伯爵は、彼らの小階級闘争に敗れるだけではない。伯爵夫人ロジーナへの本当の愛に目覚めるのであり、ロジーナは再びそれを受け入れるのである。こうして、すべての対立が止揚される崇高なユートピア的瞬間がやってくる。ここで示されているのは、単に封建勢力に対するブルジョワジーの勝利ではない。人間一般の勝利であり和解である。モーツァルトの『フィガロ』が、ボーマルシェの原作より反時代的であり、普遍的であるのもそのためである。

ルソーにおいて、自然状態が現実の社会批判のための規範としての意味を帯びることになるが、『エミール』においても、『新エロイーズ』においても、自然は人工的にそれらしくしつらえたものとなる。『新エロイーズ』においては、クラランという楽園が完璧に人工的な自然の模倣ないし自然の人工的再現によって、自然と文化の和解を上演するものとなっている。また『エミール』においては、もちろん理想の教師があたかもすべてが自然に任されたかのように、周到な人為的配慮をひそかに張り巡らしている。つまりルソーにおいては、人為的介入をせず自由市場に任せるという自然から、人為的に上演された自然らしさへと、シフトしているのである。そこには、現実の市場経済が、すでに初期ブルジョワジーの夢を裏切りつつあったことの反映が見られるのである。

以後、ブルジョワジーの理想は、もっぱら芸術と擬似芸術としての恋愛の中で追求されることとなる。古代ギリシアの芸術が、ポリスの正義と掟を繰り返し主題とし、中世ヨーロッパの芸術がキリスト教の信仰を主な主題としていたのに対し、近代ブルジョワジーの芸術が恋愛を主たるテーマとしていたのは、そのためである。

その結果、自然という観念には、たがいに対立する多様な要素がそのまま流れ込むことになった。人為を排するという意味での自然は、階級対立と分業に引き裂かれた不自然な社会を生み出し、人間の自然な欲望の解放は、資本という物神への人間本性の屈従を生み出した。一方では自然とは、人間をも含めた存在の全体ではあるが、他方では、それ自身の中に有ったかもしれない調和は失われ、ありのままの自然はそれ自身において不自然なものに成り下がってしまっていて、どこにも自然は存在しない。つまり自然という観念は、近代の問題状況そのものを名指す言葉となってしまったのである。そして現実の社会で解決不可能な問題が芸術にその解決をゆだねられたように、多くの問題がそのまま自然の中に持ち込まれることとなった。

美と判断力

二律背反の克服の徴

「自然である」という判断は、「美しい」という判断と同様、明示される一定の規則（ないし類型）に従うものとして、そう判断されるのではない。自然なものの典型である生物を生物として捉えることも、あらかじめ把握された生命の本質概念にしたがって、そう判断されるのではないだろう。これらの判断は、なぜそう判断するのか「美の規準」とか「自然の本質」を知らなくても、個々の具体例に即して、判断を下すことができるのである。それが、科学的認識を典型とする悟性的認識（そこでは、規則やパタンを個々の場面に適用する）と違うところである。カントは、これらの判断を判断力によるものとしてひとまとめにした。

それは、「自然」と「美」とが、いずれも単一の本質に基づく何らかの類型（パタン）ではなく、それぞれの場でたまたま達成された、二律背反の克服の徴（しるし）だからではないか？

技術的・意図的に追求されたのではないのに、あたかも目的が実現しているかのような事態――目的なき合目的性――が自然とされる。

他方、美に関しても次のような事情がある。感覚的に快適と感じられるいくつかの要素があるとして、それぞれを目的合理的・技術的に達成することはできるが、それを同時に達成するには困難がある。たとえば、金沢の名庭園は兼六園と呼ばれているが、それは、それぞれに両立困難な要求――宏大と幽邃、人力と蒼古、水泉と眺望――という六勝を見事に兼ねることができたからである。

もっと単純な場合――ラスコーの壁画を描いた太古の画家を考えてみよう。今その絵を目にする我々を打つ感動と同じく、彼らの前を走り抜けていく動物の群れの激しい勢いに彼が感銘を受けていたことは疑いない。それを取り巻いていたかもしれない多くの形而上学的・宗教的観念がすっかり剝落して、我々に想像もできなくなっているのに、この感動だけは今もなおみずみずしいままで我々に現前しているのである。この太古の画家たちは、一方でその勢いに心を動かされつつも、その動きの激しさゆえに、それをしかと見届けることができないという焦燥感にとらわれたことだろう。じっくりそれを味わうためには、静止している必要があるのに、静止していてはこの勢いは死んでしまう。ここに、彼らに突きつけられた二律背反があった。しかし、彼らがたくみに動きを静止画像の中に結晶化したとき、静止と運動という対立する要請が、奇跡的に実現されたのである。

詩においては、言葉の意味上の要求と、韻律上の要求との両方をかなえなくてはならない。たとえば、古い和歌に「石ばしる／垂水の上の／早蕨の／萌え出づる春に／なりにけるかも」（『万葉集』）という歌があるが、この歌でもっとも印象的なのは、「萌え出づる春に」のくだりであろう。ここに唯一の字余りがあり、それが、内側から溢れほとばしる春の力を韻律的に象徴しているからである。こうして、本来は無関係のはずの二つの軸が、たまたま一致して響きあうのである。

近代が芸術に託したもの

しかしこのように対立したり、本来無関係でしかない要求は、たまたまここで調和し、達成されているとはいえ、それを常にどこにでも達成するための技術とか法則は与えられない。その意味で、それを所有することはできないのである。だからこそ芸術作品は、たとえそれを自分で所有したとしても、どこかその本質を完全には自分のものにできないという、よそよそしい距離感を感じさせずにはおかないのである。カントが「関心なき適意」と呼ぶものがそれである。

美的達成は、この意味で完全には技術化できない。生産を分業化し、技術を合理化していく市場経済は、それぞれの技術では達成できない課題を芸術にゆだねることになる。それは技術と分業によって引き裂かれた世界を、奇跡的に美的に統合することである。かくて、カントが判断力にゆだねた美と自然の中に、近代社会が託したユートピアが残されることとなった。

ヴァーグナーの『ニュルンベルクのマイスタージンガー』では、ニュルンベルクの市民団であり、かつ歌のマイスター（親方）連中が担う芸術の伝統と、個人の自然な心情との調和がテーマとなっている。マイスターの一人ポークナーが、一人娘エーファを歌合戦の賞品に提供するところに、古いマイスターの伝統の形式主義に縛られたベックメッサーと、外から現れエーファに一目ぼれした青年貴族ヴァルターが名乗りを上げる。マイスターに伝えられた伝統と規則に対して、若者の心情と霊感が対置され、技巧と主観性、市民性と貴族性、大衆の好みと芸術の純粋さなどの対立が、「自然と芸術」の名のもとにことごとく解消されるのである。

その要となるのが、恋人たちの自然な心情が、芸術的成功と重なる予定調和である。オペラ作品としては少々理屈っぽく説教くさいこの筋書きは、現実においてのみならず、芸術の中においてさえ、これらの調和が実現しがたい幻想になりつつあると感じられている不安の兆候であろう。音楽的には、対位法やコラールなど古い音楽形式の場違いなパロディー的多用の中に、それは示されているのではないか？

自由と問題

自由は「程度」を許容する

自由は権力からの自由として語られることが多いが（消極的自由と呼ばれたりする）、それが主要な問題ではないことは、強制や権力がまったくなくなった状態が、よりいっそう自由から程遠いことを考えるだけで明らかであろう。禁止や強制がなくなっても、我々は何でも自由になるわけではない。

若くて貧しい男と、年寄りで金持ちの男とがいても、同時に両方と結婚できるわけではないだろうから、若さと金を求める女の欲求はうまく果たされるとは限らない。かといって、結婚制度（一夫一婦制）自体がなくなれば、さらにひどいことになるだろう。こんな場合、まず先に年寄りのほうと結婚して、遺産をがっぽりもらった上で、若いほうと結婚するか愛人にでもすれば、当面の難問が解決できるかもしれない。それに比して、はじめに若者と結婚して、貧乏暮らしの中でたがいにいがみ合い、離婚した頃には年寄りのほうは死んでいたというのでは、最悪であろう。

つまり、先に述べた「賢い」女のように、我々の人生で満たされるべき諸価値（若さと金持ち）は適度に実現されねばならず、その一つだけを闇雲に追い求めていては、きわめて不満足の結果しか得られないものだということである。これが大体アリストテレスの言うところの**中庸**という考え方である。ちなみに、中庸の思想の反対は「あぶはち取らず」と表現される。

「そんなに楽ばかりしていては、きっと苦労するよ」とか「苦労を買ってでもやってれば、いつか楽できる」と言われることがあるが、「どうして苦労せずに楽するか」が知恵の使いどころであろう。いわば最適解を求めることである。まあ、何が最適かをめぐっては、個人によって千差万別であろうし、いろんな意見もあろうが、何が拙いかはおおよそはっきりしている。病気や苦しみや空腹や短命はあまり望ましいこととは言えない。拙いことや苦労をすべて完全に免れることはできないとしても、できるだけそれらを免れるような解決策を見出すことが、実質的に自由の中身となるはずである。

このような解決策には、唯一一義的な解決があるとは言えず、どの策がより良いかにも議論の余地は残るだろうが、誰が見ても拙い策のほうがずっと多いに違いない。

自由が実質的に問題となる時には、我々は、多少とも複雑なファクターが重なり、多様な要求にこたえなければならないような問題に直面しているのであり、それをどの程度満足できる水準で解決できたかによって、そのつどの自由の程度が決定されるのである。その意味で、自由は程度や水準を許容するものであり、普通は、自由であるかないか単純に割り切れるものではない。我々が自由かどうか、どの程度自由かは、あらかじめ決まっているわけではなく、これらの問題をいかに首尾よく、またどの程度まで解決できるかできないかにかかっているのである。

迷いながら試行を繰り返す

ビュリダンは、同じくらい魅力的な二つの干し草の山のちょうど真ん中に置かれた哀れなロバは、どちらを先に食べるべきか迷いながら餓死するだろう、と述べたと言われているが、これは決してそれほど不条理な話ではない。現に我々も、干し草より少し難しい問題を前にすれば、この哀れなロバのようなことをしているのではないだろうか？（たとえば、妻と愛人のあいだで迷った挙句、両方から見捨てられるなど。）また、実際のロバが多くの場合、ビュリダンの想定より賢明な行動に出ることができるのは、このような場合、心の中でサイコロを振って決めるなど、より高次のプログラムを内蔵しているからに過ぎない。何のプログラムもない段階では、誰しもビュリダンのロバと同じ程度には混乱するのではないだろうか？　そして、とことん迷った挙句、様々な試行に乗り出すだろう。ためしに二、三歩どちらかの干し草のほうに歩んでみる、そしてあらためて二つの干し草を眺める……など。そうすれば、運がよければ彼は餓死から免れるかもしれない。

幾何学の証明が見つからないで哀れなロバのような状態にあるとき、我々はためしにあれやこれやの補助線を引いてみるのではないだろうか？　銀を上げようか、角を引こうかと迷っている将棋指しは、頭の中で、あれこれ試しに駒を動かしてみるのではないか？　迷い方、試し方に熟達の差はあろうが、誰しも迷う点ではロバと変わらない。このような「純粋思考」において、我々が迷いながら試行を繰り返すということは、「観想的（理論）理性」と「実践的理性」の区別が、厳密には成り立たないことを示す点で興味深い。幾何学においてさえ、実際に補助線を引いてみるという実践が、理論理性の認識可能性を拡大するからである。

　さて、数学の証明が見つからない時、我々はある意味でその証明ができないと言うことができるだろう。少なくとも、証明できるとは言えない。（主張可能性条件が欠けている。）しかしそれは、証明が不可能であるということでは必ずしもない。いつか誰かが証明するかもしれない。つまり、不可能だと言うためにも、そのための証明＝主張可能性条件が欠けているのである。このように、「可能である」とも「不可能である」とも言えない（共に主張可能性条件が欠けている）状態が、可能と不可能との間に存在していることになろう。

　知恵の輪と言われるおもちゃがあるが、二つの輪の絶妙な位置の組み合わせから、見出しにくいわずかな隙間を見つけて、そこを通さなければ輪ははずせないようになっている。しかし、もしこれが普通の鎖のように決して外れない構造であったとしたら、つまり輪を物理的切断によってしかはずせない構造に作られていたとしたら、これはもはや知恵の輪とかパズルとも呼べないだろう。物理的本性からいって、これらの輪が分離不可能ではないことが、問題が問題として成立する条件であろう。知恵の輪が、問題として存在するということは、この両者の中間が存在する限りにおいてのことなのである。（排中律が成立しない。）

　問題が当面解けないという限りでの不可能性を、それを解くことが不可能である（不可能性が証明されている）という意味の不可能性と、どのように区別することができるのであろうか？

物事の本性に基づいた可能性である限り、問題が解ける以前と以後とを区別するものは何も存在していない。知恵の輪が解けたときとそれ以前で、輪の物理的本性には何の変化も生じていないからである。したがって、これによって問題が解けたことによる可能性の出現という変化を語ることはできない。

可能性の出現は、その問題に従事している人の（精神的・生理的）性質変化として語ることもできない。なぜなら、問題が解ける以前にも、彼には解くことが不可能であったわけではないからである。彼の精神や身体に何か重大な欠陥があるためもともと解く能力がなかった（たとえば、知恵の輪をつかむ力がないとか）というわけではなかったのである。

そのようにすでに存在する存在者の本性からあらかじめ与えられた可能性の中では、記述できない変化が問題なのである。それは与えられた存在者の性質変化ではなく、あらたな存在者が生成することによって起こっている変化である。つまり、解決という実体が生成したことによる変化なのである（実体については、「存在と存在論」一二六頁参照）。

解決を実体と考えるということは、いかにも唐突に見えるかもしれないが、数のような理念的（イデアール）対象も、性質でなく実体と考えねばならないことを考えれば、決して不自然とは言えない。

しかし、それにしても、それは主体が問題解決の能力を身につけたということであり、それはやはり主体の性質変化と言ってしまえるのではないか？

だが、ここで注意すべきは、この能力を指示して有意味に語ることができるのは、現に問題が解決した後、すなわち問題解決という実体が生成した後だということである。それ以前には、「その問題解決の能力」には意味が欠けており（なぜなら、問題解決は実体であり、性質ではないから、指示体が欠けている以上、意味がないから）、それを主体の性質として帰属させることもできないということである。「この能力を持つ」ということは、性質述語であるが、その性質に意味を与えるためには、解決そのものが実体として、生成していなければならない。

たしかに、「～はこの問題の解決である」という（述語的）性質と、特定のこの解決（実体）とは区別しなければならない。「この問題の解決を求める」とか、「この問題の解決能力であるもの」というような表現は、特定の対象としての解決に言及しているものではない。しかし、これらの表現に実質的意味が与えられるのは、実際に特定の具体的解決が見出されて後のことであろう。それまでは、「ＵＦＯ」とか「雪男」と同様の表現にとどまるのであり、「黄金の山」の表現とは違っている（「雪男」については、「言語と意味」七八頁参照。「黄金の山」については、「弁証法と（再）定義」一六〇頁参照）。

問題の本質は何か、が問題である

問題解決の生成として自由を考える時、いくつかの重要な形而上学的洞察が得られる。

一つは、問題解決ができていない、生成していない段階では、その可能性について語ることもできないのであるから、いつでも問題を解く能力のようなものは存在しない。したがって、事前にその自由があるとは言えないこと、ある闇雲な試行がただたまたま結果的に解決へと我々を導いたという意味で、我々に自由を与えたものだったということが判明するに過ぎないこと、我々の理性は、またそれと共に可能的経験の範囲は、問題の解決ごとに拡大してゆくのであり、あらかじめ合理性の全領域を規定する理性の一般理論など不可能であること。

第二に、そのように任意の問題を解く能力など持ち得ないということは、問題の本質をあらかじめ規定も同定もできないということである。問題の本質がくまなく明らかであれば、それは解けているであろう。すなわち、問題の本質が何であるかは、それ自身問題の一部なのである。ちょうど、よくできた探偵小説では、小説の前半ですべての材料が断片的に隠れなく与えられながら、名探偵によってそれらのピースとピースがうまく取り集められ、事件全貌の真相を示す図柄へとまとめられるまで、問題の本質が隠蔽されたままであるようなものである。ギリシア人は、このように事件の細部の断片の一つ一つがくまなく顕わに与えられながら、隠蔽されているものが、言葉（解釈）によって取り集められ、一つの問題解決という実体として現れてくること——そのように暴露され発見されることとしての真理を、アレーテイアと呼んだ（「真理と悲劇」三六八頁参照）。

かくて、問題という存在者は、他の実体と違って、その本質が知られないまま、その存在について語らねばならないという意味で、きわめて特殊な存在者であると言わねばならない。

アリストテレスによれば、人が存在するとか、鴨居（または敷居）が存在するとか……様々の場で語られる「存在」は、何が存在しているのかによって、別様にパラフレイズされる。「ある人間が存在する」とは、彼が生きているということに他ならない。「敷居が存在している」とは、その家の入り口あたり、人がまたぐような位置に、建材が固定されてあることを意味するだろう。それがもし、上方に、くぐるような位置に固定されていたら、それは鴨居になってしまう。つまり「同じ建材」でも、つけられた位置によっては、敷居にもなり、鴨居にもなる。（敷居が敷居として存在するために本質的なことは、位置取りなのである。）

このように、存在について語るためには、普通何として存在するのか、その本質が規定されるか、暗黙の前提として了解されているのでなければ、明確とは言えない。しかし、このようなアリストテレス的な実体とは違って、問題という実体は、その何であるか、その本質を規定することも了解することもないまま、その存在について語らねばならない。

こうして、理性、自由、問題は共に、開かれた包括性という、超範疇としての新たな意義を与えられることになるだろう。

正義と詩人

吟遊詩人というメディア革命

ギリシア人の神話によれば、火や農業などの技術的知恵の起源が、巨人族の一人であるプロメテウスに由来するとされているのに対し、正義はオリンポス神の中心であるゼウスによってもたらされたとされている。

ホメロスは戦場に現れる神々を歌った。英雄に影のように寄り添う神々である。敵味方があい拮抗し、つばぜり合いを続けていた戦場で、突然戦線が崩れ戦況がどちらかに一挙に傾くとき、ギリシア人はそこに神々の助力を感じたのである。全身全霊を打ち込んでも容易に動かなかった趨勢(すうせい)に、突然けりがつけられたのは、人知を超える力が加わったことによると、感じられたからである。

吟遊詩人の言葉は、戦闘経験のある人々に、まざまざと戦場の出来事を思い起こさせただろう。これは、テレビやラジオの発明に匹敵するメディア革命であった。ギリシア人は、つらく惨めな生活から、突然詩人によって歌われることによって永遠に記憶され、永生に与(あずか)るという輝かしくも途方もない野心に目覚めた。英雄だから神々が助けるのではない。神々の助力を呼び込むような活動をなすことによって、英雄として輝き現れるのである。詩人に歌われる誉れを求めて、人々はまわりに際立つこと、目立つことをしようと競い合うことになった。今で言えば、テレビに出てスターになりたいと思うようなものである。ポリスはもともと単なる安全保障上の理由で作られたものだが、いまや人々がたがいに競い合い、たがいに活動を注視しあう社交の場、現れの競技場という意義を獲得する。

他方で詩人は、自分の言葉を聴きに聴衆が集まってくるのを見ながら、ますます自分の言論の力を確信していったであろう。そこから、言論によって結集し、言論によって動かされる集団というイメージを得て、それを自分の詩の中に繰り込んでゆくことになった。そしてやがてそれは、オリンポスに集住して語り合う神々の姿の中に投影されたのである。この神々は社交的に洗練され、いかにも軽やかに活動する神々として、ギリシア人にとってまったく新しい神々と意識された。神々もオリンポスというポリスに集住することで、一段と「人間的」になったわけである。それに対して、迷路のような宮殿の奥深く住む僭主や君主たちが、しばしば半獣神として恐れられていたということを思い起こすべきである。

ギリシアの神々は、太陽神ならアポロンとヘリオス、海神ならポセイドンとオケアノス、大地母神ならデメテルとガイアというように、たいてい新旧に二重化している。新しい神とは、ホメロスによって歌われたオリンポス神である。旧い神が、固有の境位を持ち、いわば世界の中に本来の部分的持ち場を持つ存在なのに対して、新しい神は、ポリスに属し、つまりは対立に引き裂かれた公論の共同体に属し、自然のまま自分に与えられた地位や身分に依拠しない脱自的存在なのである。(ちなみに、クレイステネスの改革は、自然にできた伝統的地域共同体を横断して、たがいに競い合う民衆団（デモス）に組み直すことによって、ポリスの人民の脱自的存在を完成したと言えよう。）

公共的な正義という課題

それ以後、新しい神々をこれまでの神々とどう関係づけ、どう位置づけるのか（ヘシオドス『神統紀』つまり神々の系譜学）という思考が、ギリシア人に最初の哲学的問いを課したのである。これはオリンポスの神々の出現が、彼ら自身にとっていかに驚くべきものであったかを示している。そのため『神統紀』では、新しい神々と旧い巨人族の熾烈（しれつ）な戦いが語られたのである。

このようにしてホメロスは、ギリシア人にポリスの独自の意義を教えたが、同時にもうひとつの側面を忘れるべきではない。それはオリンポスの主神ゼウスを通して、正義を教えられたとされる点である。『オデュッセイア』では、しばしばゼウスは正義の神であるとともに歓待の神であるとされる。これは、詩人がポリスからポリスへと乞食のように旅して歩く存在であるから、異邦人として歓待される切実な必要があったということを示している。乞食のような格好で帰ってきたオデュッセウスを、そうと知らずに侮辱し、追い出した連中が、いかにひどい復讐に遭わねばならなかったかが克明に語られるのも、そのためである。

しかしまたこのことは、正義がひとつの共同体で閉じた掟ではない、ということをも示唆しているのではなかろうか？　ともすれば自閉しがちな政治共同体に対して、詩人は外から異邦人としてやってきて、時代を超えた次元を指し示す。こうして時空の越境者である詩人によって、各ポリスにとって公共的な正義という課題が与えられたのである。それは何より言論によって、時空を超えた自由な公論のなかに現れ、単一の実定的制度には還元されえないものである。むしろ、法が法として現れ、法として訴えられる基盤となる公共性の母胎なのである。

しかし正義は、実定的制度を超越しているとしても、現実の公論を超越して思弁的に捉えられる規範的理想であるわけではない。たとえば古代ギリシア人のポリスは、程度の差はあれ、我々から見ればかなり性差別的な社会であったが、そのことは正義にもとるとはされていなかった。性差別の問題が公論に上っていなかったからである。この点でも、『国家』で正義の理念を思弁的に規定しようとしたプラトンは、ギリシア人にとっては、まったく異端的例外である。

正義のための制約条件を、理性で思弁的に規定しようとするような「正義論」の試みは、その出発点において、正義の問題圏を取り違えているのである。いかなる制約条件を定めようと、それさえ満たせばもはや正義の問題は解決済みとなるようなものは、決して存在しないだろう。それは政治的秩序が常に公論の中で引き裂かれたものであり、決して理想的安定状態に達することがないからである。我々にできるのは、正義の本質とかイデアを定めることではなく、時々の公論の中の正義への訴えを具体的に分析することだけである。その時々に、永続するものとして正義を打ち立てるのは、詩人の使命であって、哲学者の役割ではない。Was bleibet aber, stiften die Dichter.（だが、永続するものを打ち立てるものこそ詩人たち。——ヘルダリン『追想』）

全体論と解釈

意味の理論としての全体論

部分の意味が全体の意味に先立つのではなく、逆に全体から部分の意味が与えられるという考え方が、全体論と呼ばれる。しばしば全体論は生物有機体モデルと混同されがちであるが、真に全体論が生きるのは、言語の意味の解読においてである。言語的意味は、文がその構成要素の意味に依存するという面もあるが（フレーゲの合成原理）、文の構成要素はまずその文の意味への貢献によって、また文の意味はその真理条件によって決定されねばならない（フレーゲの文脈原理）（「言語と意味」七一頁参照）。

そもそも言語の意味を、その多くの使用実例の分析から解明するという方法論は、アリストテレスに由来するものであるが（「弁証法と（再）定義」一六〇頁参照）、この点を精緻に発展させたものがデイヴィドソンの翻訳理論である（「言語と意味」七二頁参照）。このようにできるだけ多くの文の使用実例を取り集め、そこからあたかも暗号を解読するように、意味を推測してゆく——このように解読の対象として意味を考える見方を、意味の解読モデルと呼ぶ。

これに対して、意味を意図に基づける考え方がある。プラトンのイデア論の基礎にあるのはこのような考えである。製品を作る場合の設計図に当たる観念は、その製品の完成に先んじて、その製作のすべての過程を制御している。それは意図が意図的行為のすべての過程を制御するようなものである。これらの過程の意味を問われるならば、我々はその目的となる製品の完成、意図の内容をもって、その意味とすることになるだろう。これが意味の製作モデルである。

現象学と志向性

還元という方法

現象学は、意味というものを、世界の物理的因果関係などの実在的連関から独立して、そのもの自体として理解する立場である。意味連関が、世界の実在的連関には**還元**できないということを示すために、現象学が採用した方法こそ、**還元**ということである。ここで初めの還元と後の還元との意味が、ほぼ逆になっていることに注意する必要がある。初めの還元は、意味連関を物理的因果関係（たとえば、脳の生理的機構とか、社会の経済的関係など）に解消してしまうという意味での「還元主義」であるのに対して、後者は、意味連関がそうしたものに解消することのできないイデア的独立性を持つことを際立てるものである。（この後者の還元は、化学において酸化化合物から純粋な金属元素を取り出す過程を還元と呼ぶのにちなんだ命名である。いずれにおいても、純粋なものを不純なものから取り出すことを意味している。）数学が数学者の頭脳の産物であるとしても、その真理性を脳生理学に負っているわけではない。我々が数学的命題の妥当性を証明する時、脳生理学に言及せねばならないわけではないのである。

　さて問題は、そのように独立した意味を、現象学は、意図に基づけているということである。たしかに意図は、それによって制御された意図的行為の成否に先んじて、妥当性や意図の的中の意味を定めている。だから、意図を実現するのにたまたま失敗しても、それを目指していた意図的行為としての意味を失うことはない。その意味で、意図的行為の意味（意図の内容）は、その行為の実際の有り様に（還元主義的な意味で）還元されるものではない、ある超越的・イデア的次元を持つものである。現象学はここに意味のモデルをおくのである。そして、意図と類比的に、真偽に先んじて、その妥当性を目指している（ア・プリオリに期待されている）発話や、その実行に先んじて、果たされることが期待されている約束などすべてに共通する、妥当・的中・実現などへの要求（期待）を志向性と呼び、それらの要求の内容（文によって表現されるもの）を志向的内容、それらが実現することを意味充実、意味充実を期待する態度一般を意味志向と呼ぶ。

　現象学は、志向性によって意味一般を意図の基本構造とのアナロジーによって分析するものであるが、このような意味の製作モデルには、意味の全体論的性格が射程に入らないという根本的欠陥がある。壺を製作する意図は、皿を製作する意図と無関係に独立して持つことができるように、個々の意図の志向的内容は、それぞれ独立して主体が目指しうるものとされているが、その際、志向的内容を構成する概念やそれを表現する言語は、安定的かつ共有されたものとして、疑われることなき前提とされてしまうのである。言い換えれば、現象学的意味理解は、言葉の意味の再定義に関わる弁証論的問題が起こらない限りにおいて機能するに過ぎず、いったん弁証論的問題が起こるや、たとえば「幽霊」や「悪魔」の意味が問われるような場合、「幽霊」や「悪魔」についての本質直観が役に立たないのは明らかである(「弁証論的問題」については、「弁証法と(再)定義」一六〇頁参照)。

これらの語が、「シーラカンス」「カドミウム」などと同じような自然種のひとつだとすると、これらの語は固有名(グリーンランドとか、ソクラテスなど)と似た振る舞いをすることが知られている。その本質(たとえば、その遺伝子的構造)がよく知られていなくても、それが指示するものがはっきりしている限り、その使用に不都合がないのである。また、指示体に依存しながら、その本質を探究することができるし、探究の進展につれて、本質の理解が大きく変更することもある(科学革命)。それでも、同じものの探究であると見なせるのである。他方、これらの語が、指示体を欠いては意味を持たないことは明らかである。したがって、これらの語においては、その意味に基づいて対象が探されるのではなく、その存在が見出されてはじめて、その後の使用法も発見されるのである。現実の使用が使用可能性を確立するわけである。

ルカーチは『実存主義かマルクス主義か』の中で(邦訳p49)、現象学者マックス・シェーラーとの対話について述べている。

第一次世界大戦中、シェーラーがわたくしに会いにハイデルベルクへとやってきたときに、われわれはこの問題にかんし非常に興味深い、また特徴的な会話を交したことがある。シェーラーは、現象学は普遍的な方法であるから、あらゆるものを志向的対象とすることができるといったのである。「したがって例えば」——と彼はいった——「悪魔について、その実在の問題はあらかじめ括弧に入れておいて、その現象学的な吟味を行うことができるわけです。」

「なるほど」とわたくしはいった。「それでは悪魔の現象学的分析が終れば、あなたはただ括弧を外すばかりですね。すると、悪魔がわたくしたちの眼前に立ち現われてくる……」

シェーラーは笑って肩をすくめ、一言も答えなかった。

ルカーチのこの反論の含蓄に、シェーラーは気づかなかったのである。

ちなみに、ハイデガーの『存在と時間』は、伝統的な存在論の課題を反復するという意図を表明した点で、画期的であったにもかかわらず、存在論としては、〈用具〉存在の意味の分析がもっぱら意味の製作モデルに終始してしまっていた点で、アリストテレスの場合よりも、はるかに後退した貧弱な内容にとどまってしまっている。現存在分析（人間存在の解明）においても、〈不安〉など興味深い論点を扱っているにもかかわらず、言語という方法上の要の点を見失っているために、古臭い内観心理学を大きく超えるものにはなっていない。これに比べてフロイトは、主体の発話を手がかりに、はるかに根源的な洞察に至っている。夢とか、言い間違いとか、機知などの分析を通じて、無意識や反復強迫の発見に至る道である。

心的な用語（mental term）と命題的態度

心を、他者に帰属するべきものと考えてみる

全体論的な意味理論は、心的な言葉の意味について、重要な手がかりを与えてくれる。心的な言葉（痛みのような感覚とか、様々な欲求や信念など）について、従来は、自分の心の働きを顧みる内観によって理解されると考えられてきた。それを洗練させたものが志向的分析である。それは、心的作用のあるものが志向的内容という構造を持つことを、明らかにするという功績があったが、志向的内容に対する心的態度は、せいぜいどのような意図で主体がそれを意味づけているかという点に、基礎づけられたに過ぎない。（私があの時「クラコウへ行く」と言ったのは、約束する意図であったとか、あるいはだます意図でそう言ったとか……。）

ちなみに、「信念」や「欲求」はしばしば命題的態度（propositional attitude）と呼ばれる。それは、これらが文で表現可能な内容（命題内容（propositional content）、または志向的内容（intentional content）、または表示内容（representational content）――それぞれ別種の伝統と文脈で語られるが、どれも同じこと）と、それに対する主体の態度（「〜ということを欲する」とか、「〜ということを信じる」など――ここで、「〜」には文、英語なら that 節が入ることに注意）という構造を持つからである。

さて、内観的方法によっては、このような心的語彙の他者への帰属において、大きな難問が生じる（他我認識の問題と言われる）。もともと心的語彙の意味が、主体の意図や意味づけにしか根拠を持たないものだとしたら、それらが他者へ帰属される場合でも同じ意味を持つ保証はないからである。

ここで、心的語彙を、自分の心を内観によって顧みるのではなく、もともと他者に帰属するべきものと考え、その帰属のための条件（心的語彙の主張可能性条件）を考察するという方法論的転換によって、心の哲学や心身問題など従来からの哲学的問題に、決定的に新たな展望が開かれることとなったのである。

もともとアリストテレスは、「リュケイオンでソクラテスに会える」という信念と「ソクラテスに会いたい」という欲求によって、「リュケイオンに行く」という行為を説明するという実践的三段論法を提唱していた。一見何の変哲もないこの議論が思いもかけない力を秘めているのがわかるのは、信念と欲求というこの説明項の組の意味が、内観によって与えられるのではなく、この説明図式によってこそ与えられる、という洞察からである。信念や欲求などの心的出来事ないし命題的態度に我々が意味を与えているのは、それを他者に帰属させることによって、彼の意図的な行為の合理的説明をする力を認めている限りにおいてのことである。逆に、このような行為に表現されえないような心的出来事（決して表現されない「秘められた愛」など）は、心的語彙によって主体に帰属する眼目を欠いている。ビフテキが食べたいという欲求は、明らかにビフテキと信じられるものが目の前にあり、かつそれを食べてもよいと信じられている状況においては、それを食べようとするという意図的行為の中に示されるはずである。しかるべき状況でしかるべきことが信じられているとき、しかるべき行動をするはずであるということこそが、その特定の欲求を持つということの意味なのである。また、ソクラテスに会いたいと思っている人が、リュケイオンに行ったところを見ると、おそらくはリュケイオンに行けばソクラテスに会えると、信じていたのであろう。

信念と欲求は、そのどちらかが確定していれば、なされた行為から他方の命題的態度を推定できるが、なされた行為しか観察できない段階では（もちろん心的出来事は直接観察できない）、可能な合理的説明の候補は多数あり、実際にいかなる説明項の組が現実の行為を説明するものなのか決定できないのである。

合理的な主体と想定せよ

しかし、ここでの難問は見かけのものである。ソクラテスに会いたいという主体の欲求は、他の可能な状況において、他の可能な信念との組み合わせで、どのような行為をなすかということを可能な限り多く検証していけば、やがて確定してゆくことができるであろう。

信念に対しても同様である。つまり、どのような状況でどのように行為するかについて、主体に関する多くのデータを積み上げてゆけば、それらのデータを説明する主体の信念や欲求について、説明項の組を推定してゆくことが原理的には可能なのである。心的語彙とは、総じてこのような行為説明のために想定された説明概念であると言えよう。そこで想定されているのは、心的出来事が志向的内容を持ち、それぞれが合わさって合理的行為を説明するように記述されうるということと、そのような心的内容からおおむね合理的に（彼の欲求を満足するという目的にあった）行動するであろうという、主体に仮定された合理性である。

これが行為説明における全体論的解釈である。それは、現象学的志向性分析が、心的内容が志向的内容を持つことを発見したにとどまったのに対して、志向的内容を持つ命題的態度がたがいに合わさって、合理的結論となる行為や更なる信念を意図的に出力するはず（べき）だという形で、相互にネットワークをなしているという事実を、的確に捉えるものとなっている。（ここで、「はず」とか「べき」ということを強調するのは、これが合理性という規範的要求に基づくものであって、ア・プリオリに期待されるものではあるが、かといって自然必然的とは限らないことを示すためである。約束は守られるべきであるとはいえ、必ず守られるとは限らないのと同じである。）

疎外論と物象化論

理論の歴史性

信仰において、人間は自らの本質を神に託しながら、他者として神を措定するが、その結果、神への信仰に呪縛される結果となってしまった——これが、フォイエルバッハのキリスト教批判の骨子である。このように本来は自己の内的本質であったものを自らの外に投影し、その起源を忘却して、主体が外化されたものに従属し、呪縛されてしまう事態を疎外と言う。マルクスは、労働主体が自らの労働によって生み出した資本に従属し、その労働の成果の剰余労働を収奪される資本主義的生産の中に、この論理を当てはめて批判した。

しかし、もし資本主義的生産が疎外一般の一事例でしかないとすれば、それが特殊この歴史的段階において克服される必然性は見出せないだろう。なぜなら、宗教も疎外なら、国家も法も疎外であり、およそ文化一般、言語すらも一種の疎外態であると言わざるを得ないからである。

つまり疎外論は、人間本性一般についての超歴史的理論に過ぎず、資本主義的生産の特殊歴史性を捉えるものとしては、まったく不十分なのである。

しかしマルクスは後に『資本論』においては、それまでとはまったく違った叙述形式を取り入れた。一言で言えば、それ以前は、労働中心、人間中心、生産力中心の記述をしていたのだが、『資本論』での主役は資本なのである。このことによって、資本の特殊歴史性と、それを克服するための歴史的な客観的可能性を浮き彫りにすることができるのである。その要となるのが、商品の物神性の謎を暴き出す物象化論である。

貨幣はそれ自身ひとつの商品であるのに、他の商品と違って、常に他の商品と交換可能であるという神秘的な力を帯びている。（この点は、貨幣が価値を体現しているということでは説明がつかない。他の商品も価値を体現しているからである。）

また、資本はそれ自身で利潤を生み出す力が備わっているかに見える。利子生み資本は自然に利子を生むかのように見える。これら神秘を解明するのが、価値形態論である。それまでの経済学は、商品、貨幣、資本などはすべて、価値の諸形態だと言うばかりで、その形態に注目しなかったため、それらの形態が帯びる神秘を解明してこなかったのである。

マルクスは、単純な商品交換のさいにも、等価交換の見かけのもとで、実際には社会的力関係が支配していることを見逃さない。それは商品同士を見比べているだけではわからないのであり、その商品を所有している人の実際のあり方に注目せねばならないのだ。つまり、一方の商品は比較的ゆとりを持たずに市場に赴く人の所有する商品であり（これを相対的価値形態と言う）、交換を急げば急ぐほど、値踏みされ、受動的立場に立たされるのに対して、ゆとりを持つ者が所有する商品（等価形態と言う）のほうは、交換の火急性を免れれば免れるほど、かえって交換の主導権を握り、相手を値踏みする立場に立つのである。これは近代恋愛小説が繰り返し描き出す、自由な恋愛市場の論理と同型である。ここから、等価形態の商品が貨幣に成ってゆくことが理解される。

たとえば、石原吉郎の『望郷と海』では、シベリアのラーゲリの中の捕虜たちの間で、原始的な商品交換が行われる様子が描かれているが、そこでゆとりを代表する商品となるのがタバコであり、パンなどに対して交換の主導権を握る。

イノベーションなどあらゆるチャンスを捉えて投資することができるためには、単に商品を持つのでは十分ではなく、貨幣を持っていなければならない。いつでもどんな商品とでも交換できる貨幣の流動性が決定的に重要なのはそのためである。より高い収益が期待される投資機会が現れるかもしれないという将来の不確実性のために、より低い利潤を断念して、流動性の高い貨幣を所有することに十分な意味があるわけである（流動性選好）。

生産の場面を、価値が生産手段の間を移動する過程としか見なければ、流通過程と同様、等価交換の流れしか見られず、価値増殖と利潤の発生の謎が理解できない。しかし実際には、生産過程とは、いったん購入された労働力が企業家のイニシアティヴのもとで使役される人間と人間の関係なのであり、ここに、場合によっては利潤を生み出しうる秘密がある。つまり、企業家がその使用によって、労働力の賃金より大きな生産をなしうる水準の技術で生産をしている場合、利潤が生じるのである。ここでも、企業家と労働者の人間関係（階級関係）が、労働の売買という流通過程と見なされ、生産が、価値の移動という物象的関係と見えてしまうことが物象化の問題点である。

しかしあくまでも物象化論の眼目は、商品貨幣経済における価値形態の物神性の謎を解く点にあり、ただ共同主観的な現象であるというだけで、文化一般の超歴史的現象に拡大適用されてはならない。それは一見、物象化論の射程を拡大する理論的深化のように見えても、実際には物象化論の真価を台無しにしてしまうものでしかないのである。もし、言語すらも物象化のひとつであるとしたら、物象化の克服が歴史的・政治的課題となるはずはあるまい。物象化現象が、ひとつの社会的言語ないし社会的暗号として解読されねばならないとしても、言語が物象化現象として解明されるわけではないのだ。

それでは、貨幣とか資本の物象化は、いずれは克服可能なものなのであろうか？この点、即断は難しいが、利子生み資本を認めないイスラム銀行とか、各種の地域通貨とか、巨額な投機的電子マネーに課税するトービン税などの試みに、その萌芽を見る事ができるかもしれない。たとえば、ある種の地域通貨は、退蔵する事が不利になるように、時間がたつにつれて劣化していくようになっている。その貨幣を手にするものは、できるだけ速やかにそれを購買にまわさなければ、どんどん少なくなってしまうのである。すると、貨幣を持つ者にあるゆとりに基づく優位性が、中和されるという事ではないだろうか？これらはいずれも、今のところごく部分的現象にとどまっているが、言語などと違って、物象化現象が制御・克服可能である事を示しているのではないだろうか？

存在と存在論

存在者とは何者か？

アリストテレスは、存在者を存在者として探究する学問を第一哲学と称したが、それが後に存在論と言われるリサーチ・プログラムである。生物学は生物としての存在を探究するし、言語学は言葉としての存在を扱うが、これらすべては、存在者をその特殊な相において問題にしている。存在論は、それをただ存在するものと言う限りにおいて、そのもっとも抽象的なところで問題にするというのである。

一見したところ、この学問の見通しは暗く、無味乾燥なまでに味気ないものであるように思われるだろう。「すべての学理は灰色で……Grau ist alle Theorie,」(『ファウスト』第一部)。

そんなことが興味深い学問として成立したのは、すべての存在者について語る言語の探究によって、存在者についてア・プリオリな洞察が得られるはずだ、というアリストテレスの根本洞察があったからである。

たとえば、文は一般に主語と述語からなるが、主に主語が担った役割と述語が担う役割には、大きな違いがある。主語によって我々は何ものかを指示し、言及するが、述語によって、それら指示されたものについて述べるわけである。指示するとき、指示するものが欠けていたり、何を指示するのかあいまいであったりしては、我々は指示の働きが損なわれたと見なすしかないが、述語で述べる働きに関しては、その述語に対応する事態が成立していなくても、述べる働きそのものが損なわれたとは、普通見なさないであろう。

「アブダカタブラは黄金の山だ」という文において、アブダカタブラで何を指すのかわからないから、指示は失敗しており、したがってこの文は成立していない。しかし「～は黄金の山だ」のほうは、たとえ黄金の山が存在しないとしても有意味と見なしうる。「富士山は黄金の山だ」は、真ではないとしても、有意味と見なしうるのである。（ちなみに、「黄金の山は活火山だ」は、一見、不在の何かを指示しているかのように見えるが、実際には「黄金の山で、活火山であるものが一つ存在している」という有意味で偽なる存在命題である。）

このような大きな言語機能上の違いに応じて、それぞれに異なる種類の存在者が対応すると見なしてよいだろう。主語的な働き（指示）に対応する存在者（指示されるもの）は、ふつう「もの」とか「実体」と呼ばれる。述語的な働き（述定）に対応する存在者は、「性質（属性）」とか「関係」と呼ばれる。

性質や関係を存在者と呼ぶのには抵抗がある向きもあろうが、存在論が扱う存在者が極めて包括的であることを心していただきたい。たとえば、直線の間に平行関係というものがある。平行関係においては、次の三つを含む同値関係と言われるものが成立している。

反射性：a//a

対称性：a//b ならば b//a

推移性：a//b かつ b//c ならば、a//c

このような関係が成立しているとき、ある同一者の存在を仮定することができる。たとえば、直線の向き（方向）という存在者を導入して、平行関係とは直線の向きが等しいことである、と解釈するわけである。（ただし、逆向きの場合も平行であるから、ここでは「向き」という言葉遣いが、日常用語と少し違っている。「傾き」と言ったほうがよいかもしれない。）

一般に、ある種の**同一性**を認めることと、ある種の存在者を導入することとは、同等の意味を持つ。

数と算術

2＋2＝3＋1で理解すること

算術は等号を扱う。等号の両辺は、それぞれ異なった記号表現をしていても、同じ数を表現している。異なる表現（2＋2と3＋1など）は、それぞれその数に到達するための異なる筋道を含意しているが、同じ対象を指示していると考えられるのである。これが、数という存在者を認めることの意義である。

もし等号というものが使えなかったら、算術の大部分は崩壊してしまうだろう。その場合でも、数字は使うことができる。物の数を数え、それに対応する数字を付すような作業はできるかもしれない。二個のリンゴと二個のリンゴをあわせて四個のリンゴになることは、それらを一個ずつ数え上げる作業によってわかるだろう。

しかし、数を数える作業に2や4という数字を使えたとしても、2や4という数を理解したことにはならない。数という存在者を理解するということは、等号を使って2+2=3+1などと表現できることを理解すること、つまり、異なるルートをたどって同じ対象に到達できる、と理解することなのである。たとえば、四個のリンゴを、どの順番に数えても四個であるということを理解することが、「このリンゴたちは四個だ」ということ（ある集合の数）を理解することには含まれているであろう。

このように、同一性の規定と存在者の承認（導入）は、我々が何ものかを認識し、それについて語るための極めて基底的な枠組みをなしており、一度や二度の経験で確かめたり、変更したりできるものではない。むしろ、我々の経験の基本枠組みとして、個々の経験の意味を規定しているのである。見ているものと手で触っているものが同じものたちであることとか、右目で見ている世界と左目で見ている世界が同じ世界である、という前提が崩れれば、通常の我々の知覚や経験の枠組みが崩れるのであり、それらは幻覚とか錯覚とか悪夢というしかないものになってしまうであろう。

我々は個々の経験によって存在を認めるのではなく、あの話で語られているもの（たとえば幾何学図形）が、この話で語られているもの（たとえば、代数方程式のグラフ）と同一であるということを洞察するのである。このような同一性の洞察によって、世界の存在者は、ちょうどアーチ型の建物が多くの柱によって支えあうように、認識がたがいに支えあう要の位置を形成することになるだろう。「音は空気の疎密波である」といった同一性の洞察が、我々の認識に計り知れない貢献をするのはそのためである。

性質と類似性

郵便ポストの赤と信号の赤は同一か?

さて、一群のものが一定の性質を持つことは、それらのものどもがたがいに類似しているということではないか?

「郵便ポストは赤い」という文で、「〜は赤い」という述語に対応する赤という存在者を、もののような存在者と見なすことはできない。郵便ポストの中にも、赤信号の中にも同じ赤が(たとえば赤い色素が)あるのだとしても、それぞれに含まれている赤(の色素)が同一であると言えるのか? それぞれの色素を同じ色にしているのは、さらなる第二の色素ということになるだろう。プラトンが、赤いものたちは赤のイデアを分有することによって赤いのだと主張したとき、(「分有」とはなかなか難解だが、それが何を意味するにせよ)赤い色素によって赤いとする議論と似たような困難に遭遇するだろう。そこで、赤いものたちを一つの集合にまとめているものは、それらに含まれる赤というもの(色素など)ではなく、それら相互の類似性と言わざるを得ない。

しかし、ここでは注意が必要となる。反射性（a≒a）、対称性（a≒b ならば b≒a）はよいとしても、推移性には問題がある。「a≒b, b≒c,…w≒x ならば a≒x」は成立しない。類似関係をたどっていくと、いつかは似ても似つかぬものに到達してしまうからである。つまり、類似関係が同値関係を満たす場合にのみ、それに対応する性質という存在者を認めることができるのである。

そこで、少し工夫が必要になろう。典型的には、その性質が帰属される典型的な事例を範型ないしは見本として立てて、それの近傍をx類似としてひとまとめにする方法がある。こうすれば、「a≒b, b≒c ならば a≒c」が成立するだろう。a,b,c はすべて x の近傍であるからである。

しかし、x の近傍という概念が理解されるために前提となる「距離」をそうたやすく導入してよいものだろうか？ a が x の近傍にあるということを言うために、また別の類似性概念に訴える必要があるのではないか？ そうしてまた別の近傍概念が必要となる……。これが範型イデア論のアポリアと言われるものである。

実体と普遍論争

指示されているのは何か？

さて、実体についても、古来ややこしい難問が山積している。

まず、指示という働きは、ただ「あれ」とか「これ」（これらを直示と言う）とか、または固有名で指せばよいといったものではない。つまり、文の表面に出ている表現だけが問題ではなく、文を発話している人がそれにどのような意図と理解を込めているのか、その暗黙の前提によるところが大きいのである。指示が成功するためには、この前提が聴き手に理解され、ある程度共有されることが必要となる。

そのさい重要なことは、指示されているものの何であるか、という基本了解である。これを本質概念と言ったり、種概念（どのような種であるかを示すもの）と言ったりする。たとえば、ソクラテスという固有名は、人間としての対象を指示体として世界から切り出してくるのであって、単に一定の細胞のかたまりを切り出してくるのではあるまい。（一瞬だけ、ソクラテスという人間が、この一定の細胞のかたまりと一致することはあるだろうが、細胞のかたまりのほうは、新陳代謝によって次々に別のものに置き換わってしまい、やがて何日かすると、ソクラテスという人とはすっかり別のものになってしまうだろう。）「あれ」「これ」と言って話が通じるのも、そこで指示されているものが「あの人」であるとか「このコップ」であるという、共有された了解があるからに過ぎない。このようなことを指して、「本質概念は、指示された対象の同一性の規準を与える」と言う。つまり、どのような場合に同じ対象であり続け、どのような事態になれば、もう同じ対象として存在し続けているとは言えないのか、の規準を与えるのである。（たとえば、ソクラテスは日焼けをしたくらいでは、同じ人であり続けるが、死体になってしまえば、もはや同じ人ではなくなるだろう。）

さて、このように重要な役割を担う本質概念であるが、それを述語的に使用して「ソクラテスは人間である」と言うことはできるけれども、普通の述語性質とは違って、対応する事態がまったく成立していなくても、有意味に使用できるとは限らない。

たとえば、「人間はすべて死ぬ」は「およそいかなるものでも、それが人間であれば、それは死ぬ」と言い換えることができる。（後者は「人間」を性質述語として使用している。前者のように、一見、人間を指示して語っているかのように見える文も、後者のように、述語として語る文に還元することができるのである。）

しかしここで、人間であると言えるものがまったく存在しない場合でも、有意味であると言えるだろうか？「〜は人間である」という述語は、「〜は黄金の山である」などとは違うのではないか？後者はそれを帰属できる対象が存在していなくても、有意味な述語であるが、「人間」のほうはそれが存在していない場合、またはそれが発見されていない場合に、意味を与えることができない（自然種については、「全体論と解釈」一二〇頁参照）。

「雪男」は「人間」のような種概念であるから、それの実例を発見することが、その有意味な発話条件を決定するために不可欠である。つまり、本質概念・種概念に関しては、「黄金の山」などとは違って、単なる性質述語としての扱いはできないのである。主語的な存在性格を強く持っている述語であるということである。（なお、「黄金」については自然種であるから「人間」と同様である。）（「雪男」については、「言語と意味」七八頁参照）

ここから、アリストテレスの実体には、個体としての実体と、種としての実体と、二通りの実体概念が混在することになってしまった。そして古来、どちらの実体概念がより根本的なものであるか、論争が絶えない。個体としての実体がより基底的であると見る人々は、唯名論者と呼ばれ、種としての実体をより基底的と見る人々は、実在論者と呼ばれることがある。前者は、普遍をノミナル（名目的）なものと見て、それを個体の集合に還元できると見なすのに対して、後者は、種としての普遍は実在的なものであり、個体を種の現れと見なすのである。

しかし、普遍の存在性格をめぐって争われた両者による「普遍論争」は、普遍一般について区別なく論じていた点に、両者共通の盲点があったと言えるのである。つまり、普遍者と言っても、単に名目的な普遍者と、実在的な普遍者が区別されねばならないのであり、自然種に代表される普遍者は後者であるから、もちろん個物の集合には還元できないのである。アリストテレスは、「人は人から生まれる」と言ったとき、種の実在性に気づいていたのである（性質の実在性については、「一者と実在性」三二一頁参照）。

知識と信念

真なる信念も、必ずしも知識とは言えない

知識と信念とは、普通ずいぶん違った文脈で語られる。

信念は説明文脈で語られることが多い。どうしてそんなところを掘っているの？　——ここに宝が埋まっているような気がするんだ。なぜ太郎は次郎の家に行ったの？　——次郎なら金を貸してくれると思ったから。

それに対して知識は、行動文脈に現れることが多い。「君は駅への行き方を知っているの？」（知らないなら、誰かに聞きなさい）、「次郎はいま留守だということを知らないの？」（留守だから行っても無駄だよ）。

信念は、なされた行動に対して説明を与えようとしており、知識は、これからなそうとする行動に対して前提や準備が十分かどうかを問題にしている。もちろんそれだけではないだろうが、両者を同じ文脈におき、特に知識を信念の一部だと考え、たとえば「理由づけられた真なる信念」などと考える場合、多くの解決困難な迷路に迷うことになる。たとえば、雨乞いの儀式をしたという理由に基づいて、雨が降ると信じていてたまたま雨になったとしても、雨になることを知っていたとは言えまい。雨乞いの儀式と雨との因果関係が存在しない以上、このような理由づけは、真なる信念を知識にする上で何の貢献もしないからである。それなら正しい因果関係に基づく理由づけが成立していれば、それで十分なのであろうか？　放火犯が議事堂に放火するために侵入したことを、たまたま知ったとしよう。その情報に基づいて、火事になると信じて、実際にも火事になったとしよう。しかし火事は、実際には放火犯が火を放ったためではなく、配電室に侵入した放火犯が感電して、漏電を引き起こしてしまったために起こったのであれば、我々は、正しい情報に基づいて、客観的に因果関係にある結果に対する正しい信念を持ちながら、それでもやはり火事になることを知っていたとは言えないだろう。あるいは、夜間飛行機から遠くの町が明るく光っているのを見て、大火災が起こったと信じたとして、実際その町で大火災が起こっていたとしても、その光は実際には火事の光ではなく、繰り出した消防車の光であったとしたら、この正しい信念も知識であるとは言えないだろう。

これに加えてさらにどんな条件が、知識と言うためには必要かなどが議論されることになるが、何をつけ加えてもなかなかうまくいかないものである（これをゲティア問題と言う）。

しかし最近では、信念のひとつではないような知識が注目されるようになってきた。たとえば、友人の顔を知っていると言えても、それは信念の一種ではないし、命題化することも難しい（見知り(アクウェインタンス)としての知識）。あるいは、道順などを知っていても、建物が取り壊されてその付近の景観がすっかり変わってしまうと、わからなくなることもある。この場合、我々の心（または頭）の中は少しも変化していないのに、知識が知識でなくなってしまうのであってみれば、我々の知識の多くの部分が、外的環境に支えられているということであろう（これを知識の外在主義と言う）。

またそうしてみると、知識は本人の内面状態の報告ではなく、客観的な能力であるから、あることを知っているかどうかは、客観的基準によって決めることができ、そのさい（当の知識を構成する部分である知識を除けば）彼が他の何を知っているか、また何を信じているかとは独立して決まるものである。（カレーライスの作り方も知らないのに、オムライスの作り方を知っているとは言えない、などとは言われないのである。）

しかし信念の場合、その内容の吟味は、当人の他の信念の多くを全体論的に吟味せねば確定しない。通常の科学的知識を信じているにもかかわらず、「幽霊を信じる」というひとは、いったいいかなる意味で幽霊を信じているのか、さらなる吟味が必要となろう。それは、知識が行動にとっての有用性という観点から見られるのに対し、信念は、彼の行動や他の信念の全体論的合理性という観点から見られるものだからである（全体論については、「全体論と解釈」一二五頁参照）。

以上、知識は行動のための確かな（信頼するに足る）前提として相互主観的に承認された能力について言われるのに対し、信念は、主体の他の信念や行動の総体を合理的に理解するための補助線として想定されるものである。

超範疇と超越論的

類を超えた概念

アリストテレスは、言語の構造を探究することによって、それによって言い表されるべき存在の構造について、個々の存在者の経験に先んじてア・プリオリに探究するというやり方をあみ出した。これが、後に**存在論**と呼ばれることになるリサーチ・プログラムである（「存在と存在論」一三〇頁参照）。

アリストテレスは、手始めに述語の分類をしてみた。「人間である」「馬である」などの実体、「赤い」「美味い」などの性質、「～を愛する」「～の親である」などの関係、「部屋の中にいる」「屋根の上にある」などの場所、など十ばかりのカテゴリー（範疇）に分類されることがわかった。これが**カテゴリー論**である。

この頃すでに、「存在（ある）」とか、「一者（一つである）」とか、「善（良い）」などの言葉は、特殊な働きをするために、この分類にうまく収まらないことが知られていた。これらの言葉が、範疇をはみ出るという意味で、超範疇と呼ばれたのである。

言語は事態を適切に分類して記述するものであるのに、これらの言葉には、分類語としての機能で割り切れないものがあったのである。「ある」とか「一つ」が、何ら事態を分類するものでないことは明らかであろう。どんなものでも、「ある」とか「一つである」と言えるからである。「善」と「悪」は分類するように思われようが、仔細に見ると、それは単一の本質を持たないことがわかる。人として善いということと、馬として善いということとは違う意味を持つからである。だから、人も馬も単一の善の理想（イデア）を目指す必要はない。それぞれ類に応じてその本分を十全に全うすることが、徳（アレテー）とされたのである。無理にも「痩せたソクラテス」にしようとすることは、「肥った豚」にはとんだ迷惑であろう。

このように類に応じてその意味を変えるという点では、「存在」も「一つ」も同様である。「人が存在する」とは、「人が生きている」ということであろうし、「窓が存在する」と言えば、「壁のしかるべきところに穴が開いている」ということであろう。人として存在することと、窓として存在することでは、同じことではないのである。また、リンゴが一山ずつ売られているとき、「一つください」と言うだけでは、リンゴとして一つなのか、山として一つなのかはっきりしない。このような言葉の述語づけには、「何として」なのか、その類が語られるか、少なくとも暗黙に前提されている必要があるのだ。

フレーゲは、数が性質の一種ではなく、性質の性質（述語の性質）であるということを明確にして、巨大な一歩を記した。それまで、単位としての一と数としての一が、絶えず混同されてきたからである。単位としての一（尺度であること）は、対象が持つ性質であるが、数としての一は、「空集合である」とか、「地球の衛星である」とか「11と17の間の素数である」など、さまざまな一つしかないものを表す述語が持つ性質なのである。（空集合の集合には、元が一つもない集合つまり空集合がたった一つ含まれるし、「地球の衛星」にはお月さまという対象がたった一つ当てはまるし、11と17の間にある素数という条件に当てはまるのは13という数ただ一つである。これらに共通する性質が一という数である。）

さて、フレーゲに至るまで、哲学者はこれらの超範疇に手を焼いていたのであるが、他方でこれらは、いずれも、とりわけ神にこそふさわしく述語づけられるべきものとも観念されてきた。偶像崇拝を禁止されたところでは、神を通常の分類語で記述するのは、具合が悪いことになる。「美味いもの」の背後にも「不味いもの」の背後にも、同様に神の意志は働いているはずであろう。「神は超絶的に・優勝的に・理想的に（？）美味いものである」などとは言えないわけである。そこで、超範疇の超越性が、神の超越性の述語的表現として、珍重されることになったのである。信者たちを煙に巻くにも、超範疇をめぐる問題の錯綜が手ごろだと考えられたのかもしれない。

ところが、ある頃から「理性（理性的）」とか「意志（意志的）」というような述語も、超範疇に数えられるようになった。これは神学的関心からすれば当然のことであろう。神は合理的であろうし、また意志的であろうからである。またこれらの言葉は、類を超えた働きをするという点でも、上記の諸概念に近い。我々は、歌ったり踊ったりと並んで意志的（意図的）でもあるのではなく、歌うことに関して意図的であったりなかったりするのだからである。同様に、推論に関して、または言動に関して、合理的であったりなかったりするのである。それに対して神は、常に合理的で意志的であろう。

カントの議論へ

さて、超範疇をめぐる古めかしい議論がにわかに脚光を浴びることになったのは、それがカントによってニュー・ファッションに仕立て直されたからである。彼は、理性が経験に頼らずに、どの程度のことを合法的に認識できるのか吟味するという課題を掲げた。厄介なのは、それをするのも、理性自身であらざるを得ないということである。カントは、かかる理性の自己吟味に関する事柄を超越論的と呼んだ。

このような呼称は、カントがたまたま選んだという歴史的偶然に過ぎないのかもしれないが、必ずしも超範疇をめぐる旧い問題圏に無縁というわけではない。超範疇一般の問題として、その普遍性ということがあろう。「存在」にせよ「一」にせよ、類を超えるその普遍性が常に問題の核にあった。合理性の場合も、合理性一般の議論をする場合、その議論自身も議論の対象から除外されえないという普遍性が、カントの議論を制約しているのである。自分の議論だけを例外として、部外者の立場に置くことができないということである。それが差し迫った問題になるのは、理性が自分の制約（可能的経験の限界）を忘れて思弁にふける傲慢を、カントが初めから批判の的にしていたからである。問題を論じる理性自身が、自らその問題に内在しつつ問わねばならず、理性の限界について語る言説自身が、その制約の中に置かれているわけである。かくて、ここでは問うものと問われるものの同一性が、少なくとも部分的に成立することとなる。それは、理性についての言説が、その普遍性ゆえに、自らの言説そのものをも制約せざるを得ないからである（自己言及性）。個々の言説や個々の理論の合理性を問題にする時とはまったく違った事情が、そこに生ずることになるのである。

果たして、そのような厳密な意味で超越論的と言えるような、包括的な合理性の一般理論が、そもそも可能であろうか？　カント自身の理論は、そのようなものになっているのであろうか？　また、合理性のあり方が、個々の合理的理論に先んじて、あらかじめ先取りできるのであろうか？　もしそうなら、すべての問題は、あらかじめ真の解決が決まっていて、その発見だけが残されているということになるかもしれない（「自由と問題」一〇九頁参照）。

それとも、むしろ最終的な解決などはどこにも存在せず、次々に問題が生じ、また存在が生じるから、合理性はあらかじめ決められた枠組みをなすことができず、問題解決とともに、そのつど拡大していかざるを得ないものではないだろうか？　その場合には、超越論的言説は、理性の一般的制約をア・プリオリに規定するものではなく、そのつど生じる問題をあらたに位置づけなおすだけの、機動的な言説ということになるであろう。

美のイデアと芸術

理想の美女は存在しない

中国史上三大美女といえば、西施、王昭君、楊貴妃といったところか、あるいは虞美人が入るか、いずれにせよ誰の写真も残っていないから、比べるすべはない。だが、もし写真が残っていたとしても、我々は案外がっかりするのではないだろうか？　美女として名高いクレオパトラにしても、その魅力の大部分は、考え抜かれた演出と、彼女の社交的手腕（才能）によるものであって、白日の下で意地悪く観察する視線のもとでは、存外多くの欠点をまぬかれなかった可能性が高い。あれほどの評判というからにはさぞかし、と思って見ると、あらゆる微細な欠点が拡大して目にさらされ、美の印象は一変してしまうからである。ヴェルディのオペラ『ラ・トラヴィアータ』のモデルになったアルフォンシーヌ・プレシ（マリー・デュプレシ）は、一年でいまのお金にして何億も貢がせるようなココット（高級娼婦）であったと言われるが、隅々までブランド物で飾り立てた、見るからにゴージャスなグラマーであったはずはない。むしろ、オードリー・ヘプバーンを少し儚げにしたような、楚々とした令嬢であったろう。クレオパトラにしても、アルフォンシーヌにしても、これがあの名高き（悪名高き）権力者（または娼婦）なのか（!?）と感じさせる意外性によって、我々を魅惑の魔法にかけるのである。

世阿弥の名曲に『関寺小町』という能があるが、そこでは百歳に手が届くような小野小町が登場する。ワキの僧が少年を連れて小町に会いに来て、むかし物語を聴く。やがて促されて少年が舞を舞うと、小町もそれにつられ、昔を思い出しながら、よろよろと足取りもおぼつかぬままに舞い始めるという筋立てである。能ではしばしば「老いの花」と言われるが、わざわざ若い盛りの小町の舞姿の美しさを避けて、年老いた小町の舞を見せるのはなぜであろうか？

それは、美の盛りの小町を舞台に再現しようとすれば、必ず不完全さばかりが眼について、「これが世に聞くあの小町か!?」ということになるからである。

少年の舞には初々しい若さがあるが、まだ雅びというには程遠い。老いた小町の舞は、晩年の大家の演奏のように、どこかにまだ往時の輝きが残ってはいるものの、いたるところで破綻を見せ、全体としてはみすぼらしいものである。しかし、観客はこの二つの舞のあわいに、盛りの華を誇った小町の舞の完全な美を想像することができる。見る影もない老醜の中から、ゆくりなくぞくっとするような優美さが輝き現れる。さながら、庭園の深く暗い木立のシルエットを通して、途切れ途切れに明々と輝く舞姿を、遠望するかのようではないか？かくして、美のイデアという幻想が、現実の舞よりもいっそう確かなリアリティをもって浮かび上がるわけだ。

しかしもちろん、どこにも美の理想が存在しているわけではない。理想の舞すら、実際には（そして観念的にも）存在しない。理想の美女（または美女のイデア）など、決して存在しないようなものだ。そんなものは、素人の観客がまんまと芸術家の策略に、（またはクレオパトラの手管に）乗せられてしまった結果に過ぎないのだ。その証拠に、彼女らはヴェールや陰影を、いかにも巧みに使いこなすではないか？（「真理と悲劇」三九頁参照）

何につけても競い合うのが好きなギリシア人の間で、二人の画家が競い合ったと言われる。ゼウクシスが描いたブドウの絵は、鳥が間違えてその実をついばみに来るほどの出来ばえであったが、彼はこれでほぼ勝利を手中にしたと確信しながら、かたわらのパッラシオスに向かって「次は君の番だ、君の絵のヴェールを取って皆に見せたまえ」と言った。だが、パッラシオスは、実際にはヴェールの絵を描いていたのである。そこで、鳥の目を欺くことができたゼウクシスよりも、人の眼を欺いたパッラシオスの技のほうが上だということになった、と言われている。

ここに、芸術家が「完全な美のイデアを目指して、その複製（自然）の複製（作品）を作っている」わけではなく、「失われ、毀損（きそん）された完全性」をたくみに上演することによって、イデアの幻想を与えていることがわかる。プラトンが、芸術家を彼の楽園から追放したのは、彼のイデア論にとって偶然的なことではなく、むしろ彼が同じ幻想という現象をめぐって、芸術家と対極の位置に立っていたことを浮き彫りにしているのである。つまり、イデア論こそは、プラトン自身が芸術にたぶらかされ、その本質を完全に見誤った結果なのである。

文化相対主義と普遍的正義論

人類学の記号論的アプローチ

フッサールは己れのヨーロッパ的理性の起源を探究した結果、一種の理性の**目的論**に到達した（フッサール『ヨーロッパ諸学の危機と超越論的現象学』第二部第一五節）。マックス・ヴェーバーは己れの歴史社会学が合理化の趨勢という一点に収斂するのを見たとき、自分が結局はヨーロッパ的理性の歴史的起源を問題にしてきたことに気づかざるを得なかった（「歴史と伝統」二一一頁参照）。これらの問いは「超越論的」なもの（「超範疇と超越論的」一四五頁参照）であり、その探究過程は「解釈学的循環」と呼ばれることもある。**探究する**主体の可能性の根拠が、**探究される**主題となるからである。

レヴィ＝ストロースは、これらの歴史主義を「ヨーロッパ中心主義」として批判した。彼にとって、歴史上の諸文化は、それぞれが人間の諸可能性のひとつを展開しているのであり、それは人類学が対象とする文化のようにいわば等距離に並ぶのである。歴史を「進歩」の相で見ること自体、ひとつのヨーロッパの神話にすぎない。ここに明確な「文化相対主義」が現れるのは避けがたいと思われる。レヴィ＝ストロースの文化人類学は、その認識がいかにして可能かを問う超越論的反省を、なしで済ませることができるのであろうか？

彼は、神話をはじめとする文化表現を言語学（音韻論）にならうやり方で分類し体系化する。それは、神話の構成要素を、それらの意味内容はカッコに入れて、もっぱら構造的弁別特性（シニフィアン）に基づいて分類する広範な記号論的アプローチを生み出した。

料理という人類共通の文化現象に、弁別特性によって複雑に織りなされたシニフィアンの体系を構想し、さまざまの民族の風習をその基本枠組みの中に位置づける――いわゆる「料理の三角形」の議論（『神話論理Ⅲ　食卓作法の起源』邦訳五五三頁）。それによると、料理は基本的に「生のもの」「火にかけたもの」「腐ったもの」という三角形の内部に位置づけられ、「生のもの」の近くには「串焼き」が、「火にかけたもの」の近くには「燻製」が、「腐ったもの」の近くには「煮物」が位置どる。串焼きは火にかけたものと思われるかもしれないが、もっとも原始的で手がかかっていないという意味で、煮物や燻製の文化付加性と対立するようだ。他方、煮物と燻製にはともに人工器具を使用するが、煮物の手段である鍋は永続的に使用されるのに対して、燻製台はすぐに取り壊される。燻製はもっとも長持ちする食品であるが、そのために燻製台は長持ちしてはいけないというタブーが生まれるという。以後、記号論的アプローチは多方面に影響を及ぼし、映画や文学などにおいても、いわゆる形態素分析として盛んに用いられている。

このような議論が、ローマン・ヤコブソンの影響のもとにあることはよく指摘されることである。ヤコブソンは、幼児の習得していく音韻の体系を弁別特性に基づいて描き出した。それによれば、幼児は最初、音韻ａとそれに対立するｐとｔを習得する。ａは「深い母音」

として浅い子音であるpとtに対立するが、pは「暗く」tは「明るい」。その次には、暗くて浅い母音であるuと、明るくて浅い母音iが現れ、同時にそれらと対立する深い子音kが現れるというのである。詳細は省くが、重要なことは音韻が単独で一つ一つその同一性を獲得するのではなく、いくつかの弁別特性の重ね合わせによって確立されるということである。ちょうど、色のクオリアが互いの弁別の対立軸によって決定され、その外部の物理的性質（周波数）によって決定されるわけではないようなものだ。

弁別の非対称性

ヤコブソンの音韻論においては、音素の弁別特性は反対対称的な関係にある。「深い」↕「浅い」、「明るい」↕「暗い」……など。これらは、否定によって互いに反対に転化し得る関係である。レヴィ＝ストロースの料理の三角形の場合も同様である。「人工的」↕「自然的」、「永続的」↕「時間的」など。

しかし対立関係には、そのような対称的関係と並んで、非対称的対立が存在する。アリストテレスは、「我々は、真直ぐなものによって当の真直ぐなものも曲がったものも認識するのである」と述べている（『魂について』411a5）。これは、一方が他方を弁別するが、その逆は成り立たない非対称的対立関係の場合である。たとえば同じことは、アリストテレスにおいて、概念の対立の非対称性は決定的に重要である。たとえば同じことは、美徳と悪徳の対立関係についても言えるであろう。「勇気」こそが、「向こう見ず」と「臆病」を（その欠如として）悪徳として弁別するからである。それは、「痩せ過ぎ」とか「肥満」がともに「健康」の欠如として「不健康」と弁別され、その逆ではないようなもの（「一者と実在性」三二頁参照）。ちなみに、真↕偽の対立を非対称的なものと見るのが、ダメットの「反実在論」である（「言語と意味」七八頁参照）。

どのような習俗も、それぞれの文化の中でその意味を持つ以上、それらは文化を超えては互いに共約不可能である（価値判断する共通尺度が存在しない）。レヴィ＝ストロースのように、さまざまの文化現象を等しく人間の諸可能性の現れとすることも一面では可能であろうが、だからと言って文化相対主義が最後の言葉（ultima ratio）となるわけではない。たとえば、イスラム圏における女性へのブルカやヒジャブの強制は正当だと言えるのか？　それらに対する批判は、単なる「ヨーロッパ中心主義」であろうか？

ここでは、ファッションにおける政治闘争の古典的事例を参照することによって、この問題に切り込むことができる。南北戦争前夜、アメリカの自由州と奴隷州では習俗が共約不可能にまで違っていた。奴隷や女性の扱いについての議論は、人類学的に見れば、結局文化の違いとして水掛け論に終わりかねないところ。奴隷制を正当化する習俗など我々には理解困難だが、南部の建前としては、奴隷は自立心、自制心に欠けるため「保護の対象」ということになる。自由に任せれば、反って彼らにとって不幸になるという理屈だ。それは、家父長制のイデオロギーにおける女性の立場に似たものでもある。

奴隷制を組み込んだ社会では、勤労は美徳であるどころか奴隷的で卑しいものと見なされ、奴隷自身はもちろん白人たちも労働を忌避する習俗が定着する。中でも白人女性の労働は、習俗を紊乱(びんらん)するようなものと見なされる。腰骨の張りを強調したバッスル・スカートや裾を引くローブ・デコルテなどは、労働を免除された身分の女性たちに、その「特権」の顕示として享受されたファッションである（conspicuous consumption）。しかし他方、彼女らを労働市場から排除し従属的地位に縛り付けるイデオロギー的粉飾でもある。「特権」の仮面をつけた「隷属」という点が、いかにも欺瞞的。

『風と共に去りぬ』では、土地貴族の娘であったスカーレット・オハラが、内戦後に続々と南部に乗り込んできたヤンキー（北部もの）たちに伍して、商店経営に乗り出して成功するさまが描かれているが、ここに南部社会で社会コードが急変していくさまが読み取れる。アシュレーのような人物が、土地貴族の旧習にとらわれて時代の波に呑み込まれていくのに対して、スカーレットはたくましく北部のブルジョワ風を取り入れて成功するのだ。

新旧の習俗が混在するこのような過渡期に、奴隷と主人の通婚が大きな問題となってくる。奴隷が人間として見られなかった時代には、このような事態はまれであったろうが、そのようなことが頻繁に見られるようになると、その子供の存在が、旧習俗を一段と疑わしいものにするだろう。一方では家族のイデオロギーを尊重することが要求されるのに、他方では黒人を対等の家族と認知できないからである。また一方では、白人女性に対しては厳しい性道徳が強要されるのに、白人男性には放縦な生活が認められるので、白人社会のイデオロギーに深い亀裂が走ることになるのである。

人類学者のように、外部から南北二つの文化をそれぞれ単独で観察する限りは、それぞれの文化相対性と見られたものが、他の複雑な諸事情との関連を持つ社会総体として見られるなら（その中には、西部開拓地での労働需給の逼迫、奴隷労働の極端な非効率などの事情も含まれる）、とりわけその社会の中で生きる視点からは、次第に奴隷制そのものの問題性が浮かび上がらずにはいない。急速に発展しつつある開拓地で労働力が不足している所では、奴隷労働に頼るなどあまりにも非現実的なのである。

このような過渡期に、奴隷制や性差別文化に何の問題も見ず、旧道徳の建前に固執する人々と、制度としての奴隷制や性差別が維持困難になっているという問題を暴露する立場では、非対称的な対立が問題となるだろう。これは単なる階級的利益の違いではない。隠蔽する者と、暴露する者の言説に及ぶ対立なのであり、ギリシア人的な意味で真理（アレーテイア）と非真理の非対称的対立なのである（「真理と悲劇」三六頁参照）。一方が既得権益にそのまましがみついて何の問題も見ないのに対して、他方は問題を指摘し暴露する挑戦者として問題を際立てねばならないからである。したがって、問題を際立て言い立てる者は、しばしば暴力に訴えて問題状況を顕在化させねばならない。そうしてこそ、公共的に認知され解決が模索される**問題**が初めて出現するからである。非合法の暴力やテロルは、事後的にのみ遡及的に正当化される可能性があるのだ。それが問題の存在を公共的に認知させることに貢献する限りにおいてである。

悟性と判断力

そして、問題が問題として承認されたうえで、その解決が模索されたとき、その「解決」が真に解決と言えるかどうか、反ってさらに大きな問題の出現でしかないのか否か、その判定は、悟性的にあらかじめ与えられた問題解決のパタン（類型）や規準に基づいてなされるものではない。つまりあらゆる問題解決に共通する類型や本性は存在せず、それはパタン認識ではありえない。それは、個別の結果を見ての事後的判定であらざるを得ない点で、芸術作品の評価と同様、**判断力**の仕事なのである（「美と判断力」一〇〇頁参照）。ちょうど、幸福かどうかの判断は概ね一致するが、それをパタンとして規定することはできないようなもの。それは作品の優劣が、その理由はどうあれ概ね一致するが、その共通類型がないようなものである。単一の要素だけ（たとえば富だけ）の追求が必ずしも幸福につながらないことも多い。「幸福」の内実は多様であり、一概にパタン化できないから、幸福の判断は悟性的認識（科学的認識）ではないし、それにしたがって技術化する（設計して幸福を実現する）こともできないわけである。芸術作品でも、いったん傑作をつくるのに成功したとしても、以後その要領（技術）で次々に傑作を生み出せるというわけではなかろう。

プラトンは、一般の普遍概念（例えば壺（アンフォラ）のパタン）に基づく判断と美の判断とを、同じようにイデアの一義性に基づけることによって、それらの製作を同類のもの（ある種の技術）と見なすことになった。「正義」も同様であるとすれば、正義の実現をある種の製作と見る政治哲学（アレントが鋭く批判したもの）が、ここに由来することを見て取ることができよう。

奴隷制や隠蔽された擬似奴隷制が正当化しがたくなるのは、「奴隷」たちが自らに押しつけられた「奴隷性」や「女性性」の欺瞞的な役割とレッテルを振り払い、自己主張し始めることによってである。正義は、哲学者の机上の議論によって決定されるようなものではなく、そのような主体が、自らを新たに再定義しつつ現実に登場しているか否かの問題なのである。それ故、そのような自己主張が萌芽としてさえ存在しない時代と、そのような自己主張が沸騰しつつある時代とに、共通する「正義」観念は存在しない。それは「正義」が悟性的に規定可能なパタンのひとつではないからである。「正義」は、「芸術」の伝統や理念と同様、個々の作品によって（個々の政治闘争によって）事後的に与えられ、新たに更新され再定義されていくのである。

註　ブルカやヒジャブの着用については、文化闘争・政治闘争の対象になり得ると書いたのであって、それらを法的に禁止すべきだということではない。フランスなどで、批判する声の大きい中で堂々とそれを着用する生徒がいたら、それ自身彼女の立派な自己主張として尊重されるべきである。アフガニスタン政府がそれを強制するのとは、場合が違うのは言うまでもない。

弁証法と(再)定義

探究のアポリア

対話の場面で深刻な意見の対立が起きるとき、言葉は、単に情報を意味に乗せて運ぶ道具にはとどまることはできない。一定の意味を固定し共有した上で、情報を伝達するのではなく、使用される言葉の意味自体が問い直されることになるのである。このように、対話的・論争的場面において、言語活動や意味自体が議論の的になり、考察の対象とならざるを得なくなるような事態を、「弁証法的」(または弁証論的)と言い、またこのような考察を一般に「弁証法」(または弁証論)と言う。弁証論的な場面では、言葉の意味の自明性が崩れ、再定義の必要が生じる。

「~とは何か?」――本質への問い、意味への問い、定義を求める問いは、アリストテレスによれば、ソクラテスの発明によるものらしい(『形而上学』987b1)。そもそも何ゆえ、このような問いが可能かつ必要なのであろうか? 意味というものが、その言語を駆使している当人の理解に尽きるものであるとすれば、あらためて意味を問うたり、その定義を与える必要はないだろう。また、「~とは何か?」という問いが可能であるためには、少なくとも「~」の部分が理解されていなくてはなるまい。

すると、「〜とは何か？」という問いが可能であるためには、すでに「〜」が知られていなくてはならないはずであろうから、本来「〜とは何か？」と問う余地はないはずである。問いの意味が理解されていなければ、その問いを問うことは不可能であり、またもしそれがすでに理解されているのなら、あらためてそれを問うことは不必要になってしまうはずである。これが、いわゆる「探究のアポリア」である。

ここで、本質定義は、観念の内省（本質直観）によってではなく、他者の（または人々の）言語使用の分析によって与えられるべきだということこそ、アリストテレスの根本洞察であった。

アリストテレスの言語分析は、二つに分かれる。論証的な説明の論理構造を明らかにする**分析論**と、論証（三段論法）が前提（アルケー）とする本質認識を与える**弁証論**である。たとえば、ソクラテスが死ぬという現象は、媒介となる「人間」という説明概念を見出すことで、論証的説明が可能となる。「人間は死ぬ。ソクラテスは人間である。それゆえ、ソクラテスは死ぬ」。

ここで、「人間は死ぬ」という本質的認識を与えることができるのは、人間の本質に死ぬということが含まれているからであろうが、そのような本質認識はどうして得られるのであろうか？　人間の本質定義が、「二本足の動物」であるか「かくかくの遺伝子タイプを持つ動物」であるか、いずれにしろこれらの本質に含まれる動物という概念の中に、可死性が含まれているとしよう。しかし、そのような性質を含む本質定義を、我々はどのようにして手に入れることができるのか？　ここで重要なことは、個々の人間の事例を観察することによって、本質を手に入れることはできないということである。どれを適切な事例として列挙すべきかは、本質がわからない段階では、わからないからである。

ここで、他者の言語使用を分析せよ、というアリストテレスの洞察が生きることになる。なぜなら、人間の本質を知らない段階では、どれがそれに該当する事例であるかはわからないが、人々がどのように「人間」という言葉を使用しているか、どのような事例を「人間」と呼んでいるかは、観察可能だからである。それゆえにこそ、学問の出発点（アルケー）をさだめる本質定義のところで、アリストテレスは必ず、その言葉の使用実例、つまり人々がその概念を使って表明している、さまざまの信念（ドクサ）や通念（エンドクサ）の実例を、できるだけ多く集め、吟味することを行っているのである。

弁証論的な幽霊

弁証論的（弁証法的）問題が起こるのは、本質定義の場面だけではない。「幽霊は存在しない」という言明は、幽霊が実際に存在しなければ、無意味になりはしないだろうか？　なぜなら、「幽霊」という言葉に、まったく適切な適用場面がないからである。これは、「黄金の山」などとは違う。黄金の山は、実際存在しないだろうが、「黄金」も「山」も適切な使用場面があり、したがって「黄金の山」の適切な使用条件ははっきりしている。たまたま「黄金の山」に使用実例がないとしても、その可能な使用場面（適切な発話条件）を規定することはできるから、無意味とは言えない。

ところが、「幽霊」は、それ自体が種概念として想定されており、それが存在しなければ、その適切な使用場面がそもそも規定されない以上、まったく無意味と言う他ないのである。「幽霊」は、さまざまの性質の束として考えることはできないということに注意されたし。「幽霊」は「雪男（または雪女）」と同様、もしそれが発見できなければ、その意味も使用可能条件もまったく欠けた、無意味な言葉でしかないのである。

ところが、そうだとすれば、今度は「「幽霊」は無意味だ」と語ることもできなくなりはしないか？「幽霊は存在しない」や「「幽霊」は無意味だ」は、たとえば「アブダカタブラは存在しない」とか「「アブダカタブラ」は無意味だ」とは同じではないはずである。後者はまったく使用場面がないけれども、前者には明らかに適切な用法があり、必要でさえある言明である。ここで、「幽霊」は弁証論的に使用されている、つまり論争的に使用されていると言うのが適切であろう。それは、幽霊について語っているのではなく、他者の言語使用について批判的に語っているのである。つまり、「幽霊」と人が呼ぶようなものは、存在しない（誤ってそう呼ばれているのは、実は枯れ尾花である）。

「幽霊」という概念で説明される現象は、実はそのような概念（ならびにその法則――たとえば「幽霊は成仏できない死者の霊がこの世をさまよう時の姿であり、柳の下に出現する」など）のもとで総括されたり説明されたりすべき現象では全然ない（むしろ、深層心理にもとづく幻想として説明されるべき心理現象である）、というような批判を表現していると受け取るべきものであろう。

言語は、他者の言語使用を借用する形で習得する他ない。それゆえ、いかなる自己主張・自己表現であれ、言語を使ってするものである以上、隅々まで自己の権能の下におけるものではない。他者の言語使用を通じて、他者の信念が知らず知らずのうちに浸潤してくることは避けがたい。

したがって、他者の言語使用との間に世界観的対立が存在しうるのはもちろん、一個人の言語使用の中にも、不整合が紛れ込むことも起こりうる。自己の信念であるのに、その中に当人の気づかないような不整合が発見されうるのである。ソクラテスが対話を通じて摘発したのも、このような不整合であり、そのような時、当人は知っていたつもりのことを、実は十分に知らなかったということに気づかされる。ソクラテスが強調した「無知の知」とは、言語を使って考える我々の宿命のことであった。

このとき、主体が信じていたつもりになっていたことを、実際には信じていなかったことになるわけだが（なぜなら、そこには矛盾が含まれていて、誰にせよ矛盾したことを信じることなどできないから）、だからと言って、まったく何も信じていなかったわけではないだろう。当人は矛盾や不整合が見出された時、同じことを同じままで信じ続けることはできないが、すべての信念を失うわけではない。矛盾を克服した形で、自分の信念を立て直すことを余儀なくされるであろう。また、彼の発言の真意を理解しようとする人も、できるだけ多くの彼の信念を維持しながら、整合的なやり方でその信念を好意的に（慈悲深く）再解釈してやろうとするだろう（**慈悲の原則**）。かくて、この対話状況において、いわば共同作業で信念の再解釈（変更）の運動が生じるわけである。ここから、矛盾（の発覚）をきっかけに、信念が再解釈を通じて変容する事態に関わる考察を、狭い意味で「弁証法」と呼ぶことになる。

重要なのは、矛盾をきっかけに信念が変容するためには、信念が言語的に表現される必要があり、矛盾律という言語の規範的要請に従う必要があるということである。

観念論とヘーゲルの弁証法——意図と欲望

実存を欠いた主体

ギリシアにおいては、発覚した矛盾をきっかけに、信念が変容を余儀なくされる、あるいは、信念の変容をきっかけに、言葉の再定義を余儀なくされる、その変容のあり方を論じることが弁証法とされたが、ヘーゲルがそれを再び取り上げるまで、近世哲学史上では長らく忘却されていたと言っていい。それは、近世哲学の地平を開いたデカルト以降（スピノザを除けば）、言語から観念へと哲学の主たるアリーナが移されたことによる。

ちなみに、二十世紀初頭から、再び言語に関心が集まり（言語論的転回）、言語分析を方法論の中心にすえる学派が生まれ、しばしば「分析哲学」と呼ばれることがあるが、彼らの主要な仕事は、アリストテレス的分類によれば、分析論より弁証論に当たっている。さまざまのパラドクスなどの原因を、言語のかくれた論理形式の誤解の中に探り出し、多くの使用実例の検討から言葉の再定義を試みるなどは、本来弁証論と呼ばれる探究である。

さて（近世の）観念論とは、さまざまのヴァリエーションはあるものの、次の諸点で共通する、近代の主流をなす哲学である。

1　明晰・判明な観念によって、認識を再構成しようとする。
2　そのため、認識を、明晰・判明な観念からの主体による構成と捉える。
3　そのさい構成とは、主として数学的な構成、ないしはそれに倣った構成を意味する。つまり、学問の理想をガリレイ流の力学（数理物理学）におく。
4　合理性を、もっぱら主体による構成可能性と考える一方、主体を合理的構成主体と考える。つまり、観念論にとって主体とは、しばしばありのままの個人ではなく、そもそも合理的であるなら引き受けざるを得ない、規範的制約のことである。

以上から、観念論の主要な特徴は、（数理的ないしは力学的）合理主義、人間中心主義、技術主義などとなる。その政治哲学的表現が、近代の社会契約説である。ちなみに、保守主義とは、政治哲学の場での、観念論に対する反動（反革命）である。

観念論は、認識を、構成単位となる観念からの構成と考えるから、意味の製作モデルに適合的と見なされる傾向がある（意味の製作モデルに関しては、「全体論と解釈」一一八頁参照）。そこから、認識の基礎単位となる観念を、意図（何を言わんとしているか）に基づけようとする。意図は、意図的行為において、その実現に先んじて、何が意図されているか明証なものとされ、その意図が充足されたか否か、あらかじめ明確であることが求められる。その意図を実際に実現できなくても、その行為は意図的行為であり得るのである。そのため、意味（特に数学の理念的意味など）を、事実を超えた次元に確保しようとする場合には、それを意図の上に基礎づけることが有効と見なされたのである（意図の志向性 intentionality 分析）。

このような観念論的な哲学からは、多くの問題が周辺部へと追いやられるが、中でも大きな問題が、言語と主体、とりわけ欲望としての主体の問題である。観念論にとって、言語はたかだか意図や観念の外皮でしかなかったし、主体は、合理性のための規範的要請とされたため、体系の中心にすえられながらも、現実の人間の実存を切り捨てていたからである。

精神の現象学

ヘーゲルは、言語の問題と主体の欲望の問題を結びつけることによって、ギリシア以来の弁証法に新しい意味を吹き込んだ。ギリシア人の弁証法においては、変容するのは、もっぱら信念ないし言葉の本質定義であったが、ヘーゲルにおいては、主体そのものの変容が問題となる。ギリシア人においては、人間とは理性的存在または言葉を持つ存在であったが、ヘーゲルにおいては、それに加えて、人間の本質は欲望と見なされる。欲望を持つことは、人間においてはとりわけ言葉を持つことであり、言葉の中に生きることなのであり、また言葉を持つことが欲望を持つことなのである。他の動物と違って、人間の欲望は、定型的な欲望が充足されればそれで満足するわけではない。常に、何か白々しい幻滅にとらわれ、自分が本当に求めていたのはこれではないという思い（剰余の欲望）を残してしまう。ここから、当面の意識にとっての欲望の対象と、その充足によって満足しない意識の真の（an sich な）あり方との間に、つまり、単に信念の間にではなく、主体自身の内部に矛盾が生じ、それが精神の変容を促すのである。欲望は、いまだ成仏できずにさまよう幽霊のように、己れの真実を追い求めてさまよう精神（Geist）と見なされるのである（精神の現象学）。

この点こそ、人間の欲望が、必要とか意図とは根本的に違うところである。意図の明証性に基礎を置くフッサールの現象学と、欲望の変容をたどるヘーゲルの現象学との根本的差異を見落とすならば、両者いずれの意義をも見失うことになろう。

ヘーゲルの『精神現象学』は、感覚的確信が捉えたつもりになり、それを言い表したいと求める欲望が、実際に自分が言い表したことに満足できないで、変容を余儀なくされる弁証法から出発しているが、このような段階にとどまっていれば、それを信念のレヴェルで（ギリシア的に）処理することもできたであろう。しかし、人間的欲望が十全にその意味を現すのは、死の危険を顧みない死闘の経験においてなのである。そこでは、いつでも敵の脅威から逃れる道があるにもかかわらず、あえて死の危険を引き受けつつある自己――有限の欲望対象によっては決して満足しない、いわば無限の欲望（自由）を生きる自己を自ら発見する。

他者との、全存在を賭けた死闘

これが、たとえばライオンに襲われるような場合なら、他の自然的脅威と同じで、いつでも逃れ得ると意識することはできないから、無力を意識させることはできても、自由を自覚させることはできないだろう。要点は、降伏さえすれば命が助けられるという確信があるということであり、したがってここでは、自己自身の絶対的自由の自覚（死の恐怖に耐えて踏みとどまる自己の発見）が、他者の認識を媒介として、はじめて可能となっているということである。ここでは、他者が自分と同様の欲望主体であることを認識するさいに、誤り得るというような認識論的問題は問題ではない。実際に誤った判断をする可能性があろうとなかろうと、そこで見出されている意味の次元（他者や自己について正しいにせよ、誤っているにせよ、判断されている内容の意味理解の次元）が問題なのである。

我々が死闘の経験の中で、自由の新しい次元があるということを理解し、たがいに承認を求めて闘っているという、己れの欲望の深い次元を理解するということが問題なのである。（ヘーゲルは、このような自己意識的な欲望の次元を、有限な欲望との対比で「無限性」と呼ぶ。）こうして、自らの欲望の真実を自覚するためには、他者の存在が不可欠であること、なぜなら、欲望の根本構造の中に、すでに承認という形で、他者が組み込まれているからである、ということが理解される。

できれば、愛とか親切とかを通して他者を経験し、その他者との関係を通して自己知を得る、という風になっていてもよかったであろう。しかし、そのような見かけ上肯定的な関係は、それだけでは自己意識（人間的欲望）の無限の深淵を啓示しない。それ自体、ある程度の有用性・有益性を持っているからである。実際には、有限の有益性を持つ愛や親切すら、決して単に有限な有用性に還元され得るものではない。それゆえ、その真の意味を明らかにするためにも、全存在を賭けた死闘の経験に立ち返る必要があるのだ。

ここから明らかになるのは、人間の行動関心をすべて有限な快楽計算に基づけようとする功利主義が、根本的に見落としているものである。それは単に、死闘といった例外状況を、射程の中に入れていないということだけではない。

一見、承認や無限性と無縁な、有限の生理的欲求でさえ、人間の欲望であるかぎり、決して単に必要を満たせば充足されるといった単純なものではない。拒食症のような例に見られるように、食事自体が、「愛の表現（シニフィアン）」という意味を帯びてしまうため、しばしば家族関係などの不全によって、生命を危険にさらすまでに至ることがある。また、一見単純な物欲さえ、見栄を張り、世間から認められたいという承認への欲求を潜ませていることが多く、そのことは、あっけなく当初の欲望が満たされた時に生じる幻滅体験からもうかがうことができる。こうして幻滅に幻滅を重ねながら、主体はついに、己れの欲望が他者からの承認と、無限性の次元に開かれていることに思い至らざるを得ない。

しかし、人間の欲望を有限な功利計算に還元しようとする功利主義は、このような次元を否認することによって、かえって己れの否認された欲望を暴露しているのである。つまり、功利主義の欲望は、己れが無限性——自由な他者からの承認と、死闘で現れる絶対的な自由の次元（たとえば名誉など）——から隔てられているという意識から、かえってこれをルサンチマン（怨恨・嫉妬）的に否認しているに過ぎないのだ。自由という絶対者への肯定的かかわりを取り得ない奴隷根性のルサンチマン的表現であるのに、それを自覚できない。「気晴らし」についてパスカルが示したように、有限な欲望ですら、実際にはすでに無限なもの（死と絶対者の観念）に媒介されているのである。そして、こういった自己自身の本質に対する欲望の自己否認こそが、ルサンチマンの特徴なのである。

さて、ヘーゲルの筋書きによれば、死の危険を首尾よく乗り越え得た者が主人になり、死の危険の前に怯え、生に執着した者が奴隷になるわけだが、実際には、「死を乗り越える主人」という観念は、勝利した主人の真実ではなく、単に降伏した奴隷の想像でしかない。なぜなら、相手の降伏は実際の勝者にとっては、単なる偶然であり、もう少し遅ければ、自分のほうが降伏していただろうからである。主人は本当に死に打ち克ったのではなく、ただ降伏するのが一足遅れただけである。重要なのは、己れの降伏をきっかけに、奴隷の中にこそ、絶対的自由を耐え抜く理想化された主人の観念が、はじめて生じるということであり、その観念との緊張と葛藤の中に、奴隷だけが生き抜くことができるということである。これはもはや「奴隷根性」ではない。

これを、精神分析学が言う「去勢コンプレックス」を克服して、父親像を内面化していく幼児のエディプス的過程と重ねてみることもできよう（「想像的な私と象徴的な私」九三頁参照）。そして、理想化された「父」が、やがて非人称化された象徴界によって置き換えられてゆけば、主体は規範に服する主体として自律できていくが、象徴的掟を例外的に一人のがれ得ると想定された「原父」（あるいは、「全知の同志スターリン」）という想像的なものに退行する場合、権威と権力、法と暴力の混同とか、闇雲な暴力に魅せられ、絶対的権力者へ想像的一体化する傾向など、さまざまな権威主義的人格障害を生むことになるのである（スターリンについては、「メタ言語と主体性」二〇〇頁参照）。

保守主義と左翼

保守主義の基礎にある直感と洞察

デカルトは、自然に成長・発展した都市より、誰か一人の人が計画・設計した都市のほうが美しいと述べたが（『方法序説』）、近年の都市計画の考え方はだいぶそれとは違っているようだ。ブラジリアのような都市への熱狂は影を潜め、かつて設計された様々のニュー・タウンの弊害のほうが、強調されるようになっている。

理性が都市や法制度などポリス的なもの一切を設計して造り上げるという考え方については、製作（ポイエーシス）と活動（プラクシス）とのギリシア的区別を使って、アレントが厳しく批判したところである（『人間の条件』）。政治的活動は、言論によって他者に働きかけることを含み、他者には他者なりの関心や思惑があるから、目的合理的な製作的行為観はそのまま適用できないのである。もしそれを強引に適用して「理想の社会」を造り上げようとするなら、どうしても他者の関心や観点を無視して、己れの見方を特権化して押しつけようとするエリート主義の暴力に頼らざるを得ない。（ゲーテの『ファウスト』第二部で、ファウストがメフィストの力を借りて、理想の国を造り上げようとして、善良なフィレモンとバウキスの老夫婦を焼き殺した所に、その古典的例を見ることができる。）そこでは、説得は名目的・形式的なものになりやすく、策謀(マヌーヴァ)と扇動(プロパガンダ)が幅を利かすことになる。

保守主義は、制度や社会秩序の複雑性を強く意識し、それを合理化して認識したり、単純な目的合理性の下で改革するような理性の傲慢に警告する。社会は見えないファクター（ことに、エートスといった精神的要因）が複雑に絡み合っているものだから、一見非合理的と思われるようなところも、直ちになくしてしまってよいとは限らないのである。これは、デカルト的な設計主義に対する痛烈な批判である。

保守主義の基礎には、歴史的に生成してきた制度や社会秩序は、自然に存在するようなものでも、いつでも容易に達成できるものでもなく、長い時間の試行錯誤と淘汰を経て、かろうじて残されたものとする、秩序の希少性に対する直感と、それを担う人々の責任感や誇りに対する人間的洞察がある。

しかし、そうして達成された秩序は、理性の普遍的原理に基づくものではないから、歴史的偶然性を免れず、したがって保守主義的精神は、伝統はなんでもすべて尊重すべしといった一般的定式にまとめることはできないし、他人に説諭・唱導すべき「主義」ともなりえない。それはただ単に、自らが負う特殊な伝統への個人的コミットメントの中に示されるものであり、決して主義や普遍的理念として掲げられるものではない。総じて特殊なものへのコミットメントである限り、普遍的に妥当するものとして人に説得できるものではないからである。また、そのような生きた伝統への精神的コミットメントのないところに、強制にせよ説得にせよ、コミットメントを植えつけるようなことはできない（「歴史と伝統」二一一頁参照)。

かかるコミットメントの中で、ことに政治的共同体(仮に「祖国」と呼んでもよいが、国家とは限らない)の伝統へのコミットメントのことを、愛国心と言う。これを、特定の権力機構や、ましてその支配者への忠誠と混同してはならない。政治共同体が政治共同体と言えるのは、マフィアや海賊などと違って、それが最小限度の公共性の次元を実現しえている限りのことであり、そのためには最小限度の言論の支配(広い意味での法)が不可欠である。ポリスが達成したこの公共性の次元を、ギリシア人は正義(ディケー)と呼んだ。

しかし、愛国的コミットメントは、その政治共同体の価値とか、「国益」という合理的理由に基づくものではない。どんなに欠点がある子供(親)だからと言って、子供(親)に対する非合理的コミットメント(愛)がなくなるわけではないようなものである。

愛国的情熱は、公共性がいまや危機に瀕しているという危機感の中で生まれる政治的＝公共的関心である。したがって愛国者にとって、政治的公共性(祖国)は黙っていても所与のものとして自然に存在しているものではない。それは、ちょうど堤防が決壊しようとしている時、自ら身をもってそれを防ごうとするような火急の関心の中に、はじめて現れるものであり、郷土に対する素朴な愛着などとは何の関係もない。逆に言えば、このようなコミットメントがなければ、堤防が決壊することも、自然の摂理の一つとして、何の問題でもないであろう。

左翼と右翼はどこで対立しているのか

ここで、祖国が直面する危機を、その政治的共同体自身の内部の問題として捉え、それ自身を、常に潜在的に亀裂や対立を内包するものと見る立場を、**左翼**と言う。それに対し、祖国そのものは元来分裂を含まぬ統一体であると見なし、それゆえ、祖国の危機はもっぱら外からのもの、外敵によるものと見る立場を、**右翼**と言う。

したがって、左翼と右翼が対立していると見る見方は、実はもっぱら左翼の見方であり、右翼は自分を右翼とは認めない。彼らは、自らを国民の立場、または中道と主張するのであり、国民は本来、みな和して一体であり、それでもあえて対立する者たちは、敵にそそのかされ、操られた非国民と見なすのである。左翼と右翼の対立は、単にそれぞれの主張内容の違いによるのではなく、対立があると言う者と、対立がないと言う者との間の対立であり、彼ら自身の対立についての認識視座の対立、つまりメタ認識の対立に他ならない。

したがって、政治的公共性を自明の所与と見なし、その中に存在する深い亀裂を見ようとしない者、あたかもすべてがマニュアルに従って理性的に解決できるかのように見なす者は右翼である。そして、実際には、システムの名の下に、匿名の権力を行使している者による恣意的決定に過ぎぬものを、あたかも「秩序からの自然な流出」であるかのように装って、システムがかかえる穴を隠蔽する者、総じて、理性や正義が理論によって解決済みのものであり、すべての問題が、官僚的デスクワークとして自動的に処理できるかのように装う者は、たとえいかにリベラルな、または社会主義的な内容を主張しようと、右翼であると見なさねばならない。

それに対して、左翼とは、そのような「解決」や「秩序」や「公共性」が、問題や対立を隠蔽するまやかしであり、弥縫された無秩序であり、偽装された私的権益にすぎぬことを見抜き、異議を申し立てるものである。

それゆえ、しばしば左翼は、和して一体であるべき祖国の中に亀裂と問題を見出し、それを言い立てることによって、その和を乱す者、イプセンの「民衆の敵」として現れることとなる。右翼から見れば、共同体の亀裂を言い立てること自体が亀裂を生み出しているのであり、従って彼らこそが非国民であり、民衆の敵だからである。

この点、共産主義は特出すべき立場を代表している。マルクスは、「プロレタリアートは祖国を持たない」としたが、それは右翼の批判を逆手にとった表現である。右翼からは祖国の外に置かれたアウトカースト（非国民）と見られた自らの規定を積極的に引き受けて、それを共産主義の政治の原点としたのである。ちょうど、野獣派（フォーヴィズム）が、敵からのレッテルづけを使って自称するようなものである。共産主義者の政治が一時大きな威信を獲得したのは、多くの諸党派がショーヴィニズム（排外主義）に流される中で、ほとんど彼らだけが戦争に反対し、「プロレタリア国際主義」を堅持したからであった。

左翼も「祖国」を切り捨てられない

しかしもし、本当にプロレタリアートが政治的公共性（祖国）の一切から排除されているのなら、彼らには、およそ大義を掲げて広く言論に訴えるすべはないことになるだろう。したがってその場合、政治的公共性（「祖国」）を創出すること（革命）が、彼らの闘いとなるであろう。婦人参政権をめぐる闘争は、実際、一面ではそのような「非国民」による革命的政治闘争であった。

しかし、言論を活用して不正な権力を糾弾できるということは、彼ら自身もこの政治的公共性の範囲内に存在しているということであり、彼らの闘争に、祖国の運命の一部がかかっているということに他ならない。さもなければ、彼らの闘争は暴力団の抗争のように、単なる暴力に過ぎないものとなってしまうだろう。したがって左翼も、自らの活動を単なるテロルではなく、政治として表現しようとするかぎり、積極的に「祖国」への責任を担うしかないのである。（平和とか国際主義は、目指すべき単一の目標と言うより、さまざまのやり方で達成されるべき課題である。）

左翼は、公共性の解釈の対立の中にあって、祖国（公共的価値）が祖国を騙る者たちによって簒奪され、危機に瀕していると見なすのであり、それゆえ簒奪者たちとの闘争を不可避と見るのであるが、この闘争は階級闘争であるとは限らない。むしろ、政治闘争を単なる階級闘争に還元してしまうことは、政治闘争にとって不可避となる政治的公共性（祖国）へのコミットメント（愛国）の要素を無視してしまう点で、有害である。

それは、公共性の次元（「祖国の法」）が、幸運な偶然によってかろうじて達成できた希少な遺産であることを忘却し、政治を法創造につなげる道を閉ざしてしまう為に、制御しにくい暴力を政治に引き入れてしまいがちである。ロシア革命が結局、憲法制定に成功しなかったこと、あるいは「学園闘争」が、その後、教育機関の伝統や法制度を築き上げることにほとんど成功しなかったことなどを、考えてみるだけで十分だろう。それに対して、公民権闘争は見事に法創造を達成した。政治闘争が、時には暴力やテロルを必要とする場面があるのは当然であるとしても、公共的価値の理念をめぐって闘争が行われる以上、その中心は言論による解釈と暴露の闘争になるべきであり、利益配分をめぐる綱引きとは違って、力関係がすべてということは決してない。

しかし問題はそれだけではない。

政治闘争を、具体的な「祖国の危機」と切り離して理解することは、政治を普遍的・超歴史的・合理的理念の実現と見なすことになる。すると、たとえ共産主義や無政府主義の理想（あるいは、カントの「永久平和」の理想でもよい）が、全人類にとって極めて望ましいものであったとしても、これまでの何千年もの歴史で未だ実現できていないものが、どうして特に今この場で実現せねばならないのかわからない。彼らがたとえ「自然史的必然性」を語るにしても、それは倫理的・政治的決断を迫るものではない（「メタ言語と主体性」一九六頁参照）。

しかし、現実の政治判断では、抽象的理想がそのままで問題となることはない。たとえば、リンカーンは初めから「奴隷解放」の理想を掲げていたわけではなかった。彼は、新しく生まれる西部諸州の合衆国帰属をめぐって生じつつある南北の勢力地図の変化という状況に対処しようとしていたのであり、その中で南部諸州の分離独立を阻止しようとしていたのである。与えられた情況の中で、いかに憲法的価値を守り育てるかという具体的問題を解決してゆくことが、結果的に奴隷解放につながったのである。これらの諸問題は、一刻の猶予も許さぬ急迫によって、政治的決断を急き立てるものとして立ち現れるのであり、決断を回避して時を失するということが、政治的には何より致命的なのである。

ところが、「理念の実現」として政治活動を見る思考では、事態の急迫による急き立てと決断という要素が、まったく無視されてしまうのである。共産主義と階級闘争の政治が、肝心要のところでしばしば歴史的決断を見誤ってしまうのも、理由があるのだ。

法と革命

復讐の連鎖に終止符を打つには

社会紛争が生じる場合、その解決には、決闘とか、神託や占いとか、武力や戦争に訴えるなどもあろうが、何らかの形で言論に訴えて、他者を説得するという契機を含む活動が政治であると言えよう。政治には、最小限言論に訴えることが何らかの力を持ち、考慮され得るというための社会的・文化的基盤が必要である。この基盤を公共性と言う。それは、程度の差はあれ、制度化されていることもあるし、まったく偶然に状況から与えられることもあれば、ある個人の発言が聞き手を集めることによって、それを自ら開く場合もある。

ギリシア人は、英雄的行為が詩人によって歌われることによって、公共的な記憶に刻まれるというメディア革命を、ポリスでの人々の活動と結びつけることによって、政治についての独自のまったく画期的な理念を打ち立てた（「正義と詩人」一一二頁参照）。それは、やがて公共的問題解決という出来事の記憶を詩人が刻むという考えにつながる。法とは、こうした問題解決のケースの記憶に他ならない。

当初のやり方が拙劣であったため、今日なお容易に全面解決に至らない成田空港をめぐる三里塚問題というものがある。かつて、隅谷三喜男氏ら学識経験者を中心として、「公開シ

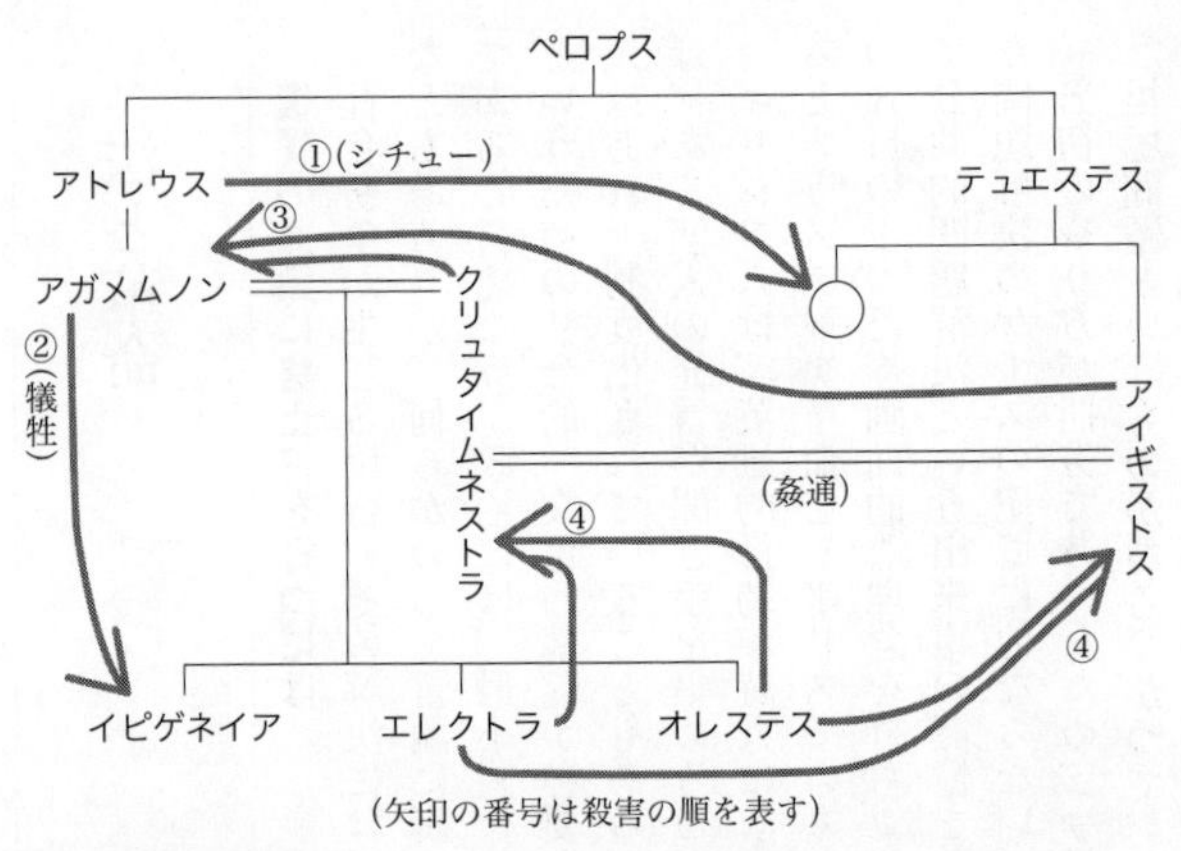

アトレウス家系図

ンポジウム」という場が設けられた。政府、反対同盟の双方からの意見聴取と、話し合いへの粘り強い努力の末に、ようやく政府と反対同盟の一部との間に一定の合意を見た。これがきっかけとなって解決に向かうかどうかは、予断を許さないが、もしそのようなことになったとしたら、その解決のケースは公共的に認知され、記憶され、事実上規範的な力を発揮するであろう。似たような問題が起こった時、(それに基づくアナーキーを避けようとするかぎり)「公開シンポジウムに帰れ」ということになるからである。

これが、当初なんら実定法的根拠に基づく制度ではなかったことに注意すべきであろう。実定法上は何の権威も与えられていない「公開シンポジウム」が、場合によっては、実際に問題解決を成し遂げることによって、法としての権威を獲得することがあり得るということである。

実定法によって授権されていないこのような法創造を、革命的法創造と呼ぶことができるだろう。我々はその古典的事例を、アイスキュロスの悲劇の中に見ることができる。

アイスキュロスのオレステス三部作は、アトレウス家に代々受け継がれた血塗られた復讐劇を描いている。実の娘イピゲネイアを犠牲にしたアガメムノンは、アイギストスと結んだクリュタイムネストラによって討ち取られるが、彼らもまた、エレクトラとオレステスの姉弟によって殺害される。この姉弟は、父の仇とはいえ、実の母を殺害するのである。そして、そのアイギストスはと言えば、アガメムノンの父アトレウスが怒りに任せて弟テュエステスの子供たちをシチューにしてテュエステス自身に食べさせるという仕打ちの復讐のために、テュエステスがもうけた復讐の子供だったのである（系図参照）。このむごたらしく、おぞましい領主たちの私的な復讐の連鎖をいかにして断ち切るか、それが大問題である。

法とその権威を打ち立てること

アイスキュロスの三部作は、母殺しの心理的葛藤に耐えがたく、復讐の女神たちに追われながらさまようオレステスが、最後にアテナイにたどり着き、そこで民衆裁判を受けるという結末を与えている。その裁判では、父の復讐を求める立場と、母殺しを許さない立場とがそれぞれ立論した後、賛否同数となった票決結果を受けて、女神アテネが無罪判決を下したことになっている。あれほど困難に見えた葛藤が、悪名高き機械仕掛けの神によってあっさりめでたく解決されるのを見て、鼻白む向きもあるかもしれない。女神は別に新しい論拠を持ち出して、調停を図ろうとするのではないのだ。

しかし重要なことは、女神がその権威によって解決を与えたのではなく、これが実際に解決されたという事績の輝きが、事後的に女神アテネによるものとされたに過ぎないということである。ちょうど、英雄の成し遂げた奇跡的な事績が、事後的に神々の助力と感じられるようなものである。ここで、本当の解決を与えたのは女神ではなく、民衆法廷なのであり、重要なのは、その解決の内容ではなく形式なのである。すなわち、私的な激情と暴力に任されていたやり方に代わって、民衆の前でそれぞれの言い分を表明し、第三者が公平な判断者としてそれを聞くという形式こそが、復讐の連鎖に終止符を打つことができたということ、つまり、領主たちの私闘が、民衆の公共的場によって解決されたという形式こそが重要なのである。

アイスキュロスは、この出来事をアレイオパゴスの丘の裁判制度ができた起源であるとして、一種の縁起譚として、悲劇を終結させている。ということは、この法廷は初めから権威ある実定的な法廷ではなかったということである。裁判制度を支える法は、たまたまこの出来事が懸案の問題を解決したからこそ、そのようなケースとして記憶されたのであり、その権威を与えられたのである。ここに法が法として立ち上がる瞬間がある。法は、法実証主義が想定するように、常により上位規範から授権することによって、その権威を付与されるわけではない。もしそんな風に考えるなら、最上位の規範（根本規範）は、何によって権威づけられるのかわからない。何らかの憲法制定権力を仮定するにしても、なぜその権力が憲法を制定する権威を獲得するのかは、相変わらず謎のままであろう。

自然状況を仮定して、そこで人々がおたがいに何らかの社会契約を取り結ぶことによって、主権や法の権威が生まれるのだと考えても、同じ難問が生じる。なぜ自然状況において(そこでは、どんな裏切りも策謀も許されるのに)、取り結ばれた契約が有効なのか、何ゆえそれが規範的拘束力を持つのかわからない。問題はここでも、権威そのものを、別の権威によらず、ゼロから打ち立てることなのである。

実定法による授権を離れて、法とその権威を打ち立てることが、革命である。革命は、法とその権威を打ち倒そうとするのではない。すでに、旧体制(アンシャンレジーム)によって制御困難な諸問題が生み出され、それにより社会全体にアナーキーが広がりつつあるとき、秩序と権威の全面的崩壊に至る前に、いち早く手を打たねばならない。そこで、社会とその文化的遺産のできる限り多くを救い出すために、最小限度の「非合法的」緊急避難的暴力が必要となるのであり、それが実際の革命的蜂起である。それは、内乱とアナーキーを避けるための非常時の決断である。

社会秩序の全面的危機でなくても、三里塚のように部分的な問題状況と革命的法創造の機会は、社会のいたるところに存在する。どのような法秩序も、隅から隅まで決まっている機械のような体系では決してない。

裁判も、決して自動販売機のように判決を出力するわけではなく、問題を解決するための裁判官の決断を必要としている。もちろんその決断は、他の判例との何らかの整合性をつけ得るものであることが求められるが、それは決して一義的に決定しているわけではない。実際に当の問題を解決することになれば、その判例は、当然権威を増し、他の事例にもすんで適用されることになるだろう。

しかし、形式的には判決として妥当するものでも、その種の事件を根本的に解決するものではなく、問題を糊塗隠蔽する形式主義的なものでしかない場合、類似の事件が繰り返し提訴され、社会にその問題群はくすぶり続けるであろう。そんな場合、長い目で見れば、形式主義的判決は、結局ケースの記憶としては権威を持つことはできず、やがて遅まきながら現れた新しい解釈によって乗り越えられ、忘却されてしまうに違いない。法が、高次規範から授権されることによって権威を持つとされるのは、暫定的にそう推定されるということに過ぎない。

法の二百三高地

法は、国会で生まれるばかりではなく、裁判所の判例として、日々生み出されるものである。法を適用することが、法を創造することなのである。また、実定的裁判の判例だけが法創造に与るのではない。個々の紛争解決という出来事でも、それが公論に訴えて解決され、公共の記憶に刻まれるものであるかぎり、当然、法創造として機能するであろう。バートランド・ラッセルのヴェトナム戦争裁判や、最近の従軍慰安婦戦争犯罪民衆法廷など、各種の民衆法廷の試みも、アテナイの民衆法廷の遠いこだまなのである。それらは、どの程度実際に問題解決に貢献できるかどうかは未知数であるが、国内の実定的な裁判所と比べてア・プリオリに劣っていると言えるものではない。それらの権威は、その後の歴史的運命にかかっているからである。

実定的に整備された裁判制度を持つことは、公論の中心を安定的に確保する上で、極めて有益であることは言うまでもないが、だからといって実定的裁判所が公論を独占できるわけでもなければ、法の権威の唯一の源泉とア・プリオリに決まったものでもない。ただ暫定的に権威の中心と見なされるものを置くことによって、批判的公論を活性化し、法とその適用の権威を高めるのに資するに過ぎない。常に批判的公論に公然と晒されていることこそが、法と司法の権威を高めるのである。法の実質的源泉は、あくまで公共的問題解決のケースの記憶と、それを認定する公論の中にこそ存するものである。

さて、本来、法がいたるところに人々の決断の余地を残し、いわばその穴を持っている以上、いざというとき、その穴を補塡するため決起する革命的主体を要請していると言えるだろう。もしその穴を見過ごし、あたかも自動機械のように法秩序を放置してしまえば、必ずやその穴を無法者たちが占拠し、やがては法秩序全体を簒奪するにいたるであろう。法の二百三高地を誰が握るかが緊急の問題なのである（「保守主義と左翼」一七七頁参照）。それゆえそこでは、単に議論の正しさが問題ではなく、決断し果敢に行動すること（いち早く二百三高地を占拠すること）が問題となる。革命的行動は、それゆえ多数決や民衆の支持を得て行われるものではあり得ない。突出した少数者による先駆的行動が、法を打ち立てることによって、事後的に正当化されるに過ぎない。

先の湾岸戦争のとき、国連難民高等弁務官であった緒方貞子氏は、トルコ国境で入国を拒否されたクルド人難民数十万人を、難民として認定して、国連が支援することを決断したと言われている。他の国連職員がこの決断に反対したのは、当時国際法上難民と認められるのは、国境を越えた段階からであるとされていたためである。したがってこの決断は、厳密には国際法上与えられた権限を逸脱したものであり、もし失敗していれば、違法行為の責任を問われかねないものであったろう。しかし、緒方氏だけがそこに真の問題を見ていたのであり、それに対して時を得た解決を与えることができたのである。それゆえにこそ、以後国際法上、国内難民という概念が加えられることになった。

これは、まさに法実証主義が予定しない、授権によらない革命的法創造の生きた実例である。緒方氏は、初めから主権者として法の二百三高地に立っていたわけではなく、せいぜいその近傍にいたに過ぎないのに、あえて先駆する決断によって、革命的法創造に与り得たのである。

本質と時間

運動が明らかにする意味

「そのものの何であったか」「本質」と訳されているアリストテレスの術語（ト・ティ・エーン・エイナイ）は、そのギリシア的背景とともに理解されねばならない。とりわけ、ここに含まれている過去時制の意味を理解すること。なぜ、「そのものの何であるか」ではないのか？

ギリシアにおいて、すべての存在者の意味は、その運動から理解されていた。自然と人工物の違いは、前者が自らのうちに運動の原理を持っているのに対して、後者は自らの外のものによって動かされる点にあるのである。

それでは運動とは何か？　運動と静止の違いは何か？　太陽が運動して地球が静止しているのか、それともその逆なのか、どちらとも言えるように見える。しかし、アリストテレスはそうは考えない。運動は何かを現すのに対して、静止はそうではないからである。運動が顕わにするもの——それはその運動の意味である。その運動の何であるかは、運動の中で直ちに明らかであるとは限らない。運動の中ですでに明らかであるような運動のことを、アリストテレスは自己完結的（テレイオース）と呼んでいる。たとえば、花を見るとか、酒を味わうとか。(これらすべてが、運動または現象、つまり形や味の現れる運動であることに注意。) 花を見ているとき、我々はすでに花を見てしまっている。しかし、たとえば窓を開けるときはそうではない。窓を開けつつあるとき、まだ窓を開けてしまってはいないからである。窓は、開け終わったとき(もはや開けつつあるのでないとき)、初めて開けてしまったと言える。つまりこの動作は自己完結的(テレイオース)ではない。(このように、アリストテレスによる運動の区別は、完了形と進行形が共存するかしないかに関する動詞の分類である。)

万有が流れ、万象がうつろうが、すべては現れる。この現れる運動は、しばしばそれが終わって初めて、それがいかなる運動であったのか、いかなる意味を持っていたのか、つまり何を顕わにしつつあったのかがわかるだろう。これが、設計図に基づく製作であれば、そんなことはない。運動(生産)に先んじて、その製作活動の意味や目的は与えられているからである。つまりそのような製作型存在論に基づく限り、本質は無時間的であって、「そのものの何であるか」と言ってよいことになる。

アリストテレスの中には、このような製作型存在論では片づけられない存在―運動観があったことになるだろう。それは、存在の意味が時間的に展開するゆえに、運動の意味(それゆえ、そのとき生成する存在者の意味)が、時間を遡及して語られざるを得ないということである。終わりに本質の十全な顕現を待って初めて、その運動が現しつつあったもの、すなわちその運動の意味がわかるのである。アリストテレスが、運動を自然の本質と考え、自然を運動から理解しようとする時、念頭においていたのは、まさに本質を現しつつある現象という運動であり、単なる運動という現象ではない。

時間様相——過去・現在・未来

未来は存在しない

さて、しかしながら、他方でアリストテレスは、時間を「前と後に関する、運動の数である」と定義している（『自然学』第四巻第十一章）。ここでは運動と言われているのは、明らかに天体の運動など、反復し、数えられる運動である。数えられる運動はすでに類型性において把握されているはずであり、それに基づいて、その本質（何であるか）も既知のものでなければならない。つまりここでは、現象としての運動の側面（現れ終わって初めて、その本質が知られる点）が捨象されているのである。

その場合残された問題は、「前と後に関する」とされる点である。反復する運動としてだけ見るならば、時間の様相すなわち過去・現在・未来の区別の問題は捨象されてしまう。それゆえここからは、時間の不可逆性を理解することができない。

時間様相固有の意味を理解するためには、我々は、過去や現在と未来との存在論的非対称性に注目しなければならない。現在や過去の事象は、それに対する複数のアプローチを通して接近しうると考えられているという点で、我々は実在的な個体と見なしているだろう（実在性については、「存在と存在論」一三三頁参照）。しかし未来の出来事に関しては、そのような同一性が規定できない。特定の発話に語られた未来の出来事と別の発話で語られた出来事が、同一の対象であるか否か明確ではないのである。未来の出来事は、不特定のものとして、せいぜい存在量化の対象となるだけである。(「明日運動会がある」とか「彼らには、多くの子供が恵まれるだろう」などとは語られるが、それらは特定の出来事や個人に言及するものではない。)

「明日の運動会」は、一見特定の出来事を指示するように見えるかもしれないが、その際の指示体の同一性の基準が明確ではないのだ。「明日の運動会で太郎が一等になるだろう」(A)と、「明日の運動会で花子が一等になるだろう」(B)という発話が、同一の出来事に言及している根拠はあるだろうか? 発話Aが描いている未来と発話Bが描いている未来とは、太郎や花子に言及しているものの、それができるのは太郎も花子も現在存在する個体だからである。しかし、現在存在しない出来事「明日の運動会」は、それぞれまったく別様に表現されており、それぞれの表現と独立して同一性を確保する手立てがまったく欠けている。それらはそれぞれ、「明日の運動会」という以外、何の共通性もないのである。これに対し、実在的な対象の場合、たとえば、明けの明星と宵の明星が実際に同一の対象であれば、それらは単に「明星」という(表現された)点で共通しているだけでなく、(表現されていない)あらゆる点で同一なのである。

それゆえ、過去の表現の場合、「きのう運動会があった」ということは、「きのう運動会であったものが存在する」と言い換えてもよい(時間の操作子の外から存在量化できる)。しかし同じような言い換えは、未来表現ではできない。「明日運動会があるだろう」は、「明日運動会であろうものが存在する」とは言えないのだ。（未来時制の操作子はいつも存在量化の外に掛からねばならない。）

なぜ未来を考えることができるのか？

未来の個体は実在的でない以上、当然、指示することもできない。ただし、現在の個体（太郎や花子）を指示しつつ、その未来について語ることは可能である。それは、現実世界の個体に言及しながら、その反事実的可能性について語ることができるようなものである。それなら、未来の出来事は実在せず、指示できないにもかかわらず、何ゆえ我々は未来の観念を持つのであろうか？　何が我々を、この実在しない時間へ向けて思惟可能にしてくれるのか？　未来が非存在であるとすれば、その存在しない未来について、現在において考えることを可能にしているものとは何か？　そして、反復する運動とは違って、現在の延長として理解することのできないものこそ、新しい意味をもたらす出来事の生起、すなわち意味の生成であるとすれば、意味の生成というものを、未だ意味が生成していない現在において、理解可能にしているものは一体何か？　言い換えれば、現在において、未来を先取りしている存在――その理解にこそ、我々の未来という次元の理解が依存し、それとの連関で初めて、現在の指示の延長に基づく語りにも、未来としての意味が与えられる――そのような存在とは何か？

それは、**問題**という存在である。

現在の諸要素が集まって問題を形作っているが、それをまさに問題として考える時、我々は、その解決という未知の実在について、ある仕方で考えているのである。それは、その本質の知に基づかない仕方であり、したがって指示なしに存在を考える仕方である。未来はそのような仕方で思惟される。そして、解決が存在しているかのように見なして、そこから他の事物（現在の存在者として指示され、その延長上に未来にも存在しているだろう存在者）について語るとき、我々は未来時制の文を語ることになる。「太郎がその問題を解決するだろう」とか「花子は、その問題が解決したとき現場に居合わせることはないだろう」など。これに対して、「〜年〜月〜日に日蝕が起こるだろう」というような未来時制の文は、文法形式上は確かに未来時制ではあるものの、未来文で表現される固有の様相理解を欠いている。その証拠に、過去の日付の日蝕についても、同様の語り方ができるであろう（「五万年前の某月某日には、地球上に日蝕が起こっているだろう」など）。

これに対して、いまだ生まれていない子供について考える場合には、解けていない問題について考える場合と類比的に見なすこともできるだろう。しかしこの場合でも、生まれてくる子供が生まれたとき、それがここで予想されていたまさにその子供であるということが了解されるであろうような仕方で、予期されているのでなければならない。将来何人も子供が生まれて、かつて話していた子供がどの子だったのかわからないという場合には、未来の了解がなされていたと見なす必要はないだろう。ただ、子供を持つという不特定な可能的事態を想像していた、と言ってもよいからである。空想的な話、または不確実な話をするとき、未来時制を使用することがあるが、そのような文法形式だけからは、我々が未来様相を理解しているということにはならないのである。

期待と希望

いずれ解かれるべき問題として

ヴェルディのオペラ『ラ・トラヴィアータ』で、心から愛する恋人に初めてめぐり合ったヴィオレッタが、むかし自分が幼心に夢想していた恋を想起しながら歌う「ああ、そは、彼の人か」と、救世主(メシア)の預言がなされていた古代パレスティナで、十字架上のイエスこそが、むかしから預言されていた当の人であった、ということに気づいて百卒長がもらす「まことに彼こそは神の子であった」とを比べてみると、そこにある類似性・連続性があると言ってもよいかもしれない。

だが、ともあれ前者（将来出会うことになる理想の恋人）は、単なる夢想に近いが、後者（やがて現れて、ユダヤ人を救済するメシア）は**問題**に近い、とは言えるだろう。「理想の恋人」の要件は、かなりはっきりと現在の価値尺度で表現できるのに対して、救世主の到来という預言は、それがどのような形で実現されるのか、まったくわからない謎のままとどまっているからである。預言者の言葉を聴いた大抵の人は、他民族を打ち破ってくれる強力な軍事的指導者といった形で、（つまり、ヴィオレッタの夢想のレヴェルで）期待していたに過ぎないのだが、実際には、思ってもみない形で――貧しい身分に生まれ、世の苦しみをなめ、すべての人を慈しみながら、ついにはあざけりを受けながら十字架に掛けられて刑死する人、という形で成就したのに気づいて、ローマ側の人間である百卒長が驚きの声を上げたのである。それは、預言の意味が、過去・現在の理解には還元できない実在を指し示していること、つまり、現在を超越した意味の次元として到来するということである。このように、未来が超越的な次元をもって到来することを理解して待ち続けることを、与えられた価値尺度の下での夢想である**期待**と区別して、**希望**と呼ぶことができよう。

初めて救世主の意味に気づいて驚愕する百卒長の中に、未来了解があるというのではない。しかし、百卒長の言葉を記録し、それを語り伝えた人々の中には、メシアの到来という預言者の言葉を、単に夢想的期待としてではなく、謎として希望として理解した人たちがいたのであり、その中にこそ、他に還元不可能な未来了解がはらまれているということである。彼らは、その謎の意味を十全には理解し得ないままに、そして自分がそれを知らないということを理解しながら、なお、それを**希望**として、いずれ解かれるべき問題として、受容したのである。

将来に到来するものの超越性、現在のものには還元できない超越的実在性の余地を残すためには、未来の出来事に対して反実在論をとることが不可欠である。逆に、未来事象についての実在論は、未来了解が何か現在を超越する実在性を持ち得ることを否認し、現在の延長でしかないかのように見なすことによって、かえってその真の実在性を排除するものでしかないのである。

メタ言語と主体性

テクストの中に自分を読む

マルクス主義は、唯物論的な包括理論であることを自認している。唯物論の意味を、物質の運動理論という点に求めようと、経済的関心が人間のすべての行動を規定しているという点に求めようと、それが包括的な理論となる場合、自由な主体性の余地がなくなるのではないか？　マルクス主義は、単なる科学的理論であるばかりではなく、革命を起こして共産主義社会を実現すべきだという実践的主張をも含むことから、このことは深刻なアポリアとならざるを得ない。少なくとも、革命を起こして共産主義社会を実現す
べきだという規範的行動指針は「科学的社会主義」からは出てこないのではないか？　これが、いわゆる「戦後主体性論争」で争われた問題である。

しかしこれは、唯物論固有の問題ではない。（その証拠に、主体性論に反対したのは、教条的なマルクス主義者たちだけでなく、宮城音弥のような心理学者も含まれていた。）何らかの包括的理論を述べるテクスト（経典）と主体が出会い、その中に主体がなすべき行動を読み取るとき、いかなることが起きるであろうか？

さし当たって我々は、そこに何かの行動指針が書き込まれているということも意識せず

に、そのテクストを読み始める。どのように読まねばならないかという「解読のための指針」も初めはわからない。そこには一般論が書かれているだけで、主体自身がどうすべきかを読み取るのは主体のかってだからである。しかしやがて主体は、テクストがどのように読まれるべきかを知る。それは、テクストの中に自己自身を読む瞬間である。そのとき、テクストをどのように読まねばならないかをテクスト自身の中に読み取るべきであり、そのようにして読み取られたテクストがその中で、そのように読む主体について語っていることを読むだろう。かくて主体とテクストとは、無限の合わせ鏡のように、無限に入れ子構造になったものとして示される。

主体は決して、抽象的な理神論（神の人格性を否定する立場）で満足することはないだろう。世界の理法について語るテクストを読む時、主体はいずれ、それをどう読むべきかという問題に逢着（ほうちゃく）する。そこで、テクストの背後から見つめるまなざしからの呼びかけを感じるはずである。

『歎異抄（たんにしょう）』には、親鸞の言葉として、「よくよく仏の本願をかえりみれば、親鸞一人がため……」と書かれている。親鸞は比叡山で長い修行を重ね、山のような経典を読破したのに、この悟りを得ることができなかった。しかしやがて長い迂回を重ねながら、経典のなかに、このように迷い、このように迂回する主体の姿が先取りされていることを見出すのである。そのようにして、仏は何千年も前から、やがてこの世に現れ、このように迷い続けるであろう親鸞ひとりのために、ここで待っていたのだということがわかる。それゆえ、この迷い自身が、この悟りに至るための不可避の路であり、仏に真に出会うために不可欠な迂回であったこと、否、この迷いこそが救いそのものであり、迂回こそが仏そのものであったことがわかる。そうわかってみると、そのようにこそテクストは読まれるべきであったということが、おのずから知られるのである。

「想定された全知」という罠

通常、テクストと、それに対する解釈とは、言語とメタ言語の関係として区別される。そして、言語とメタ言語の階型（タイプ）を混同すると、いろいろなパラドクス（嘘つきのパラドクスとか、集合論のパラドクスなど）を生み出すとされている。「クレタ人は嘘つきだ」という発言を、一人のクレタ人がしたことからパラドクスが生じるとしても、この発話をメタ言語として、他のクレタ人の発話から区別して分離すれば、何の問題もない。普通、テクストとそれに言及するメタ言語を区別するのは容易だから、注意すれば、自己言及に由来する意味論的パラドクスを避けるのは難しくない。

しかし包括的唯物論の場合、「自然史的過程」について語る理論家やテクストもまた、神経細胞であれ活字であれ、何らかの物質であるから、自然史の一部であらざるをえない。その意味では、物質の全自然史的過程の外に立ついかなるメタ言語もありえないのである。宗教的テクストの場合も同様である。神（や仏）が、世界の包括的原理である以上、それを理解する言語も、この原理の中に包括されているはずだからである。ここでも、神の外に立つメタ言語はありえないことになる。

包括的理論と主体性の両立を図ろうとすれば、宗教的テクストの場合に典型的なように、理論と主体との間に無限に映現関係を想定し、したがって一種の自己相似的（フラクタル的）構造を仮定する実在的微視的無限を前提せざるを得なくなる。つまり、テクストを理解

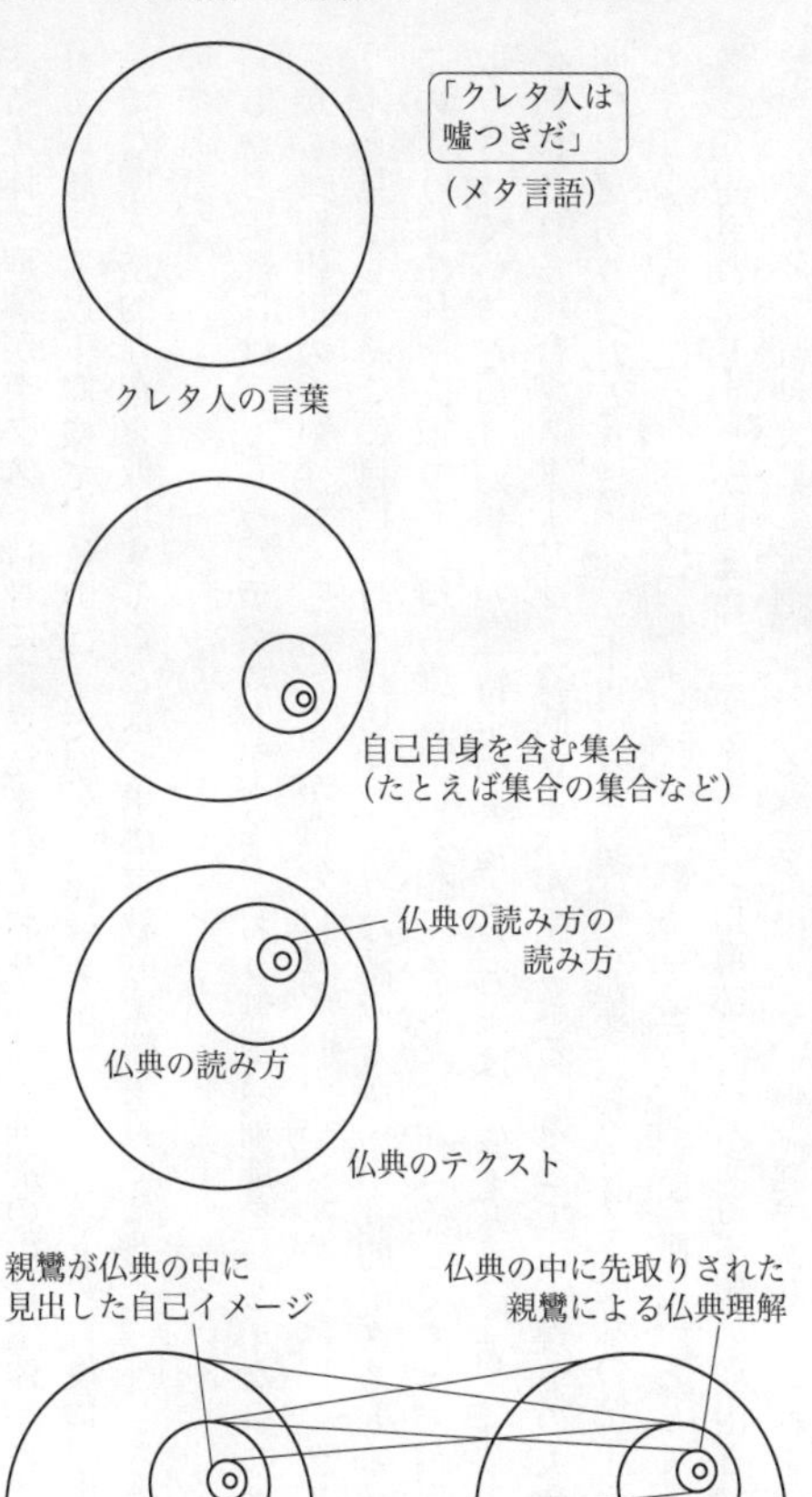

する主体の理解がテクスト自身に書き込まれており、その理解の中に主体がさらに書き込まれている……以下同様で、無限にまで続く(図解参照)。テクストの背後に、単なる抽象理論でなく人格的存在を仮定することは、単に宗教的蒙昧主義ではなく、むしろ論理的必然なのである。

しかし実際には、もちろんテクストが文字どおり無限の細部を持ちえないのは明らかであるから(情報量の有限性)、そこに主体が自分自身を読み込むためには、テクストをアレゴリーと見なし、そこに自己自身を投影するような読み方が、宗教的テクストの必然となる。このように主体を先取りし、待ち受けている想定された全知(そこですべてが理解され、先取りされているという幻想)が、特定の人物(たとえば「偉大なる同志スターリン」)の内に転移される場合、スターリン主義的な主体が生まれる。そこでは、現実の失政やほとんど明白な裏切り(たとえば、独ソ不可侵条約締結とか、ハンガリー動乱の鎮圧など)でさえも、「スターリン」の「天才」によって、それも「必要不可欠な戦術」として理解されていると想定されてしまうがゆえに、「スターリン指導部」に対する不信の理由とはならず、かえってその不条理ゆえにこそ信じられるべき「偉大さ」の証拠であり、それを信じ続けることこそが、スターリン主義的主体の試練と見なされるのである。

オウム真理教の事件が発覚した時、比較的高等な理科系教育を受けた人々が、いともたやすく空中浮揚といった子供だましの「奇跡」に入れあげてしまうのがいぶかられたが、理系の教養(への欲望)の中に、どこかしら全知の包括的説明への希求があるのを見て取ることはたやすい。それが現実の研究過程の中では決して得られないフラストレーションが、スターリン型の幻想を生み出しやすいのである。

いかなる包括的理論であれ、その理論のテクストをどのように読むべきかという点に関して、テクストに先取りされているということを回避しようとすれば、そしてその解読が常にあらたに歴史的地平に開かれていることを認めようとするならば、その「包括性」には根本的に限界があることを認める他ないだろう。理論が規定していないことが起こるのであり、それは事前に可能的経験の範囲内にあるわけではない。それは不可能であることが証明ずみということではないが、その可能性が我々の盲点になっていたという意味では、可能ではなかったと言ってもよい。

すなわち、可能であることと不可能であることとのあいだに、未だ可能ではないが不可能と決まっているわけでもないという領域が存在し、そこに可能的ではなかった現実が生起する時、可能的経験の領域がそのつど拡大していくのである。可能的経験を拡大する行動は、あらかじめその可能的経験の範囲内にあるわけではない。以前の理論的可能性の範囲を超えたことが常に可能であるということが、いかなる包括的理論にもア・プリオリな限界があるということに他ならない。主体性は、理論の中に規定されるのではなく、理論の限界に、つまり可能的経験の限界に生成する。結果から見れば、それは新たな可能的経験の範囲に収まるが、事前には可能的経験の範囲に収まらない。ただし、その段階では、何が超えているかもわからないから、可能的経験を超越するものがあると表現するのは適切ではないのである。

ヨブの苦しみと「罪」の名

ただ意味を問う

カフカの『流刑地にて』の中には、流刑地の囚人を痛めつける奇妙な処刑機械が描かれている。およそ巨大なミシンに似たその機械の上に縛りつけられた囚人は、上から降りてくる針で背中に罪の名を穿たれるのである。彼らは呻きながら、その名を読み取らねばならない。

これがユダヤ人の信仰のアレゴリーになっているのを見るのはたやすい。この機械は、苦悩を意味へと変換するのだ。ただ小説の中では、この処刑機械が時代遅れになっており、処刑儀式が以前ほどの盛り上がりを見せていないことが強調されている。ユダヤ人にとって、民族の**苦難**は罪という**意味**を持ち、その意味を自ら身をもって解読する必要がある。その意味が分かるなら、幾多の苦悩が重なろうとも、我々の人生はその意味によって救われたことになるだろう。人が罪というメッセージを送れば、神からは罰というメッセージが返ってくる。このような罪と罰による人と神との交流がなくなるとしたら、苦しみはただ無意味に流れるだけで、人生に何の意味もなくなってしまう。それゆえ、この処刑機械の衰退はゆゆしき事態なのだ。

『ヨブ記』の主人公は、身に覚えのない苦難が降りかかったとき、その意味を求めて神に問いかける。彼は、その苦難を取り去ってくれることを求めたのではない。人生の苦悩がその幸いと分かちがたく、いずれも彼の人生の春秋を彩っている必須の部分であることをよく理解していたヨブにとって、自分自身の苦悩を取り去ることは、自分自身を失うに等しかったであろう。

ヨブは、ただ彼の苦難の意味を問うたのだ。なにが起ころうとすべてが神の意志であることを信じていた彼には、それを問う資格が十分にあった。神の御業には、何一つ無意味なものなどないはずだからである。ただ、「罰」というような通俗的なたわ言に、ヨブは満足しなかったのである。

それに対して、神はどう答えたのか？

何故、他でもないこの苦難のために、他でもないこのヨブが選ばれたのか？「何故ヨブが？」というヨブの悲痛な問いかけに対しては、ただエコーが返って来たのみであった。それをヨブは、「何故ヨブが〔選ばれたとお前は思うのか〕？」という神の声と聴いたのである。『ヨブ記』の末尾には次のようにある。

神は言われた〔とヨブは理解した〕「問うのは私〔神〕だ。お前〔ヨブ〕が答えるのだ」と（四十二章四節）。なにゆえ私がお前を召喚していると、お前は思うのか？　お前の苦しみが、私自身の苦しみであることがわからないのか？

ヨブだけの苦悩と思われていたものは、実際は神からのヨブへの呼びかけであり、ヨブの危機と思われていたのは神御自身の窮地であった。神が創造したこの世界は、当初は完成したものと見えたのだが、完全とはとても言えない代物であり、至る所で綻びはじめ、今や崩壊の危機に立っているのであった。神はそれを前に茫然自失しながら、ヨブに呼び掛けている。「お前は私のためにいったい何をしてくれるのか？」

ジョン・F・ケネディは、大統領就任演説で呼びかけたものである。Ask not what your country can do for you, (but) ask what you can do for your country.（祖国がお前のために何をしてくれるのかと問うのではなく、お前が祖国のために何をなし得るのかを問え。）

神がヨブにこのように呼び掛けたとき、実際にヨブに何ができるのかは神にはわからなかった。もしヨブに何かをなし得たとしても、それはヨブの本物の自由に由来するものであるから、神に予知するすべはなかったのである。その意味で神は全知ではない。もし神が全知であったとしたら、人間の自由はまったく建前だけ、名目だけのものになってしまう。その場合、我々に残されているのは、ただ神の御業を座して鑑賞するだけになってしまっただろう。

実際、似たような論理で、マルクス主義がその唯物論によって革命の必然性について主張したとき、それが共産主義者の自由な倫理的主体性と矛盾するのではないかという問題提起が起きた（主体性論争）。この点は、見かけよりずっと深刻な問題を孕んでいたことがやがてわかることになる（「メタ言語と主体性」二〇〇頁参照）。「全知性」につながりかねない主知主義は、政治を考える上では危険で有害のものであることを忘れてはならない。

しかし、無力の中からの神の呼びかけは、必ずしも神の「全能」に矛盾するものではない。なぜならその「全能」は、ヨブに期待された力をも含むものと捉え返し得るからである。つまり、神の全能は人間の自由に矛盾するものではなく、むしろ人間の自由によって補完されて初めて完成し得るものと考えられるわけである。それは人間の頼りない助力に期待するものであるかぎり、神の全能を首尾よく実現することができるという保証はない。しかし、神の全能を信じるとは、期待された人間の力をも信じるということを含んでいたのである。

こうして初めて、人間の自由と神の全能は、知られたものとして保証されてはいないにしても、矛盾しないものとして信じられるものになるのである。

歴史と伝統

経験的なものを可能ならしめる超経験的なもの

もし歴史学の課題が、歴史の推移を合理的に説明するところにあるとしたら、我々はその推移をおおむね合理的なものと想定せねばならず、それゆえ、本質的にそれは進歩であると見なさねばならないだろう。単に没意味的因果関係を記述するだけでは、歴史とは言えないからである。しかし、もし歴史の本質が進歩という点にあるとしたら、我々は何ゆえ歴史を学ぶ必要があるのか？　その場合、過ぎ去ったものは故あって過ぎ去ったものなのだから、もはや探究するに値しないはずではないか？

我々は通常、歴史ということで、過去から現在までぎっしりと出来事でつまった四次元連続体のようなものを考えてしまいがちである。そのような観点から見れば、地球の誕生以来の自然史と歴史とは、せいぜい全体と部分の違いということになろう。しかし我々は、そもそもいかにして歴史が可能なのかを問い返すことによって、歴史と自然史がまったく別種のものであることを明らかにせねばならない。

歴史が可能であるためには、何らかの意味で超歴史的なものがなければならない。このことを最も容易に見て取ることができるのは、美術史のような場合であろう。我々が美術史的探究をするにあたって前提せねばならないのは、明らかに美術品の存在であり、何が美術品であるかという我々の判断であろう。この判断は、美術史の研究の結果下されるものではない。どのようなものを美術品として取り扱うべきかわからなければ、美術史という学問自体が始まらないはずである。このため、マルクスは書いている。「……しかし困難は、ギリシアの芸術や叙事詩が、ある種の社会的発展形態に結びついていることを理解することにあるのではない。むしろ、それらが今もなお我々に芸術的享楽を与え、ある点では規範として、また到達することのできない規範として通用するということを理解することである」（『経済学批判序説』）。このことは、歴史上に位置づけられる美術品が、ある意味で超歴史的価値を持つということを意味している。

このことは、決して美術史の特殊性ではない。歴史上重要な事件は、それが時を超えて重要だと見られたからこそ、同時代人に書きとめられたのであり、またその重要性・偉大性が後世の我々にも理解可能であるはずだと理解されていたはずである。もちろん、歴史認識自体が時代とともに推移し、歴史上の重要性の認識も変わるかもしれない。しかし、当時何が重要だと考えられたかということ自体、今の我々に理解できなければ、かかる変遷を理解することさえできないはずである。このように歴史の認識は、自然史の場合と違って、認識の歴史を不可分に含まねばならないのだが、認識の歴史は、時と共にすべてが移りゆくのであれば、不可能となってしまう。歴史上の諸認識（たとえば、古代人の世界観とか美意識）が、少なくとも認識として我々に認められるためには、それが何らかのやり方で我々に超歴史的に理解可能なものでなければならないのである。

もちろんこのことは、直ちに直観的に自明に理解されるということではない。見知らぬ外国語や他者の言葉が、さまざまの用例を取り集めてはじめて次第に理解されてくるように、我々は歴史上の認識や精神を認識するためには、安易な感情移入などに頼るよりも、さまざまな事例の列挙とその丹念な解釈によらねばならない。しかしそれが可能であるということが、すべての歴史的探究のア・プリオリな前提である。自然史が地質学に、または生物学に属しているのに対し、歴史は解釈学に属しているのである。

ヘーゲルの歴史観

自由という絶対者

歴史が哲学的考察の中心にもたらされたのは、何と言ってもヘーゲルをもって嚆矢とする。それ以後の哲学にも歴史にも、彼の基本的アイディアは、決定的な影響を及ぼしてきた。歴史の主体である人間の本質は、欲望＝自由な主体性として捉え返されるが、その本質は直ちに明らかになるのではなく、さまざまな疎外と隠蔽を迂回して、はじめて明らかになるものである。すなわち、人間精神の真理としての自由は、時間的経過を経てようやく十全に現象することができる。ヘーゲルにおいては、歴史の主体も、歴史の原動力も、目標も、いずれも**自由**にあり、それゆえこれこそが絶対者とも言われる。したがって、自由という絶対者が、次第に自らを生成し、表現し、展開する過程――自らを実現すると同時に自らを自覚してゆく過程こそ、歴史ということになる。ヘーゲルの歴史哲学は、また真理を歴史的に展開しつつ表現されるものと見る観点に立つことによって、思想史・哲学史というリサーチ・プログラムの基礎を与えることになった。

かかるリサーチ・プログラムが、さまざまな豊かな稔りをもたらしたことは否定し得ないが、そこには重大な罠も存在している。世界史の進行が果たして十分に合理的なものであると言えるのかどうか、特に、思想史の進行が常に合理性を持つと言えるのかどうか、後続する思想が、先行する思想の意味や真理性を十分に捉え、発展させていると常に言えるのか、むしろ、由々しき陳腐化や通俗化・平板化を経て受け継がれる場合も多いのではないか？一般に、現実の世界史の進行は、規範的真理性を証明するものではなく、単なる事実的偶然にすぎず、真理の法廷を「勝てば官軍」の論理にゆだねることは、時代の流れへの大勢順応主義にすぎないのではなかろうか？

ヘーゲルは、認識の歴史を「阿呆の画廊」にしないために、歴史上に登場するそれぞれの思想や哲学の中から、ヘーゲル哲学自身の立場から見て「本質的なもの」「真なるもの」を抽出しながら、哲学史を再構成しようとする。そこに並べられるのは、ヘーゲル哲学によって解釈され消化された思想の残骸である。つまり我々は、彼の哲学史の中には、もはや彼自身の哲学しか見ることはできない。以前のさまざまの哲学思想は、すべてヘーゲル哲学の真理の契機へと解消されてしまっているのである。これでは、何ゆえなおも歴史に学ばねばならないのか自体が不明となろう。

反時代的

起源への問い

ヘーゲル哲学による基礎づけを失った思想史・哲学史は、もはや好事家の興味しか引かない、誤謬(ごびゅう)と蒙昧の瓦礫でしかないのであろうか？

そうではない。我々は、起源への問いを掲げることができる。何かの伝統を我々が引き受けてしまっているとき、我々にとって、もはやあまりにも自明になってしまった伝統は、ひとつの伝統と自覚されることすらないままに、機械的・習慣的に行使され、継受されることが多い。しかしかつてその伝統が確立された時には、さまざまの可能性が試みられ思考されたあげく（あるいは十分には考えられないままに）、ひとつの決断がなされていたのである。それは起源においては、あくまでさまざまの可能性の中のひとつの決断であったのだ。それゆえ我々は、自明視された伝統を起源へと問い返すことによって、起源においてなされた思考を再考し、そこに選び取られなかったものの、なお現存している諸可能性をあらためて問い直すことができるのである。

フッサールが幾何学の起源を問うとき目指していたのは、ヨーロッパの科学の起源において思考されたり、十分に思考されないまま放置されていた問題をあらためて問い直すことであったし、マックス・ヴェーバーが自らが依拠する学問の中核にある合理性の起源を、宗教史、音楽史、法制史、経済史などの多種多様な分野にわたって問い進めたとき目指していたのも、これに類する動機によっていた。ヴェーバーがしばしば示すことになったのは、合理性の非合理的起源というものであった。たとえば、資本主義の合理的経営が定着するためには、プロテスタンティズムの非合理的信仰がなければならなかったし、律法の合理性を支えたのは預言者の非合理的カリスマ性であった。ここには、ニーチェの『道徳の系譜』と同様の洞察がある。曰く、道徳には非道徳的な起源がある。

さて、起源への問いが発せられるのは、自明な習慣と化した伝統に我々が違和を感じ、現実の中で不動の前提をなすと見られた思考の枠組みに、重大な疑問が提示される場合であろう。そんなとき、我々は現状を何らかの理想によって裁くのではない。そのようにして訴えられる超越的な理想自体、現状の中の、ある偽装された欲望にすぎないことも多いからである。むしろ我々は、起源としての歴史へと遡及し、そこから、現在伝統として受け取られているものが真の伝統ではないこと、むしろ、真の伝統を歪曲し、その精神を平板化して、ごくごく表面的・形式的な点の継承に堕してしまっていることを暴露するのである。その場合、起源の精神は、批判のための規範的原理となりうるのである。

ロストロポーヴィッチは、チャイコフスキーの演奏について、次のように語っている。

「わが国ではチャイコフスキーの音楽はある伝統に組みこまれていますが、その伝統たるや、幾世代にもわたって培われてきたいろいろな要素を、それも外面的効果を生みだす他にとりえのない、悪趣味の要素を濫用したものにすぎないのです」(『ロシア・音楽・自由』邦訳p88)。

演奏の表面的「伝統」を打ち壊すことができるのは、ただチャイコフスキーの原典へと立ち返って、その精神を再生させることによってだけである。贋(にせ)の伝統から真の伝統を奪取することこそ、起源の問いの眼目である。現代に厚かましくも君臨している大勢の赴くところに対する批判の原理を求めるために歴史に訴えること、流通する伝統を批判するために、真の伝統に立ち返ること、ただ現存するだけで、「自然」であり、「価値」であると見せかけている権威を、その起源によって批判すること、――これは、**〈反時代的〉**と言ってもよい歴史観である。

そのとき、伝統は、「伝統」に抗して奪取されるものとなるだろう。歴史は、前の時代からの自然な流れとして現代に連続するのではなく、遠い迂回と忘却を経て、反時代的精神として現代に再生するのである。

あとがき

本書のきっかけとなったのは、哲学事典についてブログに書いた一言が講談社の青山遊氏の目に留まり、「それなら、一つ自分の思うように書いてみたら」と、機会を与えられたことである。完成の目途もつけずに、気ままに少しずつ書いていこうかと思っていたものが、そのことでにわかに一挙に書き上げる事になった。書き始めてみると、一応完結した短文での事項説明を積み重ねていくという執筆形式が、自分の性に合っていることに気づき、終始気持ちよく仕事を進めることができた。青山氏には深く感謝したい。

惜しむらくは、紙数の関係上、重要語句に項目を限定せざるを得なかった事、ことに、美学的範疇にごくわずかしか言及できなかった事である。また、ジンメルならば「橋」について、レヴィナスならば「顔」について論じたように、一見哲学とは縁遠い語句についても取り上げる事を望みながら、結局果たせなかったことも心残りである。言うまでもないが、それらの項目が哲学的に無視してよいというわけではない。いずれよい機会があれば、それらの点を補いたいものである。

本書が店頭に並ぶ頃、ちょうど二年前に急逝した実弟、嘉樹の命日がやってくる。私の書いたものを批評して、「むつかしいこと書いちゃダメだよ」と、ダメに独特のアクセントをつけて、彼はよく言ったものである。多少のエレガンスを犠牲にしても、冗長さをいとわず、ただわかりやすさを第一に心がけたのもそのためである。

数多くの事で助けられながら、自分からは何の力にもなれなかった不甲斐ない兄としての自責の念を込めて、本書を弟の思い出にささげたい。

天人(あまびと)の　帰(かえ)り路(じ)を吹く　松の風

田島正樹

学術文庫版あとがき

本書の初版の上梓は二〇〇六年であるから、十八年ほどたつわけである。大西巨人がその『神聖喜劇』の文庫版あとがきで書いたように、「三億部なり三十億部」とは言わないまでも、せめて三万部ないしは三十万部ほどでも売れて、続編・続々編の依頼が来ないものかと期待した。そうなれば、このシリーズで全百巻ほどになる百科全書をなすことも夢ではないと考えたが、やはり単なる夢だったようである。

この度、かつてお世話になった青山遊氏のおかげで、本書の改訂版が出せることになったのは重畳であるが、百科全書はすっぽりとあきらめて、二、三の項目を付け加えることで満足することにした。その代わり、当初からあまり評判の良くなかった「ハゲとブス」の項目は省いた。

はじめに本書を手掛けたとき意識したのは、正統と古典を確立すること、今後現れ来たる多くの新しい哲学的挑戦に対して、共通の基礎となるような畑を耕すことであった。新奇性に飛びつく一方、社会や学界のトレンドから外れることを極端に恐れるようなインテグリティの欠如という我が国の風土に、哲学の基本の基本を根付かせることが何より肝要と考えたからである。

しかし哲学の基本を説くことは、どの教科書にでも書かれているような常識的な一般論を述べることではない。哲学では、そのような常識はたいてい根本的な誤解か、ただわかりやすいだけが取り柄の平板な通俗化でしかないものだ。だが、もっとも耐え難いのは、愚劣な道徳的説教や凡庸な人生論のたぐいが、堂々と哲学を僭称していることである。このような勘違いがまかり通るのは、哲学が所詮、装飾のための意匠くらいにしか見られていないからであろう。つまりは、功成り名遂げた社長さんとか校長先生といった連中が、人生を顧みて自己満足的に粉飾するときの厚化粧とか、うだつの上がらない管理職が、気の進まぬ部下を酒に付き合わせて説教を垂れるときの、きめ台詞として引用されるくらいのもの。いくら落ちぶれたとしても、こうした「えらいさん」の口吻に、はせ参じることだけは願い下げにしたいものだ。

しばしばそんなことに相成るのも、その言葉が妙にめかし込んで、誰をも傷つけないように毒もトゲも抜き取られた腑抜けたものだからなのだ。哲学は、「みんなを元気にします」とか「行き詰まったときに手を差し伸べる言葉」とか、女郎屋の客引きじゃあるまいし、こんな安っぽい惹句に関わり合ってはなるまい。論争的・批判的なエッジを欠いたようなものは哲学では有り得ない。どのような立場に立とうとも、その基礎として踏まえられるもの(伝統)を目指すからと言って、万人に気に入られるものを目指すようであってはならない。哲学は、争いに超然と澄まし込むのではなく、哲学なりのやり方でみずから闘うのだ。

我々の狭隘な想像力が及ぶいかなる道行きにも、至る所二律背反が行く手を閉ざし、進退窮まったかに見えるとき、なおも百尺竿頭に一歩を進めて初めて見える風景もあろう。そんなとき我々の救いとなるのは、アラジンの魔法のランプから繰り出されたような斬新な思いつきではなく、職人が使い古した七つ道具のような古色蒼然たる古典的概念であるものだ。ただしそれらは、危機の暗闇の中で初めて、その本来の輝きを放つ文脈を見出すのである。そのときそれらの見慣れた言葉たちは、普段とはまるで違う相貌に変身し、剣をかざす聖ミカエルのように我々を教え導くであろう。本書で私は、自分の乏しい思索経験の中から、それらの言葉の変身の瞬間のいくつかを披露できたと思う。今後ともせいぜい精進して、持ち前の過激性を研ぎ澄ますという偏屈な late style を通じて、ますます古典の精神へと近づきたいものである。

田島正樹

二〇二四年二月

ま

や

ら

わ

欧文

た

さ

索 引

本文の各項目の見出しとして立てた語（目次に掲げたもの）はゴチック体で示し、そのうち大項目に含まれる語は【 】でくくった。

あ

か

本書の原本は、二〇〇六年に講談社現代新書より刊行されました。

田島正樹（たじま　まさき）

1950年生まれ。東京大学教養学部フランス科を卒業し，同大学院博士課程（哲学専攻）修了。哲学者。著書に『ニーチェの遠近法』『スピノザという暗号』『哲学史のよみ方』『魂の美と幸い』『古代ギリシアの精神』などがある。

定価はカバーに表示してあります。

読む哲学事典

田島正樹

2024年２月13日　第１刷発行

発行者　森田浩章

発行所　株式会社講談社

東京都文京区音羽2-12-21 〒112-8001

電話　編集（03）5395-3512

販売（03）5395-5817

業務（03）5395-3615

装　幀　蟹江征治

印　刷　株式会社ＫＰＳプロダクツ

製　本　株式会社国宝社

本文データ制作　講談社デジタル製作

ISBN978-4-06-534805-5

「講談社学術文庫」の刊行に当たって

これは、学術をポケットに入れることをモットーとして生まれた文庫である。学術は少年の心を養い、成年の心を満たす。その学術がポケットにはいる形で、万人のものになることは、生涯教育をうたう現代の理想である。

こうした考え方は、学術を巨大な城のように見る世間の常識に反するかもしれない。また、一部の人たちからは、学術の権威をおとすものと非難されるかもしれない。しかし、それはいずれも学術の新しい在り方を解しないものといわざるをえない。

学術は、まず魔術への挑戦から始まった。やがて、いわゆる常識をつぎつぎに改めていった。学術の権威は、幾百年、幾千年にわたる、苦しい戦いの成果である。こうしてきずきあげられた城が、一見して近づきがたいものにうつるのは、そのためである。しかし、学術の権威を、その形の上だけで判断してはならない。その生成のあとをかえりみれば、その根は常に人々の生活の中にあった。学術が大きな力たりうるのはそのためであって、生活をはなれた学術は、どこにもない。

開かれた社会といわれる現代にとって、これはまったく自明である。生活と学術との間に、もし距離があるとすれば、何をおいてもこれを埋めねばならない。もしこの距離が形の上の迷信からきているとすれば、その迷信をうち破らねばならぬ。

学術文庫は、内外の迷信を打破し、学術のために新しい天地をひらく意図をもって生まれた。文庫という小さい形と、学術という壮大な城とが、完全に両立するためには、なおいくらかの時を必要とするであろう。しかし、学術をポケットにした社会が、人間の生活にとってより豊かな社会であることは、たしかである。そうした社会の実現のために、文庫の世界に新しいジャンルを加えることができれば幸いである。

一九七六年六月

野間省一

哲学・思想・心理

2409
死に至る病
セーレン・キェルケゴール著／鈴木祐丞訳
「死に至る病とは絶望のことである」。この鮮烈な主張を打ち出した本書は、キェルケゴールの後期著作活動の集大成として燦然と輝く。最新の校訂版全集に基づいてデンマーク語原典から訳出した新時代の決定版。
電P

2414
統合失調症あるいは精神分裂病 精神医学の虚実
計見一雄著
昏迷・妄想・幻聴・視覚変容などの症状は何に由来するのか？「人格の崩壊」「知情意の分裂」などの謬見はしだいに正されつつある。脳研究の成果も参照し、病の本態と人間の奥底に蠢く「原基的なもの」を探る。
電P

2416
『老子』 その思想を読み尽くす
池田知久著
老子の提唱する「無為」「無知」「無学」は、儒家思想のたんなるアンチテーゼでもニヒリズムでもない。最終目標の「道」とは何か？ 哲学・倫理思想・政治思想・自然思想・養生思想の五つの観点から徹底解読。
電P

2418
時間の非実在性
ジョン・E・マクタガート著／永井 均訳・注解と論評
はたして「現在」とは、「私」とは何か。A系列（過去・現在・未来）とB系列（より前とより後）というマクタガートが提起した問題を、永井均が縦横に掘り下げてゆく。時間の哲学の記念碑的古典、ついに邦訳。
電P

2424
ハイデガー入門
竹田青嗣著
『ある』とか何か」という前代未聞の問いを掲げた未完の大著『存在と時間』を豊富な具体例をまじえながら分かりやすく読解。「二十世紀最大の哲学者」の思想に接近するための最良の入門書がついに文庫化！
電

2425
哲学塾の風景 哲学書を読み解く
中島義道著（解説・入不二基義）
カントにニーチェ、キルケゴール、そしてサルトル。哲学書は我流で読んでも、実は何もわからない。必要なのは正確な読解。読みながら考え、考えつつ読む、手加減なき師匠の厳しくも愛に満ちた指導を完全再現。
電P

哲学・思想・心理

2429・2430
池田知久訳
荘子（上）（下）全現代語訳

「無」からの宇宙生成、無用の用、胡蝶の夢……。宇宙論から人間の生き方、処世から芸事まで。幅広い思想を展開した、汲めども尽きぬ面白さをもった『荘子』を達意の訳文でお届けする『荘子　全訳注』の簡易版。

電P

2436
山川偉也著
ゼノン　4つの逆理　アキレスはなぜ亀に追いつけないか

「飛矢は動かない」「アキレスは亀に追いつけない」。紀元前五世紀の哲学者ゼノンが提示した難解パラドクスはその後の人類を大いに悩ませた。その真の意図とそれが思想史に及ぼした深い影響を読み解く。

電P

2457
ヨハン・ゴットフリート・ヘルダー著／宮谷尚実訳
言語起源論

神が創り給うたのか？　それとも、人間が発明したのか？——古代より数多の人々を悩ませてきた難問に果敢に挑み、大胆な論を提示して後世に決定的な影響を与えた名著。初の自筆草稿に基づいた決定版新訳！

電P

2459
プラトン著／田中伸司・三嶋輝夫訳
リュシス　恋がたき

美少年リュシスとその友人を相手にプラトンが「友愛」とは何かを論じる『リュシス』。そして、「知を愛すること」としての「哲学」という主題を扱った『恋がたき』。「愛すること」で貫かれた名対話篇、待望の新訳。

電P

2460
ジークムント・フロイト著／十川幸司訳
メタサイコロジー論

「抑圧」、「無意識」、「夢」など、精神分析の基本概念を刷新するべく企図された幻の書『メタサイコロジー序説』に収録されるはずだった論文のうち、現存する六篇すべてを集成する。第一級の分析家、渾身の新訳！

電P

2463
フランソワ・ジュリアン著／中島隆博・志野好伸訳
道徳を基礎づける　孟子vs.カント、ルソー、ニーチェ

井戸に落ちそうな子供を助けようとするのはなぜか。道徳のもっとも根源的な問いから、孟子と西欧啓学を自在に往還しつつ普遍に迫る、現代フランス哲学の旗手の主著、待望の文庫化！　東浩紀氏絶賛の快著！

電P

2480
河本英夫著
哲学の練習問題
私たちの身体と心には、まだ開発されていない能力が無数にあるが、それは「学習」では開発できない。オートポイエーシスの第一人者にいざなわれ、豊富なエクササイズを実践して、未知の自由を手に入れよう！

電P

2495
ゲオルク・グロデック著／岸田　秀・山下公子訳
エスの本　ある女友達への精神分析の手紙
「人間は、自分の知らないものに動かされている」。フロイト理論に多大な影響を与えた医師グロデックが、心身両域にわたって人間を決定する「エス」について明快に語る。「病」の概念をも変える心身治療論。

電P

2499
永井　均著
『青色本』を掘り崩す――ウィトゲンシュタインの誤診
ウィトゲンシュタイン『青色本』には、後期の代表作『哲学探究』の議論の原基形態がちりばめられている。独我論、私的言語、自他の非対称性……。著者は細部にまで分け入ってその議論を批判的に読み抜く。

電P

2502・2503
G・W・F・ヘーゲル著／伊坂青司訳
世界史の哲学講義　ベルリン1822／23年(上)(下)
一八二二年から没年（一八三一年）まで行われた講義のうち初年度を再現。上巻は序論「世界史の概念」から本論第一部「東洋世界」を、下巻は第二部「ギリシア世界」から第四部「ゲルマン世界」をそれぞれ収録。

2505
J・L・オースティン著／飯野勝己訳
言語と行為　いかにして言葉でものごとを行うか
言葉は事実を記述するだけではない。言葉を語ることがそのまま行為をすることになる場合がある――「確認的」と「遂行的」の区別を提示し、「言語行為論」の誕生を告げる記念碑的著作、初の文庫版での新訳。

電P

2506
キケロー著／大西英文訳
老年について　友情について
偉大な思想家にして弁論家、そして政治家でもあった古代ローマの巨人キケロー。その最晩年に遺された著作のうち、もっとも人気のある二つの対話篇。生きる知恵を今に伝える珠玉の古典を一冊で読める新訳。

電P

哲学・思想・心理

2507
技術とは何だろうか　三つの講演
マルティン・ハイデガー著／森 一郎編訳
第二次大戦後、一九五〇年代に行われたテクノロジーをめぐる講演のうち代表的な三篇「物」、「建てること、住むこと、考えること」、「技術とは何だろうか」を新訳で収録する。技術に翻弄される現代に必須の一冊。
電P

2509
物質と記憶
アンリ・ベルクソン著／杉山直樹訳
フランスを代表する哲学者の主著——その新訳を第一級の研究者が満を持して送り出す。簡にして要を得た訳者解説を収録した文字どおりの「決定版」である本書は、ベルクソンを読む人の新たな出発点となる。
電P

2517
意識と自己
アントニオ・ダマシオ著／田中三彦訳
意識が生まれるとはどういうことなのか。身体的変化・情動から感情がいかに作られ、その認識に意識はどう働くのか。ソマティック・マーカー仮説で知られる世界的脳神経学者が、意識の不思議の解明に挑む。
電

2524
カントの「悪」論
中島義道著
カント倫理学に一貫する徹底した「誠実性の原理」。「幸福の原理」を従わせ、自己愛を追求する人間本性に対し「理性」が命ずる誠実性とは何か？　普遍的な倫理学の確立を目指した深い洞察に触れる。
電P

2529
語りかける身体　看護ケアの現象学
西村ユミ著（解説・鷲田清一）
「植物状態」は「意識障害」ではない——。実際に彼らと接する看護師や医師が目の当たりにする「患者の力」とは。自然科学がまだ記述できない、人と人との関わりのうちにある〈何か〉を掬い出す、臨床の哲学。
電P

2539
老子　全訳注
池田知久訳注
無為自然、道、小国寡民……。わずか五四〇〇字に込められた、深遠なる宇宙論と政治哲学、倫理思想と養生思想は今なお示唆に富む。二〇〇〇年以上読みつがれる大古典の全訳注。根本経典を達意の訳文で楽しむ。
電P

2616
中野孝次著
ローマの哲人　セネカの言葉

死や貧しさ、運命などの身近なテーマから「人間となる術」を求め、説いたセネカ。その姿はモンテーニュやアランにもつながる。作家・中野孝次が、晩年に自らの翻訳で読み解いた、現代人のためのセネカ入門。

2627
渡辺公三著（解説・小泉義之）
レヴィ＝ストロース　構造

現代最高峰の人類学者の全貌を明快に解説。ブラジルへの旅、ヤコブソンとの出会いから構造主義誕生を告げる『親族の基本構造』出版、そして『野生の思考』を経て『神話論理』に至る壮大な思想ドラマ！

2630
鷲田清一著
メルロ＝ポンティ　可逆性

独自の哲学を創造し、惜しまれながら早世した稀有の哲学者。その生涯をたどり、『知覚の現象学』をはじめとする全主要著作をやわらかに解きほぐす著者渾身のモノグラフ、決定版として学術文庫に登場！

2633
エドワード・S・リード著／村田純一・染谷昌義・鈴木貴之訳（解説・佐々木正人）
魂(ソウル)から心(マインド)へ　心理学の誕生

心理学を求めたのは科学か、形而上学か、宗教か。「魂」概念に代わる「心」概念の登場、実験心理学の成立、自然化への試みなど、一九世紀の複雑な流れを整理しつつ、心理学史の新しい像を力強く描き出す。

2637
野矢茂樹著（解説・古田徹也）
語りえぬものを語る

相貌論、懐疑論、ウィトゲンシュタインの転回、過去、知覚、自由……さまざまな問題に豊かなアイディアで切り込み、スリリングに展開する「哲学的風景」。著者会心の哲学への誘い。

2640
田中美知太郎著（解説・國分功一郎）
古代哲学史

古代ギリシア哲学の碩学が生前刊行した最後の著作。著者の本領を発揮した凝縮度の高い哲学史、より深く学びたい人のための手引き、そしてヘラクレイトスの決定版となる翻訳――哲学の神髄がここにある。

2645
伊藤亜紗著
ヴァレリー　芸術と身体の哲学
なぜヴァレリーは引用されるのか。作品という装置について、時間と行為について、身体について語られた旺盛な言葉から、その哲学を丹念に読み込む。著者の美学・身体論の出発点となった、記念碑的力作。　電P

2650
高橋和夫著（解説・大賀睦夫）
スウェーデンボルグ　科学から神秘世界へ
一八世紀ヨーロッパに名を馳せた科学者が、五〇代にして突如、神秘主義思想家に変貌する。その思考の軌跡は何を語るのか。カント、バルザック、鈴木大拙……数多の著名人が心酔した巨人の全貌に迫る！　電P

2677
マルティン・ブーバー著／野口啓祐訳（解説・佐藤貴史）
我と汝
経験と利用に覆われた世界の軛から解放されるには、全身全霊をかけて相対する〈なんじ〉と出会わねばならない。その時、わたしは初めて真の〈われ〉となるのだ――。「対話の思想家」が遺した普遍的名著！　電P

2683
本田　済著
易学　成立と展開
中国の思想、世界観を古来より貫く「易」という原理の成り立ちとエッセンスを平易にあますところなく解説。占いであり、儒教の核心でもある易を知ることは、中国人のものの考え方を理解することである！　電P

2684
大森荘蔵著（解説・野家啓一）
新視覚新論
視覚風景とは、常に四次元の全宇宙世界の風景である――。心、時間、自由から「世界の在り方としての私」を考える、著者渾身の主著。外なる世界と内なる心があるのではない、世界とは心なのだ。　電P

2685
竹田青嗣著
言語的思考へ　脱構築と現象学
ポストモダン思想の限界を乗り越え、現象学が言語の「謎」を解き明かす！「原理」を提示し、認識の「普遍洞察性」に近づいていくという哲学的思考のエッセンスを再興する、著者年来の思索の集大成。　電の活動一般が「力能」として現れることの人間にとっての意味を明らかにするのに、この考え方が、説得力ある基礎的な足場を提供していると思われるからである。このような観点に立つとき、この自然史的な過程という考え方は、構造的に、また形式的に、サイバネティックス、フィードバックの考え方と同一形的（アイソモルフ）なものとして見えてくる。サイバネティックスとは簡単にいえば人間、生物、機械を網羅して、動きと働きを一つのシステムの外界との交渉のうちにとらえてみようという考え方である。この発想に立つことで、サイバネティックスは「通信と制御の観点から機械、生体、社会を統一して扱おうという学問分野」となった（『サイバネティックス――動物と機械における制御と通信』文庫版あとがき、戸田巌）。フィードバックが、この考え方をもたらしたカギ概念の一つであるとは、先に述べたとおりだが、それは、吉本ふうにいえば人間と自然の一対一関係における相互作用の働き（作用と反作用）なのである。サイバネティックスにおいて「力能」は、通信によって外部からシステムに運ばれ、「入力」され、またこれをフィードバックして（繰り込んで）調整し、制御を加えたものが、今度はシステムから「出力」され、通信によって外部に拡散される。外部からの「入力」と外部への「出力」に注意すると、ここでシステムは外部とのインターフェース（接触面）での「入力」・「出力」系と、内部の「調整・制御」系に分かれる。何か問題が起こる。そのできごとに対しては制御がきかないのは、その出所が外部に属しているからだ。しかし、これにシステムとして対処はできる。内部で、考え、決定し、対策を講じる。これが、入力、制御、出力からなるサイバネティックスにおけるフィードバックの一回路単位である。

キャベツが豊作で、すべて出荷した。これは内部系の出力である。そうしたら市場で値崩れが起こった。これには制御はきかない。外部からの入力なので。でも、対処はできる。次には出荷調整をすることで。——これが外部系の入力を受けた内部系の制御（フィードバック）であり、その結果、次回から値崩れが避けられる。このようにして、個々人の意識や、意図を考慮に入れながら、なお、それから独立に経済社会的な発展を把握できるというのがマルクスから取り出した吉本の自然史的な過程という考え方のサイバネティックス的な構成なのである。

しかし、この論で、自然史的な過程という考え方を基礎に技術革新について考えるのに、私は一つ、二つ、あらかじめ回り道をしておく必要を感じている。

というのも、この論で、私は三・一一の原発事故で明らかになった原発という巨大技術の産物に対し、否定的な考え方を提示している。有限性の時代に踏み入ろうとしているいま、原発という巨大技術から離れ、その先に進むことが促されているというのが、私の考えである。原発事故によって、それに震撼させられ、私はこの論に現在記しているような考えをもつようになった。そして、それをさらに展開するため、いま、吉本の自然史的な過程という考え方を援用しようとしているのだが、ところで、吉本はこの考え方を、原発への否定である、いわゆる脱原発への反対を唱えるために、述べているのである。

迂回の理由は、それにとどまらない。私自身が、三・一一の事故以前は、原発の問題にはさして大きな関心を向けていなかっただけでなく、その吉本の考え方に説得され、反原発の主張には、どちらかといえば批判的だった。ここにいる私は、三・一一の事故によってある部分、反省し、沈思し、考えを変えたか。そのことにどのように吉本の自然史的過程の考え方が、かかわっているか。それについてまず、先に述べておかなくてはならない。

私はなぜ考えを変えた私なのである。

吉本が原発について語っているのは、こういうことである。まず第一に、原発をもたらした原子力エネルギーの解放は、人類の科学技術の一大達成である。人間は、これまでさまざまな仕方で学問真理上の、科学技術上の発見、発明を行ってきた。そういう科学技術的な新しい「知」の発見は、人間の知的な「自由の探究」の成果である。知的な自由探究の成果には、一つの原理がある。それは、一度、世に現れたら、二度と消えない、ということだ。逆戻りはできない。前方にしか、進行しない。ではその新しい技術、真理の発見によって、問題が生じたばあい、どうすればよいのか。そのばあいの原理は、さらに科学を発展させることによって、この問題を克服することである。それ以外に方法はない。これを、この新しく生まれた問題への恐怖心から、あるいは、退嬰的な考え方や旧弊な倫理観に動かされて、後戻りしようというのは、この人類の動かしようのない自然史的な過程に対する反動を意味する。そこからは人類の未来は開かれない。

さて、この意見を私は八〇年代の末に読んだ。そのとき私が考えたのは、こういうことだ。ここで仮に新しく展開した産業、科学技術が人類の福祉を前進させる一方、マイナスの効果として新しい希少な病気を発生させたとしよう。これはさまざまに世の中に起こっていることで架空の話ではない。それは、原発と同様、科学技術の発達が生んだ不幸なマイナス効果である。原発のばあいも、事故の危険、放射能をともなう原発現場の労働環境の問題、使用済み核燃料の処理方法が見つからないことなど、問題が多い。しかし、原発との違いは、そのマイナスの効果が、原発では人類の大多数に及ぶのに対し、希少な病気などのばあいには、少なくとも直接には病人本人とその家族などごく少数者にとどまる点である。そのごく少数のマイナス効果は、ではどのように除去されうるか。一度生じた病気は、消えない。それは医療や科学の技術をもっと前進させ、これを治療する以外に解決できないのである。

ここから、次のような逆説がうまれる。このばあい、後戻りして科学技術の達成から撤退することは、そうできる多数者にのみ許された選択肢ということになるだろう。これはそうできない少数者を置き去りにするものだ。したがって、こうした問題に目を向けず、単に現時点からの撤退を唱えるだけのエコロジーは、思想としては、おだやかな世界をめざすものでありつつ、強者の思想だということになる。普遍的とはいいがたい。それが、吉本の自然史的な過程の含意することだとすれば、これは正しい——。

そう思い、私は吉本の、反・反原発の考え方に説得されたのである。

マルクスは、『資本論』の「まえがき」で、こういっている。

ひょっとしたら誤解されるかもしれないから、一言しておこう。私は資本家や土地所有者の姿をけっしてばら色に描いてはいない。そしてここで問題になっているのは、経済的範疇（カテゴリー）の人格化であるかぎりでの、一定の階級関係と利害関係の担い手であるかぎりでの人間にすぎない。経済的社会構成の発展を自然史的過程としてとらえる私の立場は、他のどの立場にもまして、個人を諸関係に責任あるものとはしない。個人は、主観的にはどれほど諸関係を超越していようと、社会的にはやはり諸関係の所産なのである。（『資本論』「第一版へのまえがき」、今村、鈴木、三島訳）

資本家や土地所有者には良心的な存在も悪徳的な存在もともに含まれるだろうが、そういうことに関わりなく、「経済的範疇の人格化」としての人間が問題になる水準、位相、レベルというものを想定することができる、とここでマルクスはいっている。いわば彼はここで、人間の活動を力能としてのみ見れば（唯物的に見れば）、人間に発する力能にはさまざまな動機、理由、倫理、責任が関わりうるものの、そのこととは関わりなく、これを制御不可能な外部的入力との関係で、制御可能な内部的入力と一括してとらえることが可能だと、いう。そしてそれをとらえ、これは、「経済的社会構成の発展」を「自然史的過程としてとらえる」自分の立場から出てくる、と述べるのである。この見方が「自然史的過程」と呼ばれるのは、人間と類とする人間の活動の一般を、自然と人間のあいだの関係、交渉、相互性としてとらえるという、マルクスの重層的かつ相互作用的な考え方から来る、というのが吉本の理解である。

私たちは、人類が原子力エネルギーを発見し、これを人間の力で作り出すようになったことを、同じく人間と自然・社会との間の相互交渉における不随意的・随意的な力能の「諸関係の所産」としてとらえることもできれば、個人と個人ないし人間集団との間の関係における倫理問題、責任問題としてとらえることもできる。しかし、前者の自然史的過程の観点がより重大だ。これを脱落させると、この問題を社会の総体を見はるかしたなかでとらえることはできなくなるからだと、吉本はいうのである。

このくだりを引くに先だち、吉本は書いている。

マルクスの晩年に起こった最大の思想的事件は、『資本論』第一巻の完成であった。『経済学と哲学とにかんする手稿』が、市民社会の内部構造としての経済学の範疇をとりあつかったものとすれば、『資本論』は、人類の生産社会の歴史的発展段階としての資本制社会を、資本と労働との総過程としてあつかったものということができる。また、『経済学と哲学とにかんする手稿』が、マルクスの〈自然〉哲学のうえに構成されたものとすれば、『資本論』は、生産社会の発展段階を〈自然〉史の過程とみなすという哲学のうえに構成されている。だから、『手稿』が現存性のなかに凝縮された社会の歴史性とすれば、『資本論』は、歴史性のなかに展開された社会の現存性の考察である。（中略）『手稿』が人間の主体にかかわるように感ぜられるが、『資本論』が人間の主体を排除するように感じさせるのはそのためである。（『カール・マルクス』一四一～一四二頁）

吉本は、この自然史的な過程という考え方を、若いマルクスが、一八四一年、イエーナ大学に提出した「デモクリトスの自然哲学とエピクロスの自然哲学の差異」という学位論文から取りだしている。吉本によればそのポイントは、次の点である。

古来、デモクリトスの自然哲学を受けとり、改変したエピクロスの自然哲学が、デモクリトスのものとどう違うのか、どこが改変のポイントなのかが論議されてきた。マルクスの学位論文は、その違いのポイントを、まったくこれまでと異なる点に見出そうとするものである。私（吉本）の見るところ、要諦は次の個所にある。デモクリトスもエピクロスも知覚と思惟の伝導体としてエイドーラ（剝離像）を考えているが、「デモクリトスでは、物体からエイドーラが剝離し流れこんで人間感覚に到達する」のに対し、「エピクロスでは物体と感覚は相互概念としてあらわれる」。マルクスは「エピクロスの修正を、じつは相互規定性の概念をふまえたものとして評価した」（『カール・マルクス』二九頁）。そこから、

人間の普遍性は実践的には〈自然〉や〈社会〉への働きかけという意味では――吉本註）まさに、（一）直接的生活手段である自然についても、また（二）彼の生活活動の材料、対象、道具である自然についても、全自然を彼の非有機的肉体とするという、その普遍性のなかにあらわれる。（同前、二〇頁、傍点原文）

という『経済学と哲学とにかんする手稿』におけるマルクスの自然哲学的な考えが現れる。これを吉本は、こう説明する。

全自然を、じぶんの〈非有機的肉体〉〈自然の人間化〉となしうるという人間だけがもつようになった特性は、逆に、全人間を、自然の〈有機的自然〉たらしめるという反作用なしには不可能であり、この全自然と全人間の相互のからみ合いを、マルクスは〈自然〉哲学のカテゴリーで、〈疎外〉または〈自己疎外〉とかんがえたのである。（同前、二一頁、傍点引用者）

これは、だいぶ踏みこんだ理解である。人間が自然に働きかけ、自然を人間の道具的存在に変える。そこで自然は人間化し、人間の一部となり、彼の「非有機的肉体」となっている、とみなすことができる。しかしマルクスは、そのとき同時に、人間もまた、その働きかけを通じ、反作用を受けて、自然的な存在＝「有機的自然」と化すのだ、という。

吉本によれば、この作用と反作用との相互性こそ、デモクリトスになく、エピクロスが新しく加えたポイントだと、マルクスは考えている。そしてその観点が、若くして書かれた『経済学と哲学とにかんする手稿』に現れた「疎外」という概念の最深の部分なのだというのが、ここでの吉本の力点である。

では人間が自然化するとはどういうことか。私の考えでは、その意味は二つであって、人間が自然との交渉において生物種としての人間を自分のなかに作りだすということが一つ、またそこでは、人間の意図、行動もまた、自然史的な過程の一コマとして、必要とあらば「力能」

の作用へと換算可能な自然的事象とみなされうる存在となるということが、そのもう一つである。

前者についていえば、ハンナ・アーレントが、その著『人間の条件』のなかで、人間の動きと働きを、労働、仕事、活動の三つに分け、このうち、労働は人間のうちの「ヒト（いきもの）」の部分に対応し、活動は人間のうちの「人間」の部分に対応しているとしていることが思い出される。そのうちの「ヒト（いきもの）」の部分は、労働し（自然と交渉し）、生き、死に、子をなし、家（オイコス）を営むといういわば動物（生物種）につながる部分であって、自然との交渉から生みだされる。これに対し、「人間」の部分は、言葉を用い、人に訴え、公共空間（ポリス）を作り、政治を行う行動の主体部分であって、こちらは人間と人間の間の関係から生まれる。この観点からいえば、アーレントも、人間の動きと働きは、その自然との交渉において人間を「自然の〈有機的自然〉」（ヒト）たらしめるといっていることになる。

しかし、もう一つ、後者のほうの意味は、それとはまた別であって、自然との交渉史で（唯物論的に）みれば、人間の活動は、労働、仕事、活動のすべてを含んで、これを「力能」として一個のフィードバック作用（経済的社会構成の発展）のファクターとして見ることも可能だと、この自然史的な過程という見方は、語っていることになる。それが疎外ないし自己疎外の最深の意味だと、吉本経由のマルクスは、いうのである。

一見意外な感じがするけれども、これは、こう考えれば、それほどでもない。先にあげたキキャベツ農家の例に戻れば、そこでのキャベツ生産農家の出荷制限は、彼の人間としての配慮とそれに基づく行動なのだが、同時にそれは「経済的範疇（カテゴリー）の人格化」としてのキャベツ生産農家にとっての、自然史的過程における「力能」的反応の一つともみることができるというのだ。自然史的な過程というマルクスの考え方は、ここで、ノーバート・ウィーナーのサイバネティックスという考え方と形式的にはほぼ同一形（アイソモルフ）である。キャベツ生産農家が前年の豊作暴落にこりて今年は出荷制限をする。そのことは、彼個人の経済的な決定であると同時に、システム内での「力能」の作用と反作用の構成のなかでは、価格暴落という出力にたいするフィードバックである点、価格暴落という経済事象と同等の自然史的事象ともいいうるのである。

吉本は、このような考え方に立ち、原子力エネルギーの発明もその応用としての原発も、自然史的な過程としてみれば、否定できない大きな達成としての意味をもつ、という。原発問題の本質は、原発が科学技術に関する自然史的な過程の産物として生まれてきた点にある。自分はけっして原発促進論者ではないが、これを、誰かが不当に得をするのはけしからんとか、放射能は自然に反している、怖いから廃止しようとかという倫理的な理由で、反原発を唱えるのには反対だ。これが自然史的な過程という考え方に立つ、吉本の反対理由だったのである。

中沢新一の「自然史過程」批判

さて、ここで大事なことは、一つには、この自然史的な過程が、一個の見方であり、立場、考え方にほかならないことを、確認することであるように思う。
柄谷行人は、吉本が引いたと同じ『資本論』「まえがき」の個所をあげ、こう述べている。

彼（マルクス――引用者）の「立場」は、社会的な構造を自然必然性としてみることである。ここでは「責任」が出てこない。だが、マルクスは、自然史的立場に立つことによって、すなわち、責任を括弧に入れることで、このような視点を獲得しているのだ。社会的な関係を「自然史的」過程として見るとき、彼は「理論的」態度をとったといってよい。これは、主観や責任の括弧入れであって、その否定ではない。（『トランスクリティーク』一七二頁）

人間の生産社会の発展段階を自然史的な過程として見るのは、見方であり、立場であって、人間としての行為という見方、考え方の否定なのではない、マルクスはここで人間の責任を問題にしなくてよいといっているのではなくて、そこで責任の問題はカッコに入れられているのだ、というのである。

私がこういうのは、この自然史的な過程に対しては、これをもう少し実体的に——ほぼ教条的な唯物史観と重なるかたちで——受けとった上での反対意見も存在するからだ。たとえば、中沢新一は、吉本のこの考えを批判して、こう述べている。少し長いが引用しよう。

(自然史過程という——引用者) この概念は直接にはマルクスとエンゲルスの思考に負っている。交換の中から貨幣が出現してくるのは、自然史過程に属する。放っておいてもかならずそれは人間の思考の中に出現し、いったん出現するともはや後戻りがきかない過程が始動して、そこからかならずや資本主義が生まれてくる。(中略) そのような自然史過程によって、農業などは衰退せざるをえなくなったのである。

自然史過程はまるで自然界の出来事のように、いかんともしがたい必然性をもって展開する。歴史というものは、自然史過程にギアが嚙んでいるかぎりは、その流れに人間がどんなに抗ってみようとしても、逆戻りさせようと試みたとしても、そのような抵抗は大きなスパンで見るとやがて大きな自然史過程の中に回収されてしまい、歴史は引き返しのできない展開をおこなっていく。吉本さんはこのような思考法を、あらゆる領域の人間的事象に適用しようとした。(「『自然史過程』について」『野生の科学』四五九頁)

また、

吉本さんはこのような思考を、原子核技術にまで拡張して考えようとした。科学技術の展開はそれ自身が自然史過程に属している、というのが吉本さんの基本的な考えである。二十世紀初頭における放射線の発見は、物質の理解に画期的な次元をもたらした。（中略）その発見から二十年もたたないうちには、核分裂の可能性が実証され、またたく間に核分裂からエネルギーを取り出す技術が開発されることになった。（同前、四六一～四六二頁）

また、

そしていったん開かれた地平を閉ざすことはできない、また閉ざしてはならないというのが、吉本さんの確信であった。そこから「エコロジー」と「反核」への頑強な批判がおこなわれたのである。エコロジー思想は、疎外を本質とする人間の心的能力が開く地平を閉ざして、自然的秩序への回帰をめざしており、反核運動は技術というものがもつ自然史過程の本質を見誤っている、というのが吉本さんの基本的な論点であった。（同前、四六二頁）

詳細は省略するけれども、中沢はここで、自然史的な過程を歴史的な動態として実体的にとらえている。その理解はこれを教条的に唯物史観としてみる観点にだいぶ近い。そしてこれに加え、その内部に、「原生的疎外」を認める。彼によれば、人間の心的現象は、自然史的な過程の一環として生まれた。つまり、それを生み出した人間の「脳自体は自然史の過程によって出現した」のだが、しかし、「その脳を介して」「生起する」、心的現象は、「自然的秩序をはみ出し『疎外』される、本質的な過剰をそなえている」。言語の発生は、その本質的な過剰＝原生的な疎外の所産である。

自然史過程は、このように、「自然的秩序をはみ出」す「本質的な過剰」を、そのうちに孕んでいるのだが、「原子核技術を成立させた一連の過程」にもまた、これと「類似の現象を見出すことができる」。そこから、吉本は「原子核技術そのものが、自然史的過程に属するもの」とみなしたのだが、今回のような原発事故をへてみれば、これに重大な変更を加えるべきではないか、と自分（中沢）は考えている。

私はイデオロギーによって、そのような判断を下そうとしているのではない。現実の科学の現場で起こっているドラスティックな変化への認識にもとづいて、吉本さんの考えた「自然史過程」には誤りが含まれ、そこには重大な変更を加える必要があり、新しく手に入れた長期的視点に立つとき、エコロジーと原子核技術批判の思想には「道理」がある、と私は思想するのである。（同前、四六五頁）

この中沢の観点には、耳を傾けるべき創見が少なくない。先の無限性の近代の考えに立つエコロジー思想の一面性を見てきた眼には、「自然」を第一の自然（＝生態系）と第二の自然（＝脳内自然）に分けて考え、核技術は、第二の自然の産物ではあるが、第一の自然を「逸脱」しているとするその生態系論にも、耳を傾けるべきところがなくはない。しかし、そこでの第一と第二の自然の間に相互作用がありうるとは考えられていないという以前に、何より、自然史的な過程とは、中沢のいうように実体的な歴史の動態を直接にさしているわけではない。またそういう過程に属するもの（たとえば太陽光発電）と、属さないもの（たとえば原発）が、別個に存在するというような実体的なカテゴリーを意味しているのでもない。これは、柄谷が強調するように、視点であり、見方であり、ひとつの立場としての考え方だと、受けとった方がよいのである。

つまりここでは、同じできごとが、自然史的な過程の産物として見られた場合と、人間の行為の所産と見られた場合と、二つの意味を同時に、――吉本の用語でいえば逆立させつつ――もっている。だから、たとえ、原子力技術が中沢のいうように、「自然的秩序をはみ出す」「本質的な過剰」、あるいは倫理的な「逸脱」を含むとしても、それがもつ自然史的な過程としての意義は、失われない。その二つは、互いに逆立しつつ、ともに存在することをやめない。別にいえば、原発には人類の叡智の最高の達成が体現されている。と同時に、事故のリスクが大きく、非人間的な危険な労働にささえられ、使用済み燃料の処理方法をもたない危険きわまりない存在だ。そういう二つの言明が、ともに可能であり、この二つの意味を重層させているところに私たちにとっての原発問題の本質がある。

ただ、中沢が吉本の自然史的な過程を吉本の理解よりも「広く」解釈している点に関しては、私も賛成である。中沢は、貨幣が出現してくるのも、そこから必ずや資本主義が生まれてくるのも、自然史的な過程だと述べている。人が利害を追求することも、その結果、一時的な帰結として農業の衰退などが起こってくることも、自然史的な過程で生じることだと考えている。後に触れるように、この観点は私もともにするところであって、その一点で、私の理解は、吉本のそれと、異なっているのである。

吉本の反・反原発の主張

吉本は、反・反原発の主張を、次のように行った。

おれは反原発ということ自体に反対なんだ。もっといえば第一に反原発などと、簡単に、つまり人類の文明の歴史にたいして一個の見識もないくせに、やすやすとほざくことに反対だ。第二に、反原発を反核やエコロジズムに融着させることに反対だ。第三に経済的にたいした利益にならないから無意味だという論議の立て方に反対だ。第四に原発が安全でないという論議は科学技術的にまったくの嘘と誇張だから反対だ。すくなくとも現存する科学技術と実際化したどの装置や動力構築物（たとえば航空機、列車、乗用車、レース・カー）よりも原発は安全だ。だから安全性がないという煽動に反対だ。第五に安全性に不安があれば新しい試み、新しい構築、新しい未知の課題にとりつこうとしないという考え方に反対だ。そして安全でないなどというケチを社会運動にしようという心情と理念の退嬰性に反対だ。（吉本隆明「情況への発言」『試行』六八号、一九八九年、後『情況へ』に収録、三六七～三六八頁）

観点が要約されている個所なので、ここを引いた。むろん、吉本がこんなに乱暴に論を展開しているわけではなく、同じ号の別の個所に、詳細に項目ごとの検討がなされている。また、この「情況への発言」という文章は、べらんめえ口調の主と客のやりとりで綴られているが、じつは最初は、厳密な書き方で書かれ、その後、乱暴な口調に書き崩されている。これは吉本のこのコラムについての、私もその過程を実見したことのある、よく知られた事実である。吉本は単純に「反・反原発」の主張を行っているわけでもない。原発に関して「原子力公団や政府と地域住民の経済社会的な利害が（安全性がでない）対立したとき」には「住民の利益を第一義とすべき」でこの点に関して（だけ）は反原発の主張に共感するとも、述べられている（三六八頁）。

さて、右にあげられた五つの観点は、四とそれ以外に分けることができる。一から三と五は、「経済的社会構成の発展を自然史的過程としてとらえ」た場合、反原発の主張はその過程で人間が「文明を発展させてきた長年の努力」を後戻りさせ「水泡に帰してしまう」ものなので、それには反対だという先の自然史的な過程に立つ主張である。

しかし、四で彼は、原発が安全でないという主張には誇張と嘘がある、原発は安全だ、と述べている。その理由は、実際に原発の開発に関与した技術者の安全性の主張には、一部科学者のイデオロギー的な反対よりも信頼性がおけるから、というものである。

事故後になされた生前最後のインタビューでは、この四を除く観点が、すべて正確に繰り返されている。

文明の発達というのは常に危険との共存だったということも忘れてはなりません。科学技術というのは失敗してもまた挑戦する、そして改善していく、その繰り返しです。危険が現われる度に防御策を講じるというイタチごっこです。その中で、辛うじて上手く使うことができるまで作り上げたものが「原子力」だと言えます。それが人間の文明の姿であり形でもある。

だとすれば、我々が今すべきは、原発を止めてしまうことではなく、完璧に近いほどの放射線に対する防御策を改めて講じることです。新型の原子炉を開発する資金と同じくらいの金をかけて、放射線を防ぐ技術を開発するしかない。(「『吉本隆明』2時間インタビュ

——『反原発』で猿になる！」『週刊新潮』二〇一二年一月五日・一二日号、六二頁）

そして、仮に放射能の防御装置ができたとしたら、その瞬間から、こうした不毛な議論は終りになる。科学技術というのは明瞭で、結果がはっきりしていますから。

正直言って原発をどうするか、ちゃんとした議論ができるにはまだ時間がかかるでしょう。原発を改良するとか防御策を完璧にするというのは技術の問題ですが、人間の恐怖心がそれを阻んでいるからです。反対に、経済的な利益から原発を推進したいという考えにも私は与しない。原発の存否を決めるのは、「恐怖心」や「利益」より、技術論と文明論にかかっていると考えるからです。（同前）

こうした考え方に立って詳述された先の一九八九年の「情況への発言」での五つの反・反原発の主張を、三・一一の原発事故の事態に照らし合わせた上で整理すれば、こうなるだろう。一、原子力エネルギーの発見、利用の自然史的過程としての意義は、重大である。二、原発の問題を、そのまま核兵器製造の問題、エコロジー運動と結びつけると、この第一の意義が見失われるので注意が必要だ。三、この自然史的過程としての意義は、技術論と文明論の問題であり、経済的に利益になるかどうかという観点で語られるべきではない。四、原発が「安全でない」という主張にはイデオロギー的な「嘘と誇張」がつきまとっている印象がある。正当な批判、指摘が少ない。関係部署の対処を冷静に検討すれば、十分な配慮が加えられていることがわかる。「安全でない」という指摘は、扇動の色合いが大きい。そして五、万が一、その安全性に不安があるとしても、それを克服する「新しい試み、新しい構築、新しい未知の課題にとりつ」くべきで、それを理由としてのそれへの反対運動の「心情と理念」は、退嬰的である。

　このうち、一から三、そして五については、その自然史的な過程という立論は妥当か、妥当であるばあい、ここでの吉本の理解は、正しいか、ということが問題になる。私は先に述べたように、このとき、吉本の自然史的な過程という立論に説得された。しかしいまはこれについて、吉本とは違う理解に達している。これについては後に述べる。

　先に見ておかなければならないのはこのうち、四の観点である。この四の、原発が安全だという見通しは、誤っていた。吉本の主張も間違っていたし、それを妥当なものだと判断した私の考えも、間違っていた。なぜなら、吉本は、先の引用に先立つ別の文章で、原子炉製造の専門家である大前研一が、「技術者としての良心と専門的力量にかけて」書いたと評価する『加算混合の発想』での原子炉安全論を取りあげ、数頁にわたり、その見解を引用した後、これを「いちばん妥当な常識だとおもう」と述べたうえ（『情況へ』三一四頁）、「ソ連原発事故のようなものは確率論的にはあと半世紀は起こらない」と書き（同前、三三一頁）、またその考えを、私は妥当なものと判断したのだが、現に原発事故は、ソ連原発事故を上回る規模で、しかもこの日本に、起こった。原発は、吉本がいうようには**安全ではなかった**からである。

　それは、この一点の判断で、吉本が誤り、また私が誤ったということである。吉本がもういないいま、私はひとりで、その誤りの根源を明らかにしなければならない。

このことはすでに別のところに詳しく書いたのでここでは簡単にすますが（「吉本隆明の反・反原発の主張と私にとっての3・11の意味」『吉本隆明がぼくたちに遺したもの』所収、七八〜八六頁）、原子力の安全に対する行政、監視に関し、私は、むろん日本政府や官庁や東電に代表される企業の上層に発する安全のための諸政策を信頼していたわけではない。しかし、日本の官庁、民間企業の実務者レベルの「技術者の良心と専門的力量」、そこでの安全基準についての考え方と実施の水準には、深い信頼を置いていた。それが、吉本の安全論を妥当なものと判断した私の根拠だった。

しかし私は、原子力行政にこうした「技術者の良心と専門的力量」の発現と発揮を妨害する特異な体制上の問題があり、原子力行政が単に科学技術上の問題に尽きるものではないことに、――その特異性の深刻な度合いに――このとき、思いいたらなかった。それは、日本の原子力行政が、アメリカとの関係で、核兵器の開発を禁止されていながらも核燃料サイクルというかたちで（国が決定したら）いつでも短期間で核兵器を開発できるだけの技術力と資源のポテンシャルを確保しておくという「技術抑止」という国策のもとに進められてきたということである（詳しくは「祈念と国策」『3・11　死に神に突き飛ばされる』所収、一二八〜一六二頁、に述べている）。核燃料サイクルは、核兵器の原料であるプルトニウムの生産を補完するための手段である。使用済み核燃料を再度、処理してプルトニウムを取りだすのだが、それを正当化するのに、日本はこのプルトニウム平和利用という隠れ蓑の原発政策を必要としてきた（いまはそれを補う弥縫策として、プルサーマル燃料の使用が開始されている）。日本の原子力行政は、電力会社を超えて、この核燃料サイクルの保全がもつ軍事的な意味を国民には明かさず、その是非を諮ることもいっさいせず、国会での決定も政府内、官庁での正式決定もないまま、ただ平和目的を前面に押し立てて進められてきた。それはこのうえなく秘密主義と体制順応にまみれた技術領域だったのだが、そのことに私は気づかずに、原発に関しては実務者の技術水準と良心を過度に評価し、一方、反原発の技術者、科学者の主張を過小に判断するという過ちを犯していたのである。

ちなみに、原発の安全性に関する吉本の判断の根拠となった『加算混合の発想』の著者大前研一は、アメリカの大学（ＭＩＴ）で原子炉の研究をして博士号を取得し、その後日本（日立）でエンジニアとして高速増殖炉の設計も行った専門的な技術者出身のオピニオン・リーダーだが、三・一一の後、『原発再稼働「最後の条件」――「福島第一」事故検証プロジェクト最終報告書』という著作を発表している。しかしそこに語られているのは、自分のようなエンジニアを含め、関係者の全員が単に「どうやって住民を説得するかだけを考えて仕事をしていた」。そのため、住民から出てこない「全交流電源の長期喪失」という事態に、誰も備えなかった、「しかし、これは間違いでした」（一六二頁）という、じつに実利的かつ直接的な専門家としての短い反省のみである。専門家である以上、その国策的意義を知らないわけではないだろう核燃料サイクルについては、ひとこと、原発は今後「国営化することとし、発電と核燃料サイクルを併営するしかないでしょう」とだけ、さりげなく並行的にふれられている（一六四頁）。私などが知りたいのは、その軍事的な含意とそこからくる秘密体質を含めて、核燃料サイクルに専門家としての大前が安全の観点からどういう判断を下すか、前言にどのような反省を加えるかということなのだが、こういう事故があってもなお、その肝心な点にはふれられない。そして、ただ、そのうえで「少なくともここで完全撤退したのでは、科学技術の進歩はありません」という、吉本の自然史的な過程の観点につながる最終結論が下されている（一六五頁）。

しかし、なぜ彼ら「関係者の全員」が単に「住民」の「説得」だけを念頭に安全対策を考えていたのか、と振り返れば、彼ら原発のエンジニアたちが、原子力行政の安全保持という観点を自分たちの技術に根ざすかたちではもってこなかったからだというもう一つ先の遠因につきあたる。これは、自動車産業のような一般の産業技術のエンジニアでは、考えられないことである。ではなぜこのような特異な違いが生まれてしまったのか。そこまで考えれば、大前の論理にも、原子力の軍事的な含意とそこから来る秘密主義の体質の問題とが及んでくる。しかし大前はそこまでは遡及しない。それは彼にとって、いったん原子力のエンジニアからただのエンジニアに戻ることを意味する。それは彼にとり、かなりの恐怖をともなう反省となる。彼はそれを知ってか知らずか避けている。

体制と共存して生きる実務型技術者とは、科学技術を超える問題領域では何とこころもとなく、あてにならないものか。吉本の議論に説得され、――いわばベックの「リスク近代」にあって――いまや性格を変えた実務型技術者に信をおいてきた私の非は、小さくないといわなければならない。

エコ・システムからビオ・システムへ

けれども、いま私が、吉本の反・反原発の主張では決定的に不十分だと考えるのは、この科学技術が新しくもつことになった政治的社会的な含意——ここでは軍事的な含意。ベックいうところの「サブ政治」性——のためだけではない。先に見たように有限性の近代という観点に立つと、吉本の自然史的な過程は、その動態において先駆的である反面、その対象とするものの幅が決定的に狭い。自然史的な過程から、何より産業と市場の観点が不思議な仕方で脱落しているからである。

具体的にいうと、吉本は、原発に関し、一九八九年には「経済的にたいした利益にならないから無意味だという論議の立て方に反対だ」と述べており、二〇一二年にも、いい方は逆だが、「経済的な利益から原発を推進したいという考えにも私は与しない」と同じことを語っている。経済的な利益をカウントしない理由は、いずれのばあいも、科学技術の進歩上に原子力エネルギーの活用がもっている人類の技術と文明における自然史的な過程上の意義を前にしては、経済的な利益追求、損失忌避といった動因は、二義的なものにすぎないということと推測される。しかし、マルクスのいう自然史的な過程という考え方をそのままに受けとるなら、この見方は狭すぎる。有限性の近代が、人間と自然の相互作用を基礎にいまや広義のエコ・システム（産業と市場を包括した生態系）、つまりビオ・システムという考え方を要請しているという私の観点に立てば、なおいっそう、この狭さは、無限性の近代のもつ狭さとして、看過されえないものとなる。

私の考えでは、マルクスの自然史的な過程の吉本による読み取りは、『資本論』まえがきにいわれるように、資本家、土地所有者の思惑、行動、活動といえども、いったんそれが自然史的な過程のうちにおかれれば脱倫理的に数値化可能な「経済的社会構成の発展」過程上の一作用となるという点で、人間の活動は、労働という自然との交渉では人間を自然化するけれども政治という人間の関係世界では倫理と責任の問題となるというアーレントの考えを、同じ古代ギリシャ出自の考え方でありながら、頭一つ抜き去っている。

これは何も私の独断的な解釈ではない。吉本自身が、一九八〇年代末に書かれた『ハイ・イメージ論Ｉ』で、飛行機の高さから地上を見れば、自然の循環系と産業が作り出した人工環境は対立的に見えるが、人工衛星の高度から地上を俯瞰すれば、大都市の形状も蟻塚のようにある種の「生物」の作った「コンクリートや石材や木材からできた」「人工的な地層」として見えてきてそこでは「人工物と天然自然との差異がなくな」ると、世界視線という概念を用いながら、述べている（「地図論」）。

一般的には自然と人工は対比的に考えられ、そこからエコ・システムという生態系の見方が生まれるが、もし人間が人工衛星の高度を有する人間観を獲得すれば、いきものと人間、自然と産業・市場のあいだの差異は消えるというのだ。そこで生態系（生のシステム）は、私のいい方を用いれば、自然と人為の対立を無化し、産業・市場をも人間活動の一環として内包するビオ・システムとして現れるだろう。都市化現象もいきものとしての人間の活動の一環として「新種の地質層」に等しいという、この洞察に、マルクス由来の吉本の自然史的な過程という考え方の真骨頂が顔を覗かせている。吉本のいう自然史的な過程とは、いったんその見方に立つと、そこでは都市と田園と自然がともに人間の活動の一環の同一線上に現れ、科学技術上の進歩、学問的真理の追究という高尚な知的関心と、利己的な人間の利害追求という自然で通俗な欲求とが、同位の「力能」として脱倫理的なフィードバック系に現れてくる考え方なのである。

だとすれば、それが儲けにならぬという経済的な理由も、使用済核燃料の廃棄先が原理的に見つからないという事実認識のもと、想定外の事故によっていよいよ高まるだろう人々の不安も、新しい外部からの「入力」としては、科学技術の進歩、あるいは資源枯渇の不安と、同じ資格をもっている。私はむしろ、この自然史的な過程という考え方が、生態系を市場、産業を排除してなる自然本位のエコ・システムから、これらをすべて含み込んでなるより広義のビオ・システムへと拡張する上での理論的な基礎をなすと考えている。その私の観点からすれば、吉本は、有限性の近代に届く見方をマルクスから取りだしながら、なおその適用において、飛行機の高度、ないし無限性の近代のあり方に、——少なくともこの原発観では——停滞していると見えるのである。

市場、生産、産業から、経済、社会的な要因までを含み込んだ広義の自然史的な過程とビオ・システムの観点に立てば、このたびの原発事故は、優に、原発への評価を変えさせる条件を満たしている。なぜなら、それは、原発が実は、経済効率的にも――事故の絶対的安全性を担保できない限り――人類に貢献できないこと、軍事的な側面を取り払えない以上、少なくとも日本では秘密主義を免れず、その絶対的な安全性が担保できないだろうこと、また、核廃棄物の処理の方法をいまだ人類が見つけ出せていないことの意味が、これまで考えられてきた以上に重大であることを、稼働以来六〇余年で三度という高い発生率を通じて示しているからである。これができごととして、外部からの新しい入力でなくて何だろう。そこから、さまざまな経済的社会的な進展の過程が起こるとすれば、それを、自然史的な過程として、二義的なものと見る理由は、いまや以前にもましてなくなっているというべきなのである。

さて、ここで私は当初の問いに戻ろう。

この新しい入力は、当然科学技術の問題にもはねかえる。先に私は、現在、技術革新が巨大化、高度化の一途をたどりながら「限界超過生存（オーバーシュート）」の時代を生きているという観察について述べた。また、この時代にあって、技術革新のもつ意味が、実は人類の叡智といわれたりもする希望の核心をなしているという、少なくとも私にとっては意外に思える発見についてもふれた。

自然史的な過程という考え方は、技術革新もまた、私たちの広義の生態系（ビオ・システム）のうちにあり、その一要素をなしていることを明らかにしている。技術革新は、そこでどのように動いてきたのか。また、現に動いているのか。そしてその動きは、有限性を肯定しようとする私たちの問いの磁場にあって、何を意味しているのか。

8　技術革新と笑い

オーバーシュート期の技術革新

技術革新が産業システムのなかで有限性の臨界にぶつかると、どういうことが起こるのか。もう技術革新はなくなるのか。それとも、そのあり方と、その意味が、変わるのか。

技術革新の無限進行性の終りは、ほかの外部の自然と人的自然の無尽蔵の崩壊とあいまって、たとえば柄谷行人が考えているように、ただちに「国家による暴力的な占有・強奪にもとづく」状態への退行、あるいは「戦争」をもたらすわけではない（『世界史の構造』四二〇頁）。限界をすぎると、起こるのは、先に述べたように、オーバーシュート、つまり限界超過生存ともいうべきそれとは別種の状況である。

銃弾がゴムの分厚い膜にぶつかる。しかし貫通しない。すると、その銃弾は「膜を引きずって」ずるずるとそれでも前方に進行することをやめない。それ以後は、進行につねに、たえまなく逆向きの負荷、フィードバックがかかるようになる。

一九九二年に刊行された『成長の限界』の第二版『限界を超えて』は、地球の有限性について、第一版刊行以来、二〇年の間に「技術改良や環境意識の高揚、環境政策の強化などが見られるにもかかわらず、多くの資源や汚染のフローがすでに持続可能性の限界を超えてしまっていることがわかった」と述べている。七二年ではまだ限界に達していなかったが、九二年ではすでに、限界を超えていたのである。

『成長の限界』は内からくる有限性についてはチェックしていないが、もしチェックが行われていれば、この時期、産業システムの内部においても、力能の核心である技術革新が「成長の限界」に達し、もはや限界超過生存の領域に入っていることが、確認されただろう。そこでの限界超過とは、この本の定義からすれば、「富」の生産と「リスク」の生産のバランスが、とうとう崩れた、ということである。一九八六年のチェルノブイリ核事故とそれに先立つ大規模産業事故の前景化が、そのことの明らかな指標であり、ベックが『リスク社会』で指摘していたことも、こう考えてみれば、産業システムの内的な有限性の限界超過にほかならなかったとわかる。

それ以来、私たちは、リスク化がフィードバック化と並行して進行する新しい時間帯、オーバーシュート期、限界超過生存の時代に突入した。ここに現れているシステムが、もし私の考えるように産業、技術、市場の動向をも繰り入れた広義の生態系、ビオ・システムとしてあるのなら、当然、リスクの増大という趨勢にともない、新たに「リスクの生産」と「リスクの抑制」との間にバランスを回復しようという、もう一つの動きが起こってくることが考えられる。

しかし、それが技術革新のかたちで起こってこようとも、だからといって、大前研一が考えているように、この危機をフィードバックし、別種の舵取りを行うことで、これをクリアして、さらに無限進行していくわけでないことは、いうまでもない。

私たちは、柄谷がいうように、これまでのいわば無限性の近代を前提とした産業資本主義の存立の条件を、外的にも、内的にも失っている。一度使われた資源はもう戻ってこないし、そこから生まれた廃棄物による環境の汚染もまた、旧には復さない。産業資本主義を支えてきた人的資源も飽和の状態を迎えつつある。また産業は「リスク」化の閾値到達によって、少なくとも従来の方向での大規模化、高度化、高速化に基づく技術革新の可能性の息の根をとめられてしまっている。〔後注〕

そのような「入力」を前にしては、大前の今回の事故を奇貨としての原発改良論はいうに及ばず、吉本隆明の「完璧に近いほどの放射線に対する防御策を改めて講じ」、「新型の原子炉を開発する資金と同じくらいの金をかけて、放射線を防ぐ技術を開発する」(「『吉本隆明』2時間インタビュー『反原発』で猿になる!」)という従来型の巨大、高度、大規模式の科学技術的対処も、もはや有効とは考えられない。同じことが大前と同様の考えに立つ立花隆、寺島実郎の主張についてもいえるはずだ(彼らの論への批判は拙論の「祈念と国策」を参照)。私たちに求められていることは、まず、この限界超過生存が、地球の有限性という不可逆的な変容からやってきていることを、しっかりと受けとめることである。これらは、回復不可能な、もしくは完全な回復を期待できない、不可逆な移行の産物である。シェールガスが大量に見つかったとしよう。たしかにそれによって破綻は先送りされる。でもその意味は限界超過生存の猶予期間が伸びるというに過ぎない。やがてやってくる未来を、どう生き延び（survivre）、さらにどうよく生きるか（vivre）という課題は、このような要素がいくら付加されても、動かないのである。

むろん、限界の到来を従来型のイデオロギーに立って過剰に、破局的に受けとることにも、注意が必要だろう。国家と資本を「揚棄」することによる革命的な運動（柄谷行人）や、マルチチュード（国籍を超えた非組織型の群衆）による反乱といったイデオロギー（アントニオ・ネグリ）にも、同じように新しい時代を開く可能性は見込めそうにない。革命にも、反乱にも、無限性の近代の産物である産業主義、国家主義への対抗イデオロギーといった意味あいが色濃くつきまとっている。これらにもまた無限性への素朴な信憑という停滞性は否定できないからである。

こうした対抗イデオロギーに対し、私が一つ、新しい可能性を見るのは、思想的なツールとしてのサイバネティックスという考え方である。サイバネティックスを思想として受けとることが何を意味するのかはまだわからない。しかしその指し示す方向を想像すれば、それは環境との対話を、旧来のイデオロギーとはべつの形で呼吸するように取りいれた謙虚な思想である。また生態系をこれまでよりも根底的に、拡張して受けとり直す弱められた思想である。それは、産業をも技術をも敵視しない。と同時に、自由と欲望に人を動かす駆動因としての権利を与えるが、それが外からの入力によって教えられ、新たに学び、あり方を変える可能性にも、道をひらいている。それが示唆するのは無限性の近代を駆動してきた欲望と力能の相関からの離脱、「したい」と「できる」の相関への隷属からの分離と独立の可能性にほかならない。先にみたマルクス経由の吉本の自然史的な過程をめぐる考え方は、ほんらい、こうした思想的可能性の哲学的な根拠を示すものでなければならないのである。

これらを念頭に、私はこの先、Ⅳの冒頭に掲げた、有限性を肯定するとはどういうことかという問いに答えるべく、まず、じぶんたちの社会と世界に新しく起こってきている事態がどのようなものであるかの、一種簡略な素描へと進みたい。

産業システムがそのおおもとで自然史的な過程として進展し、そこに人間と社会の関与が加わってフィードバック作用を起こす。そういう条件のもとで、技術革新が「リスク」化の増大、さらに限界超過生存という新たな状況にどう向きあっているか、どう向きあってきたかを、この観点から記述してみたい。

すると、すぐにわかることがある。

技術革新のありようが、それこそこの半世紀近くの間に、大きく小資源・小廃棄の方向に変わってきた。つまりフィードバックは産業システム全体としても、社会全体としても、私たちが思うよりもだいぶ早く、もう五〇年も前くらいから、はじまっていた、というのがそれである。

その意味は何なのだろうか。

星野芳郎の『技術革新』

まず、基本的なところから。

私たちは技術革新の「限界超過生存」期のありようについて見ようとしている。

では技術革新とは何なのか。

この問いについて考えるのに、昨年、色々と探しまわっているうち、適切な手がかりを見つけた。技術史家星野芳郎が一九五八年と一九七五年と、二度まで版を改めて上梓している、『技術革新』という本である。

これは、技術史、文明史的な観点からの技術革新論があまり見あたらないなかにあって、広い視野に立つ、稀少かつ先駆的な技術革新論の試みである。星野は、第一版刊行後、三年目にこれを絶版にし、一四年後の一九七五年に、次の版を刊行している。その結果、同じ著者の手になる内容のまったく異なる二つの技術革新論が出揃うことになった。そこに働いている修正、認識の違い、立場の変化が、彼の技術革新論に、他に例のない厚みと幅を与えている。

さらに、これは特に私のこの論にとってということだが、もう一つ都合のよい事実がある。星野は一九二三年に生まれ、一九四四年に東京工業大学電気化学科を卒業している。一九二四年に生まれ、一九四七年に同じ大学の同じ学科を卒業している吉本隆明は、したがって、星野の数年後輩ということになる。星野も吉本も東京生まれ。星野は松本高等学校理科甲類に学び、吉本は、東京府立化学工業学校をへて米沢高等工業学校（現山形大学工学部）に学び、ともにその後東京工業大学に入学している。吉本の戦前の母校、東京府立化学工業学校の現在の名称は東京都立科学技術高等学校。つまり、二人は戦時下の一〇代から二〇代にかけての時期を、ともに科学技術の徒として過ごしているうえに、教育的な出自がきわめて近いのである。

このことが私にとって好都合なのは、次のような理由からだ。

『技術革新』第一版刊行の一九五八年から第二版の一九七五年までに、一七年の間隔があいている。ところで一九五八年の一七年前は、一九四一年で、アメリカが原爆開発のマンハッタンプロジェクトへの着手を決定した年にあたっている。つまり私たちは、原爆開発以来、一七年後、次の一七年後の技術革新の見方をここに手にしていることになる。星野は、その後、二〇〇一年刊行の新書が『自然・人間——危機と共存の風景』と題されていることからわかるように、技術革新の最前線から離れ、自然と技術の共生のほうに姿勢を転じてしまうのだが、もし彼が辛抱強く関心を持続させ、第二版のばあいと同様、一七年刻みで第三版、第四版を新しく見直し、その時期ごとの技術革新観を刊行し続けていたら、どのようなものとなっただろう。ここからは、そういう夢想が生れてくる。

一方、吉本が一九八九年から九四年にかけてコンピュータ革命ともいうべきものに出会った衝撃から書きついだ高度消費社会論、高度情報化論に、『ハイ・イメージ論I〜III』という三部作がある。その後日本社会のバブルがはじけ、関心が内向きとなったため、いまではなかば忘れられているが、この現代社会論の試みを——しかるべき操作をへたうえで——星野の先行二作に接ぎ木すれば、私たちはここから、一九四一年の原爆開発着手決定以来、ほぼ現在まで、優に半世紀を超える技術革新の変容を、二人の理系学徒の同時代科学技術への関心をよすがに、一望できる。そこから、技術革新が一九五〇年代以降、何にぶつかり、どのような変容をとげたのかを見てとることも、あながち不可能ではない。

星野は、一九五八年の『技術革新』(第二版) 本文の冒頭を、こう書き出している。

〝技術革新〟とはみょうな言葉である。(中略) こころみに『広辞苑』(岩波書店) や『小百科事典』を引いてみたまえ。そんな言葉はどこにも見ることができない。

それが、一九五六年の『経済白書』で、ひとたび〝技術革新〟がもちだされ、それが当時の異常な好況の支柱にされたとなると、ちょっとした技術革新ブームになった。『経済白書』によると、技術革新はシュムペーター経済学で言うイノベーション(Innovation) の訳語だとされているが、(中略) 一種独特のニュアンスをもった新語として、今では日本語の語いのなかに、どっかりと腰をすえてしまった。(『技術革新』一〜二頁)

まず原義から。技術革新の原義、イノベーションとは、技術に限らず、経済活動一般において旧方式から新方式に飛躍が起こることをさす。星野の述べるシュンペーターの著書を読むと、そこには、イノベーションの出力源として新しい生産方法の導入（これが技術革新にあたる）のほかに、新しい財貨の生産、販売先の開拓、仕入れ先の獲得に加え、既存の独占などを打破したり、また独占を作りだす「新しい組織の実現」と、都合五つのイノベーションの類型があげられている（『経済発展の理論』）。ここから起こる変革は、創造的破壊と呼ばれる。一九三七年、異例にも英語原文のまま掲載されたその「日本語版への序文」に、シュンペーターは、はじめ気がつかなかったが、「自分の考えと目的」はどうも「マルクスの経済学」のそれと「同じ」だとわかったと記している（同書序、三三頁。たぶんこのために序文は英語のままだったのだろう）。技術革新というコンセプトは、先のマルクスの自然史的な過程、さらにサイバネティックスのフィードバックにもフィットする、マクロ的な経済学の観点から取りだされてくるのである。

星野の著書の第一版での焦点は、原子力、オートメーションに代表される新しい技術体系の出現による（星野のいう）第三次の産業革命の新展開におかれている。星野によれば、そのきっかけは第二次世界大戦にあり、その中核は、原子力エネルギー、ジェット機、ミサイル、宇宙科学、オペレーションズ・リサーチなど、軍事的な意味あいをもつ科学技術によって占められている。

ところで、先にふれたように、星野は、このよく出来た第二版を、三年目には絶版にしてしまう。「情勢はどんどん動いており」、「そのままの形で」「版をかさねることは思わしくないと考えた」というのが、表向きの理由だが、第二版を読んでみれば、第一版を出した後、技術革新の未来に対し、少々楽天的すぎたのではないかという反省が生じたのが、そのほんとうの理由だったろうと推定できる。

事実、その後、「動き行く歴史の後を追うのにせいいっぱいで、歴史の先の見とおしがたたない」ため、つづいて出そうとした第二版の出版までさらに「一四年の月日」を経過している。そして、一九七五年にようやく刊行される『技術革新　第二版』の第一章のタイトルは、「技術革新の停滞」である。そこでは一転、二〇世紀後半以来、技術革新が一定の停滞期に入ったという逆向きの判断が、基本的なトーンを占める。そこに彼は、こう書いている。

技術革新が停滞して、従来の技術よりずっと生産性の高い新技術が容易にあらわれないのでは、企業競争において生産性を競うさい、装置産業や輸送産業では、装置の大容量化や輸送機関の大型化高速化の方向をとらざるをえないことになる。同じ技術原理の枠内で、そうした形での部分的改良がすすみ、技術はやがて爛熟の極に達するであろう。そして、経済的な必然性から言えば、いよいよ技術原理そのものの変化が強く要求されざるをえないことになる。(『技術革新　第二版』七三頁)

一九五八年から一九七五年へ。

そこでの変化の主流を要約すれば、一、技術革新の停滞、二、その結果としての産業規模の大型化、高速化、三、その帰結としての産業事故の巨大化、過酷化、となる。

産業事故という観点が、こうして、はじめてせりあがってくる。

星野は、七五年当時の観察結果を、「新技術が容易にあらわれない一方で、従来の技術の爛熟はいっそう深まり」ったとし、その結果、「大型化は筆者の予想をこえてすすんだ」と概括している。

ちなみに一九五八年の第一版に、産業事故という語は出てこない。「リスク」は、この時点でまだ何ら産業技術の世界で注目されていない。それが、一九七五年になると、産業事故の「被害は未曾有の規模に達するという可能性」が、技術の地平にはっきりと、その姿を見せるようになる。

ここからどんなことがわかるだろうか。

ひとつは、次のことである。

先に述べたように、星野の『技術革新』はこの後、改訂も再執筆もされなかった。けれども、もし同じく一七年後の九二年、さらにその一七年後の二〇〇九年に、続く第三版、第四版が新しく書かれていたとしたら、どのような展開が見られただろうか。簡単に言えば、まず、従来型の大型化、高度化、高速化は、いったん停止する。そしてその後、高止まりする。なぜか。

その主因として、「リスク」という考え方の浮上ということがあげられる。一九八六年、ベックが『リスク社会』を刊行するのは、このような文脈における、「リスク」概念浮上の過程においてである。

リスクに関しては、これまで言及してこなかったが、世にいわゆる「リスク学」なるものが存在している。これは、ベックの『リスク社会』に先立ち、一九七九年のスリーマイル島原発事故などを受け、早くも一九八〇年ころからアメリカを中心に産業システム内部に生まれた新規の学問分野である。ただし、ベックの『リスク社会』におけるような産業システム全体のあり方を問う構えはもたない。むしろ危機に瀕している産業社会をどう「リスク・マネージメント」により安泰にもっていくかという体制内機能に力点がおかれている。

二〇〇七年には『リスク学入門』と題する全五巻の叢書もでているが、原発などの巨大技術そのものへの構えは弱く、そのため、日本では、三・一一の後、なぜ原発に対して有効な警告を発せられなかったか、事故後の対応も体制よりで、微温的なのはなぜかと、この新領域の専門家に対して、不信の声があいついだ。

学問としては、十分なものとはいえないが、とはいえ、このようなあり方を通じて、「リスク」という考え方が体制内的な「リスク学」から、反体制的な「リスク」概念、さらに脱近代的な「リスク近代」という観点までの幅で、七五年以降、新たに現れ、社会的に広く認知されてくる経緯が、浮かんでくる。

『リスク学入門』第一巻『リスク学とは何か』の巻頭におかれた共同討論で、経済学者の橋木俊詔は、経済学では「リスク」はギリシャ・ローマ時代から生命保険という形で存在したと述べているが、それは極端で強引な、的を外したいい方というべきだろう(「リスク論からリスク学へ」)。星野の『技術革新』第一版が教えるように、少くとも産業上の「リスク」という観点は、一九七五年以前、たとえば一九五八年には、存在しなかった。それが、産業のあり方の変化を通じて、新しく作りだされ、そこからこうした観点が社会に共有されるようになり、次に、この観点に発するフィードバックが、数十年をかけ、産業の大型化、高度化、高速化のそれ以上の拡大に、それでも陰に陽に、歯止めをかけてきた。忌憚なくみれば、そういう背景が、見えてくるからである。

したがって、そこに新しく前景化してくるトピックは、もし星野が仮りに第三版(一九九二年)を出していたら、産業事故に続く、「リスク」社会の浮上ということになっただろう。そこで星野は一歩踏み込み、反体制的な「リスク」概念、さらに「リスク近代」的な観点に立ち、技術革新の分析を試みただろうことが想像される。

では、第四版(二〇〇九年)ではそれは、どう素描されることになるだろうか。私の考えでは、先にあげた吉本の『ハイ・イメージ論』三部作がそのヒントを提供している。

よく知られているように、吉本は一九八五年に開かれたつくば科学万博で全視覚型コンピュータ・グラフィクス映像の体験を行った際の衝撃をきっかけに、高度消費社会、高度情報化社会における文化、科学技術、経済の変容の考察に乗り出す。これを技術革新の変容のヒントと見れば、先に産業事故の浮上によって高止まりすることになった科学技術と技術革新の大型化、高度化、高速化の動向は、ここに来て劇的に、小型化、高度化、高速化の方向に転じていることがわかる。第四版では、この転換こそが、最大のトピックとなるだろう。そこにはモノ（物品）からコト（情報）へという重大な転換も並行している。星野のありうべき二〇〇九年刊の『技術革新』第四版は、一九九〇年代以降、爆発的に世界を席巻するコンピュータ通信情報革命に焦点をあわせたものとなったに違いない。

つまり、第一に技術革新の停滞と産業事故、第二に「リスク」という抑止因子の出現、そして第三にコンピュータ通信情報革命。この三つが、一九七五年以後、現在にいたるまでに現れる大きなできごとなのである。

それらの内実をまず、産業事故について見れば、以下のようになる。

一九七五年から現在まで、この間続発したタンカー座礁事故など海上原油流出事故による環境破壊の規模は、絶大なものだった。タンカー事故としては、七九年の巨大タンカー、アトランティック・エンプレス号の別のタンカーとの衝突、八九年のエクソン・バルディーズ号原油流出事故など（そのうち流出量の最大のものは、タンカーではないが、二〇一〇年のメキシコ湾原油流出事故である）。いずれにせよ、その結果、タンカーの二重船殻が義務づけられるようになり、タンカーの積載量に一定程度で歯止めがかかるようになった。

一方、超音速機の開発では、高速化、大型化、高能率化に対し、騒音公害、非経済性、環境破壊などの観点から、すでに七一年にアメリカではSSTの開発が事実上中止されている。英仏共同開発のコンコルド機は、それを尻目に開発続行を決め、七六年に就航するが、超音速に伴うさまざまな制約から発注キャンセルが相次ぎ、経営的に苦戦を重ねたあげく、最終的に二〇〇〇年の墜落事故をきっかけに、二〇〇三年、飛行を打ち切られる。

一九八一年に運用がはじまるNASAの再使用型有人宇宙飛行船スペース・シャトル機の打ち上げプロジェクトも、これとほぼ同じ経過をたどる。五機準備されたうちの二機が、それぞれ、八六年、〇三年に爆発、空中分解事故を起こし、さまざまな経緯をへて、二〇一一年に運航を終了している。このあおりで、NASAで進行中の火星有人飛行計画も、中止となる。遥か遠くの先例、一九三七年のヒンデンブルク号爆発事故による飛行船の運航、製造、事業全体の中止が想起されるが、この範疇に入る巨大航空宇宙事故が、超音速機、宇宙飛行船をあわせ、星野の『技術革新』第二版が出た七五年以降だけで三件、一九八六年、二〇〇〇年、二〇〇三年と連続して発生している。

また、先にふれた例だが、八四年にはインドのボパールでその被害の過酷さ、甚大さから史上最悪と評される、米国に親会社をもつ化学工場の爆発事故が起きた。現在までの被害者総数は一説に五〇万人にのぼるともいわれる。ベックに『リスク社会』を構想させた巨大過酷産業事故の一つは、間違いなくこの事故だが、このとき以来、タンカー、超音速機、スペース・シャトル機、すべて、産業事故による「リスク」化の増大を理由に、工場閉鎖、製造制限、就航停止ないしプロジェクト中止などの措置に、見舞われている。

日本も例外ではない。星野の第二版は、一九六八年に着工された原子力船むつ号が、ちょうど刊行の前年の原子力航行試験中に放射能もれ事故を起こしたことにふれているが（一〇〇頁)、この原子力船もその後、九三年に原子炉を撤去、非核化され、現在にいたっている。

そして、一九七五年以降、こうした趨勢に決定的なインパクトを加えるできごととして、七九年のスリーマイル島原発事故、八六年のチェルノブイリ原発事故、二〇一一年の福島第一原発事故と、最大の産業施設である原子力発電所で、三度まで、事故が発生している。

星野の第二版は、七五年当時、すでに「大災害の可能性のある技術の展開」(二章)、「二〇世紀最後の四半世紀の『危機』」(三章)、「危機の歴史的根源」(四章)と全六章中三つの章で、技術革新と産業事故の関連を取りあげ、中の二つでは、「原子力発電所における大量の放射能の危険」、「原子力発電の技術的経済的破綻」について、特に論じている。しかし、このときは、警鐘を鳴らされながらも、原発事故はまだ起こっていなかった。このときなら、原発推進者たちも、いや、現に事故は起こっていないではないかと、反論ができたに違いない。

しかし、その後のたった三六年間に、三つの大事故が起こった。前に述べたように最初の発電用原子炉ができた一九五四年から数えて約六〇年のあいだでの、三度である。もし一九九二年に第三版が出ていれば、その焦点は、必ずや第二版以後、一七年間で二度まで起こった原発事故に絞られただろうし、一九八六年の伊東光晴の論考、ベックの『リスク社会』がともにふれる産業事故のリスクの質的な高度化——と「リスク学」のような体制内的リスク論への疑念——が、星野の観点から、論じられたはずである。

そして第四版では、その後新しく現れた動向として、一九九〇年代以降の通信情報革命の出現と、その意味が、広く技術革新の観点から語られたと考えられる。

技術と笑い

一九七五年以後の動きを、このように見てくれば、この間の技術革新の動向を輪郭づけているのは、ひとつに技術革新の大型化、高度化、高速化にともなう「リスク」化の増大とその方向での臨界の出現、そしてもうひとつに、コンピュータ通信情報革命の出現という、新しい二つのできごとであったことがわかる。

すると、そこからやってくるのは、「リスク」化の増大というできごとの出現を受けて、技術革新の動態にだいぶ以前から大型化から小型化へともいうべき変容が起こっていたようだという、新しい発見にも似た、ひとつの感想である。

事実としてあるのは、技術革新の動向が、「リスク」化の進行をへて、通信情報革命を契機に、これまでの大型化、高度化、高速化から小資源・小廃棄の技術開発へと一気に方向を転じたという変化なのだが、そのことが同時に、オーバーシュートの深まりの中でとうとう生じたフィードバックの本格的作動の開始、いわば真打ちの登場とも、見えてくるのである。

事実、この観点に立つと、そういえば、すでに一九七〇年代のなかばには、カシオの計算機やソニーのウォークマンなど「重厚長大」に対して「軽薄短小」な科学技術が、秋葉原を中心に現れてきていたが、これは恐竜の時代の次を用意する小哺乳類の蠢動だったかと、いまの日には見えてくる。そして七〇年代を通じて、これらの民間の高度ガジェットが軍産共同体の非効率のなかで動きがとれなくなっていたアメリカのロッキードやグラマンといった巨大軍産企業を尻目に世界の技術革新の方向を決定づけたこと、それが起こったのは一九七〇年代の石油危機の後だったことが、思い出されてくる。

またその延長に、この七〇年代の日本の科学技術の勝利が、この後、シリコンバレーに代表される八〇年代なかば以降のアメリカのＩＴ産業の勃興へと引き継がれていくというつながりも、見えてくる。先進諸国で見る限り、「大」から「小」、「重」から「軽」へのフィードバックは、すでに七〇年代初頭の石油危機から現在にいたるまで、一貫して、ゆらぐことなく働いてきているのである。

しかし考えてみれば、その動きは、さらに一九五〇年まで辿ることができるのではないだろうか。

一九六〇年代の後半期は、見田宗介の発見した人口増加率のピークアウト（頂点を記して後は漸減に転じる転換点）の時点でもある。見田は、世界人口それ自体は、現在に至るまで激増の趨勢を変えていないが、これを人口の増加率で見ると第三世界の国々を含め、一九六五―六九年をピークに、段階を踏んで減少に転じていることに気づいている（「軸の時代Ｉ／軸の時代Ⅱ――森をめぐる思考の冒険」）。そのとき彼を動かしたのは、韓国、タイ、メキシコというかつて「人口爆発国」といわれた国々が、「一九七〇年を変曲点として、いわば『世界同時的』に人口増加率の減少を開始している」という事実だった（『社会学入門』）。

ところで見田はこれをS字型の人口曲線と産業動向（歴史曲線）の相関のうちに語るのだが、彼によればこのS字曲線という現象を社会分析の基礎においた嚆矢は、一九五〇年に『孤独な群衆』を書いたデイヴィッド・リースマンである。リースマンは、そこで人口統計学からこの曲線を受けとり、「伝統指向」、「内的指向」、「他人指向」という大衆選好の三類型を導きだした。彼によれば、一つの社会の発展モデルを人口統計的に曲線で時期区分すると、たくさん生まれるがたくさん死ぬ第一段階（カーブは緩やか）が、たくさん生まれ、あまり死ななくなる第二段階（変曲点、カーブ急上昇）をへて、最後、あまり生まれず、あまり死なない第三段階（変曲点、カーブ再び緩やか）へと至る。その結果「S型カーブ」がえられる、という（『孤独な群衆』六～七頁）。

第一の高度成長潜在的な社会では大衆の同調性の基準は伝統にしたがう（伝統指向）。第二の過渡的人口成長期では典型的成員が幼児期にセットされる内的な目標から提供される（内的指向）。第三の初期的人口減退期の社会では、他人の期待と好みに敏感である傾向が同調性を保証する（他人指向）。

リースマンは、これは一つの着想にすぎないが、この変化と社会の成長の動向が相同的なことには根拠があるだろうと述べ、この三類型が、この頃作られた第一次産業（農業、狩猟、鉱業）、第二次産業（工業）、第三次産業（商業、コミュニケーション、サーヴィス）の分類と重なることに読者の注意を喚起している。

つまり、一九四八年、ノーバート・ウィーナーがサイバネティックスについての考えを発表してからほどなく、一九五〇年にはリースマンもまた、「ゆたかな社会」の到来と同時に、社会の動態が以後、それが生み出すものによって反作用を受けるだろうことに着目するのだ。第一の急激な増大にむけての変曲点は自然の力によって起こるが、第二の急激な増大から緩慢な静まりへの変曲点は、自分が生み出した変化の反作用、フィードバックの産物である。見田はこの半世紀以上も前の指摘に、統計的な数字の裏打ちと「全人間史的な意味と必然性」の観点をつけ加え、先の二〇〇八年の仮説に結びつけるのである。

気づいてみれば、「ゆたかな社会」の到来ということが最初の、人類にとっての「成長の限界」の指標だったのかもしれない。それが一九五〇年に現れ、その後、ほぼ一〇年単位で、環境（一九六二年）、ついで資源の限界（一九七二年）が指摘されるように継続してきたのかもしれない。これらを受けて、またこれらと並行しつつ、先進国の産業システムもまた、一九七〇年前後をピークに、以後、「重厚長大」から「軽薄短小」へと転じていく。そのことの総体が、人類のビオ・システムとしての生態系、産業をも市場をも含んだ自然史的な過程に基礎をおく、壮大なフィードバック作用としてみえてくる。

さて、ここまで見てきて、こう問うことができる。技術革新とは何か。またそれを生み出す力とは、どのような力なのか、と。

そのことについて、一九五八年の星野は、革命的な技術革新とは、たとえば蒸気機関から蒸気タービンへの展開にみられるような「特定の原理（技術論の用語で言えば主要な技術学法則)」の一大改変のばあいをさすと述べている。蒸気機関の原理は、「水の熱エネルギーを蒸気の静的な圧力に変え、これをピストンの往復運動に変える」もので、二世紀にわたって維持された。そこに、一九世紀の末、蒸気タービンが現れて、その原理を一変させる。そこでは、水の熱エネルギーを圧力に変えるところまでは同じだが、さらに、その先、「高速の蒸気の流れがタービンの回転羽根にあたって運動量の変化がおこり、これによって生ずる蒸気の衝動作用や反動作用が、タービンの回転運動に変えられる」ということが起こっている。もはや技術原理が違っている。その結果、蒸気機関の最大八〇〇〇馬力が一挙に三〇万馬力という出力にはねあがっている。こうしたものが、「技術の革命」なのだという。

これを受けて、星野は、第一版では、現在の技術史上の時点は、一八世紀末から一九世紀初頭にかけての蒸気機関と紡績機械の発明による第一次産業革命、一九世紀末から二〇世紀初頭にかけての第二次産業革命に続く、第三次産業革命の端緒期にあたっていると述べている。そして、第二版を、こう書きはじめている。

筆者は、本書の第一版でこう書いている。「現在は、第二次産業革命期の技術の最終的な爛熟の時期である。また現在はそれとかさなって、第三の技術の変革の開始された時期であり、それもまだきわめて端緒的な時期と言うべきである」(二六二ページ)。

ここで言う第二次産業革命とは、一九世紀最後の四半世紀から第一次世界大戦前にかけて登場した新技術群を基盤として、独占資本主義が成立した過程を指しており、その新技術とは、鋼の大量生産、アルミニウム、内燃機関、蒸気タービン、電力、自動車、プロペラ機、石油精製、合成染料、合成医薬品、化学肥料、再生繊維、コンクリート、板ガラスの大量生産、電話、無線通信、真空管等々を指している。これらの技術は、その後いちじるしく部分的改良をとげたが、その原理は依然として変らず、第二次世界大戦後、爛熟の極に達してきた。一方、それに対して、チタン、ガスタービン、原子力、ジェット機、ミサイル、合成繊維、合成ゴム、プラスチック、合成洗剤、抗生物質、農薬、レーダー、テレビ放送、半導体、コンピュータ等々の技術が、新しい原理によって、ぞくぞくと登場してきており、筆者はそれらを、産業革命以来の技術史上の第三の変革期の技術群と規定し、かつ、この第三の変革は、まだごく端緒的な時期にあると述べたのである。(一～二頁)

つまり、綿紡績機、製鉄技術、蒸気機関などの登場で特定される一八世紀から一九世紀にかけての産業と社会構造の変動を、第一次産業革命とすると、これに、石油を中核資源とする新しい技術の原理の展開による一九世紀後段から第一次世界大戦にかけての第二次産業革命、ついで二〇世紀中葉の、やはり新しい原理の登場に促された第三次の産業革命が続いている。

その場合、第三次の産業革命を特定する新しい科学技術とは、原子力であり、宇宙航空科学である。もう少しいえば、これらをささえるコンピュータ、システム管理=サイバネティックス、また新たに生れてきた遺伝子医療、分子生物学がこれに加わる。そして現在は、この第三次の産業革命が完全に開花した時期にあたっている。

ここから、何がわかるだろうか。

第三次の産業革命の第一次、第二次産業革命との最大の違いは、原子力エネルギーの解放という最上級の技術革新を原動力としたわりには、著しく民生への波及力に乏しかったことである。第一次産業革命の蒸気機関は鉱山の水抜きポンプの改良のために発明されるが、あっという間に繊維産業、鉄道、船舶に応用され、民間産業の爆発的発展につながる。繊維産業で起こったジョン・ケイの機織り機械の発明が玉突き的に次の工程でアークライトの水力紡績機の発明を促す。それと、ほぼ同時に現れたワットによる蒸気機関が結びつき、カートライトの力織機の発明をもたらす、というように。

第二次産業革命の基盤をなした転炉と平炉の製鋼法も、鉄道を飛躍的に発展させ、鉄船を普及させる一方、生産部門で広く各種産業機械の高速化、精密化、巨大化をもたらす。石油が自動車産業をささえ、もう一つの原動力である電力も、エジソンの白熱電灯の開発を促す一方、機械工作工場の生産動態を一変させ、以後、機械工作の大量生産の時代が幕を切って落とされ、社会は大きく変わる。

これに対し、第三次の産業革命の端緒期を特徴づける原子力と宇宙技術は、ともに軍事技術に出自をもち、莫大な国家予算をつぎ込まれた大プロジェクトとして推進されたわりには、その後、めざましい技術革新上の展開も見せず、民生部門への寄与も少ない。星野によれば、その理由ははっきりしている。それらは、ともに軍備拡張競争下で、極端な秘密主義のもとに管理され、また、消費者の手からも離された隔離技術だったからである。

星野の第二版は、産業事故の浮上とともにこの原子力開発と宇宙開発の跛行的なあり方の指摘に大きな頁を割いている。彼は、アポロ一一号の月面到達に代表される国家の威信をかけた宇宙開発のために、いかにアメリカの全研究体制が「大きく引きかきまわ」され、その後、アメリカの技術革新が「深刻な停滞状態におちいった」かについて詳述している。アポロ計画の最盛期には、二〇〇をこえる大学、研究所がかかわり、参加人員は一七万人に達した。これだけ多くの人間が、最短時間に国家の威信をかけた目的を完遂するために動員され、単に従来の技術の応用に徹し、酷使されればどうなるか。「特殊目的のための部分的改良のベテラン」は多数生れるが、「普遍的な創造の根」は枯渇する。アメリカにとってこのようなやり方は、マンハッタン計画という先例があった。アメリカ政府もそのことは重々承知で、丁寧にもアポロ一一号の打ち上げの日には、二四年前にアラモゴルドで世界最初の原爆実験を成功させたと同じ七月一六日が選ばれている。第三次の産業革命の停滞は、星野によれば、いわばその発端から、運命づけられていた。

しかし、この後、技術革新は新たな展開をみせる。コンピュータ通信情報革命である。

なぜこのようなことになるのだろうか。

星野は、一九九〇年代以降に開花するこの第三次産業革命の後半の展開、ないし第四次の産業革命への胎動については、ふれていない。しかし、彼が丁寧に跡づける技術革新の動態は、私の目に、技術革新の全体に関して一つの新しい視点を示唆している。なぜある種の軍事技術は連合国では開発成功につながり、実を結んだのに、ドイツ、日本など枢軸国では、失敗しているのか。その背景を星野は、『技術革新』第二版に、こう記している。

第二次世界大戦時に、連合国側と枢軸国側の戦略に大きく影響した軍事技術にレーダー防空網の構築と管理がある。レーダーがあれば、敵機来襲をだいぶ遠方にある時から探知できるので、防御態勢を取りやすい。イギリスは、戦時下、このレーダー防空網の構築にこぎつけ、以後、ドイツ空軍の爆撃をほぼ完璧に排除できるようになる。一方、ドイツは、その構築に失敗し、連合国軍の空襲になすすべもなくなる。けれど、星野によれば、レーダーの技術ではイギリスとドイツの間に差はなかった。違いは、その技術スタッフと軍部、政府人員との関係の質にあった。開発の可否は、オペレーションズ・リサーチというフィードバック機能の導入にかかっていた。そして鍵は、この新しい調査分析調整のシステムが、民間人と軍人両者にわたる対等で自由な協同作業によってしか構築されないということにあった。つまりフィードバックが可能か、またそれが生き生きと作動するかどうかが、カギとなったのである。星野はいっている。

なぜドイツはレーダー防空網の管理に失敗し、連合国はそれに成功したのだろうか。この問題を解くカギは、オペレーションズ・リサーチの遂行のための一つの重要な条件にかかっている。それは、当時はスタッフとしての科学者たちは、軍隊の階級のない市民として活動することが必要であった、ということである。レーダー防空網というまったく新しい防空機構を運営するには、スタッフたちが戦場で縦横無尽に活動できることが必要であったし、そのためには、軍人と軍人であるとを問わず、あらゆる部局と直接に通信する自由が必要であり、一兵士とも将軍とも対等の立場で接触し協力することが必要であった。
（『技術革新』四九〜五〇頁）

それが、イギリスではうまくいった。「（組織の長となった――引用者）ブラッケット自身はと言えば、第一線の部隊にも参謀総長会議にも、市民の立場で自由に出入することができたのである」。技術がある程度の高度なレベルに達し、多くの機能と作用の綜合が問題になると、その運用とレベル向上には、フィードバックの作動が不可欠となるため、このような民主、公開、自主の気風を条件とする自由で風通しのよい組織、システム、ネットワークが不可欠となってくる。当時のイギリスには、戦時下にあってなお、軍人と市民、科学者間でこのような民主、自主、対等の人間関係が構築可能な自由な気風があった。それがドイツ、日本には欠けていた。両者の違いは、そこにある。技術革新は、科学技術や経済的社会的要素といった個々の力能の要因だけで起こるのではないこと、そこにはほかにさまざまな人間的で社会的な関係性の要因がなければならないこと、さらに、こうした気風を「力能」に転換するシステム的な柔軟さがなければ、これは実現されないだろうことを、この事例は、示している。そもそもシュンペーターがなぜイノベーションを広い意味で述べているのか、その背景がここからもわかる。イノベーションとは、単に経済的産業的技術的な要因だけで起こるものでも、起こせるものでも、ないのである。

同じ戦時下出自の技術とはいえ、原爆製造、宇宙開発は、これと対極の位置にある。レーダー開発は、戦争のさなか、軍部と民間を距てる仕切りが外れ、民間の技術と軍人のあいだに生まれた自由闊達なチームワークが、戦場での試行錯誤を生かして技術開発に結びついた成功例といえる。これに対し、マンハッタン計画、アポロ計画は、民間の科学者と技術者を国家が秘密目的に総動員し、民主、公開、自主の気風を戒厳令下において圧伏したうえで、いわば力ずくで目的を実現した成功例なのである。

星野はふれていないが、たぶん同じことが、一九六〇年代後半からのソ連についてもいえるだろう。なぜ一九五〇年代末のスプートニク、ガガーリンの衝撃的凱歌を最後に、ソ連の科学技術産業はその後、停滞することになるのか。フランシス・フクヤマは、ソ連専門家として、『歴史の終わり』のなかで、その主因を自由さに欠けるソ連の硬直した産業政策体制（中央計画経済）が、そのころはじまった「脱工業化」と呼ばれる科学技術と産業全体の高度化に対応できなくなった点に求めている（「なぜマルクス－レーニン主義は『脱工業化』に失敗したのか」）。

しかし、なぜこのようなあり方の後に、第三次の産業革命期の後半、「大」から「小」へのコンピュータ通信情報革命が、起こりえているのか。

ひるがえっていえば、こうした疑問が、この後のコンピュータ通信情報革命の本質がどこにあったかを、明瞭に語っているだろう。五〇年代、六〇年代の軍産複合体による大規模軍需産業に対し、八〇年代、九〇年代に生まれてくるのは、民間主導、小規模資源、小規模廃棄のエレクトロニクス科学産業である。両者の科学技術的な対比は、原子力技術、宇宙飛行技術対コンピュータ技術というもので、それだけなら、「大」から「小」への移行といえるものの、ともに軍事的、国家的出自をもつ最先端技術である点は、変わらない。コンピュータによる巨大な計算なしに核兵器、原子力技術、宇宙飛行が微動だにしないことを考えれば、そのことはすぐにわかる。違いは別のところにある。秘密主義、上意下達、つまりフィードバックの生動性が断たれると、技術革新をささえるビオ・システムは停滞する。ここでも両者を分かっているのは、民主、公開、自主の気風、自由な関係と風通しのよさの有無、つまり、――そこに「笑い」があるかどうか、なのである。

「笑い」はどこからくるか。

スティーブ・ジョブズ（アップル）、ビル・ゲイツ（マイクロソフト）、マーク・ザッカーバーグ（フェイスブック）、さらにリーナス・トーバルズ（リナックス）、またジュリアン・アサンジュ（ウィキリークス）。これらが広くとらえたばあいのこの通信情報革命の担い手たちのうち、ほんの数名の名だ。こうした名前を思い浮かべ、原子力産業、宇宙技術の担い手たちの機構、さらにＩＢＭといったコンピュータの巨大産業を並べてみるだけで、その答えが見えてくる。転換のカギは、国家大の秘密主義、権威主義の対極にある、若い起業家たちの非エスタブリッシュな、自由で新しいセンスにある。その快楽志向、ある意味でだらしなさにも通じる自由闊達な関係と組織、さらにいえば、反骨心も批判精神ももちあわせた、人間同士のネットワークの新しい質、フィードバックを可能にするもの、ストックの対極に位置するフロー、そう——「笑い」の淵源はそこにある。

星野が七五年時点で、コンピュータ科学技術の未来を人工頭脳の開発の方面に予測し、あまりこの方面では将来に多くを期待できないと述べていたことは、ここでこれらのうち、何が未曾有の要素であったかをはかる一つのヒントとなる（第二版、五八〜六二頁）。ポイントはコンピュータというよりも、インターネットにある。そもそもインターネットは、アメリカ国防総省の高等研究計画局（ＡＲＰＡ）の資金提供に発端をもっていた。中心をもつツリー状のネットワークでは核戦争レベルに対応できないため、中心部をもたないリゾーム（地下茎）状のウエブ（くもの巣）型通信網を構築しようというのが、その国家構想の起点だった。それが、民間に主導権が移ると当初の思惑を越えて意想外の方向に広まっていく。これが、現在インターネットの発端に関していわれる通説である。これがほんとうかどうかはわからない。でも、たとえ事実ではないとしても、そういわれているということが、示唆的である。

なぜなら、もし、ＩＢＭに代表されるコンピュータ科学技術の大手がこの領域の技術革新を主導したら、星野の予期したように人工頭脳といったハードウェアの開発には向かっただろうが、いまある通信情報革命の方向には向かわなかっただろうからだ。技術の「力能」が国家や大企業の秘密主義や非公開性の拘束を脱したとき、はじめてフィードバックが機能した。コンピュータ単体というよりは、それがサンゴのように群生することで新たに生まれるインターネットの未知の可能性に気づいたのは、ＩＢＭという巨人に蟷螂の斧のかよわさで立ち向かった、ドロップアウト、あるいは学生あがりの若者たちだったのである。

彼らシリコンバレーの起業家たちが、群体としてのコンピュータの「力能」に感応した。その感応とは、これが社会に役立つ、国の安全保障に必要だ、ということではなかっただろう。「役立つ」かどうか、「必要」かどうかは、わからない。でもとにかく、「楽しい」、「便利だ」、「面白い」。そのようなかたちでフィードバックが起こり、そういう理由で動かされる人々と組織が生まれるようになってはじめて、この革命が可能になったということが、ここでの最重要のポイントである。

その自由闊達、ある意味ででたらめな野放図さは、彼らをモデルにして作られた映画『バトル・オブ・シリコンバレー』（一九九九年）、『ソーシャル・ネットワーク』（二〇一〇年）などに生き生きと描かれている。すべてが事実そのままではないとしても、この野放図さ、でたらめさ、自由奔放さは、ほんとうだったろう。これらを見れば、人工頭脳とフェイスブックの違いが、どこにあるのかがわかる。技術的にはシステム、フィードバックの動態の違いがいわれるだろうが、何より、その「力能」の発揮と感応の決定的分岐点をなしているのは、「必要」ではなくて「歓び」、イリイチではなくバタイユの道、つまり笑いの有無なのである。

さて、ここに私たちは一つの答えを差しだされているのではないか。コンピュータを起動力にしながらまったく誰も予想できない方向に進展した新しい通信革命、情報革命とは、このようなものだ。それは直接的には、いくつかの技術的革新と新しい自由の気風から生まれた。でも間接的にはそれが「リスク」化の進行に対する、私たちの社会の応答、フィードバックだったのである。

第四次の産業革命

ここでこの間の動きを少し遠くから眺めてみよう。

第三次の産業革命の中核は原子力技術と宇宙科学という大規模で高度な産業によって占められてきた。そしてそれが地球の有限性、世界の有限性という壁にぶつかり、そのことのフィードバックの結果として、九〇年代以降、通信情報革命に取って代わられている。

たぶん私たちは星野芳郎にならってそれを、第四次の産業革命と呼んでもよいかもしれない。けれども、もしそう呼ぶなら、この第四次の産業革命の特色は、第三次産業革命までの大資源・大廃棄が、小資源・小廃棄へと変わったこととして語られるだけでは不十分である。モノ中心の消費化社会からコト中心の情報化社会への重心の移動がみられるというだけでも、不十分だろう。コンピュータ単体の一方向発信型の情報化からコンピュータを群生するサンゴのように見立てた双方向性の情報化社会への転成も、大きな要因をなしているが、それをいってもまだ、不十分だと思われる。なぜなら、この産業革命の到来を可能にしているものは、そのような観点からでは、とらえられない。また、単にこのようなものであれば、技術の原理の改変とまではいえないからである。

「大」から「小」への転倒を可能にしているのは、国家主導の大規模、高度な産業の秘密主義と管理主義から、統率されない個人のネットワーク間の自由な気風への、担い手となる「力能」の交代である。この間の動きは、もはやこうした予測できない自由なあり方に主導されるのでなければ、新しい技術革新が起こりえなくなっていることを示している。第四次の産業革命の特色は、原子力技術、宇宙科学という軍事目的に立脚する国家大の巨大産業技術を推進力とした第三次の産業革命が、自由で気ままな非エスタブリッシュな若者の創発性を推進力とした通信情報革命に取って代わられたということにほかならない。そして、私の考えをいえば、そこにこそ技術の原理の改変に相当する新しい要素がひそんでいるのである。

通信情報革命、広くいえば情報化を主体とする産業社会がどのような原的な可能性をもつかについては、『現代社会の理論』で見田宗介のあげる、この後示す例が、喚起的だ。

私たちは、地球の有限化、世界の有限化をまえに、資源を枯渇させず、環境への負荷を弱めた新しい産業のシステムをどのようにしてか、作りあげなければならない。でもこの目標は、産業資本制システムから牧歌的な社会へと撤退することでは果たせない。また小資源・小廃棄の通信情報革命が新しく産業を起こすというだけでも、果たせない。なぜなら、それでは、北のみならず南の諸国の経済的困難にあえぐ全地球規模の膨大な人口までを養うことはできないからである。それには、小資源・小廃棄の産業によって、産業規模が小さくなるのではなく、そこからなお産業と市場に利潤が生み出される原理、現在の産業システムに代わる別種の産業の原理と、それに対応する人間のあり方が、示されなければならない。新しい産業の原理と新しい利潤＝関心＝興味（interest）の原理が生まれなければならない。ではどうすれば、全地球大の問題（ビオ・システムとしての生態系）を視野におさめたうえで、小資源・小廃棄の産業が社会をささえる可能性が示されうるのか。

見田は、大要このような問題関心につながるものとして、先の『現代社会の理論』で、こういう例をあげている。彼はいう。トウモロコシ粉に微量のココア、砂糖、塩などを加えただけで絶妙な「差異化」を施し、原価の二五倍もの〝暴利〟をむさぼる「ココア・パフ」と命名された商品がある。これは、スーザン・ジョージの『なぜ世界の半分が飢えるのか』に出てくる商品の例だが、そこでは、ある論者が、古典的な資本主義的な倫理観から、悪辣な「ぼったくり商品」の例としてこれを激しく批判している。論者は、平均生産者価格二ドル九五セントのトウモロコシ一ブッシェルを、朝食用食品企業が消費者にじつに七五ドル四セントで売っていると指摘する。しかし、これは見方をかえれば、会社が同じ利潤をあげるのに、二五分の一の資源しか消費していない例とも、みうるのではないだろうか。

秘密の核心は、第一に、少量の（あるいは微量の）ココアと砂糖と塩とを用いた、食料デザインのマージナルな差異化であり、第二に、「ココア・パフ」というネーミング自体にあったはずである。（パフは、シュークリームのような、ふんわかとしたお菓子のイメージ。）「ココア・パフ」を買った世代は、「トウモロコシ」の栄養をでなく、「パフ」の楽しさを買ったはずである。「おいしいもの」のイメージを買ったのである。（『現代社会の理

論』一四六頁）

見田はこう述べて、情報化の操作が加わることで、はるかに少量の資源と環境への負荷で高水準の経済活動が可能になることを示す。

見田がここに述べているのは、情報化ということが、地球の有限性の中で、無限の成長をとまではいわないまでも、いま想定されている限界を、超えでていくカギとなるだろうということである。

ここに新しい原理をみることができるのではないかということである。

しかし、こう問うてみよう。

なぜ、こんな魔法のようなことが可能なのだろうか、と。どこから、七五ドル四セントから二ドル九五セントを引いた差額の七二ドル九セントという利潤（interest）は、生まれているのだろうか、と。そう考えれば、それが情報化社会という社会のあり方と、それをささえる人間の関係、さらにそれを基礎づける人間の関心と興味、趣味（interest）の変化から、やってきていることがわかる。

ここで、「ココア・パフ」が勝利しているのは、「トウモロコシ」の栄養よりも、「パフ」の楽しさが、人に訴えているからなのである。

モノからくる栄養よりも言葉からくる楽しさが、あるとき以降、人に訴えるようになった。では、いつから、栄養よりも楽しさが、人を動かし、その結果として「情報」というものが大きな「力能」をもつようになったのか。というのも、ここに中世、あるいは近代前期の人間をつれてきても、彼が「パフ」の楽しさに反応するとは思われないからだ。腹が空いているからだけではない。言葉のもつ素敵さが、この中世人に対しては、「力能」にならないのである。

この問いにこたえるには、なぜ、いつから私たちのまわりに情報化社会というものが出現しているのかにまで、遡って考えてみる必要がある。それはハードな面、発信体の側の理由からだけ出現しているのではない。情報化ということが起こるためには、情報に反応する人間、情報を「力能」として受けとる人間が、生まれているのでなければならないのである。

私の考えでは、ここにたぶん、「必要」から「笑い」への重心の移動をもたらしたと同じ、私たち人間の側の変容の問題が顔をみせている。

私たちはいつのまにか、「トウモロコシ」の栄養よりも「パフ」の楽しさに反応する身体、新しい受信体になった。それが、「情報化社会」というものを可能にし、ひいては通信情報革命という技術革新を可能にしてきた、もうひとつの条件なのである。

〔後注〕

二〇一四年一月、本論の雑誌連載を終えた後、ここに述べる「無限性の近代」の存立の条件に関して、無限成長を動態とする市場＝資本主義システムがそれ自体として終焉する原理を内的にもっているとする論を読んだ。あるいは類書でこのような説がすでに述べられていたのかもしれないが、手に取ったのは、二〇一四年三月刊の水野和夫『資本主義の終焉と歴史の危機』（集英社新書）である。そこで水野は、日本をはじめとする先進諸国の利子率が二パーセントを割って久しく、最近はほとんど事実上のゼロ金利となっていることにふれて、「金利はすなわち、資本利潤率と同じ」であり、「資本を投下し、利潤を得て資本を自己増殖させることが資本主義の基本的な性格」である以上、このように「利潤率が極端に低いということは、すでに資本主義が資本主義として機能していないという兆候」なのだといっている。

私は、新しい生態系は自然循環の空間のほかに産業、市場をも包括するものとして構想されなければならないと本文に述べたが、産業ばかりでなく、市場もまた、内的な限界をもつことが、この水野の本には語られていることになる。

水野が理由としてあげているのは、一六世紀からはじまった資本制システムが、五〇〇年をへて、とうとう空間的にも時間的にも「外部」を搾取しつくしてしまい、もうそこから利潤を生みだすべき「フロンティア」を失おうとしているということである。議論は、本文にふれた柄谷行人の「人間的資源」の限界の説に一部重なるが、もっと徹底している。したがって、結論としていわれるのは「革命」ではない。その代わりに、資本制システムが、いわば内的な理由から終焉を迎えようとしている以上、われわれは、これが世界の混乱へと進まないよう、新しい考え方に立って、新しいシステムを構築すべきだとする。

いまや、空間的なフロンティアは「アフリカ」まで及び、時間的なフロンティアは電子・金融空間のなかで「一億分の一秒」の未来の無限小にまで到達している。これ以降、資本主義のシステムが利潤を得ようとすれば、内部に搾取対象の「外部」を作りだす方向に進むほかなく、それは、本来このシステムを支持してきた「中間層」の掘り崩しと格差の拡大を生み、その結果、「中間層が資本主義を支持する理由がなくなって」しまう。これが水野の考える資本主義自壊の像である。このような見通しに立ち、水野は、近代と成長を支えてきた価値観、考え方を根底から転換する以外にこの資本主義の成長路線を前方に脱し、克服する方法はないと考えている。

興味深いのは、彼がそこで、「資本主義のもつ固有の矛盾」とは「資本の自己増殖のプロセス」という定義のうちにあり、一六世紀以来、「資本家からみた『地球』は『無限』だった」と述べていることだ。この本にいう「無限性の近代」につながる構えのうちに、資本主義の限界の問題の根源が見すえられている。関心の近接を物語るように、この本が引用する見田宗介のロジスティック曲線を歴史曲線「人類の歴史の五つの局面」に応用したものが、水野の本にも一部用いられている（図15「人類史と一人あたりのGNP」）。「景気優先の成長主義から脱して、新しいシステムを構築すること」が必要、「社会保障も含めてゼロ成長でも維持可能な財政制度を設計しなければいけない」、「倒錯」した成長主義を食い止める「前向きの指針」が「脱成長」であると述べる水野は、こうした「脱成長という成長」をささえる哲学、思想が、今後必要となるという見通しを最後に掲げている。

V

偶発的契機(コンティンジェント)であろうとする意思

9 技術から人間へ

ずうっと前にはじまっていたこと

このように考えてくれば、私たちはじつは、一九六二年、環境の汚染の可能性が指摘され、三〇年後、「成長の限界」が超えられていると知らされた一九九二年までのあいだに、すでにどこかの時点で、「有限性の時代」に入っていたのかもしれない。そして知らないのは、私たちだけだったのかもしれない。『成長の限界』の第二版、『限界を超えて』が明らかにしているように、地球資源、環境、人口、食糧などさまざまな外的要因の数値は、このときまでには、はっきりと人類がこの地球に生存するうえでの持続可能な「限界」を超えでている。しかし「限界」を超えれば、室内温度調節機構においてサーモスタットが作動をはじめるように、この世界が一個のシステムである限りにおいて、フィードバックが働きはじめるだろう。それがどのようなかたちではじまったのか、私たちに情報はないが、人類はあるときから、はるか古代から続いてきた、無限の未来を疑わずにすんだ幼年期を過ぎて、いわば次代を思いやる年代、思春期の時代に入った。いま、そういう可能性を思いめぐらしてみるべきなのかもしれない。

『限界を超えて』によれば、一九七〇年から一九九〇年までの二〇年間に、石油の年間消費量は一七〇億バレルから二四〇億バレルへ（約一・四一倍）、世界の人口は三六億人から五三億人へ（約一・四七倍）、自動車登録台数は二億五〇〇〇万台から五億六〇〇〇万台へ（二・二四倍）、天然ガスの年間消費量は三一兆立方フィートから七〇兆立方フィートへ（約二・二六倍）、発電容量は一一億キロワットから二六億キロワットへ（約二・三六倍）、そして、原発の年間発電量は79×10¹²ワット／時から1884×10¹²ワット／時へと（約二三・八五倍）、増えている。

一九九〇年代初頭には、こうした限界超過を数値化する指標も生み出された。地球の環境容量を表す指標として、カナダの学者が提唱し、以後流通をはじめるエコロジカル・フットプリント（EF）という数値は、人間一人が一定の水準で生存するのに必要な資源と環境を一人あたりの面積で示したもので、これを、自然が供給可能な資源と環境の総計の一人あたり面積換算の数値（生物生産力）と比較することで、人類が現在どれだけ限界超過しているのかが、数値で示される。世界自然保護基金が刊行する『生きている地球レポート2006』によれば、二〇〇三年時点で一人あたりのEFは、2・2、生物生産力は1・8であり、世界全体で、E

Fが生物生産力を二〇パーセント以上、上回っている。最近版の『生きている地球レポート2012』は、「現状のまま特に対策をとらない場合」、「二〇三〇年には毎年の資源需要を満たすために地球二個分の資源が必要になる」との予測を掲げている。すでに持続的生存可能な限界は超えられている。同基金によれば、この限界超過は、一九八〇年代に起こっている。

しかし、外発的な「地球の有限性」の限界がこのように特定されるとして、内発的な「世界の有限性」のほうは、どのように取りだされるのだろうか。

その一つである産業システムの内的な臨界は、産業「リスク」の増大による富の生産とリスクの生産のバランスの失調として取りだされ、その現れは、産業事故の巨大化、過酷化、さらにその続発によって特定された。そして、こう考えるばあい、その究極の表現と目されたのが、日本における原発四基の大地震・大津波による複合災害の発生と、それに伴う二〇一二年の原子力保険の打ち切り決定だった。

しかし、こう考えてくると、内発的な世界の有限性をもたらす根源として、「リスク」の増大のほかに、もう一つの根源のあるだろうことが見えてくる。それが何なのかは特定できない。しかし、そこからやってきたのだろう現れは、はっきりしている。

見田宗介が先に生命曲線の近年の変化の兆しとして指摘した、一九六〇年代後半から世界同時的に観察されるようになる人口増加率の鈍化がそれにほかならない。先に見たように、無限性の時代から有限性の時代への変化は、いったん有限性の近代という観点に立ってみるなら、八〇年代後半に「リスク」が問題になるよりも前からはじまっていた。七〇年代後半から気づかれはじめる「軽薄短小」への動きがそれだ。でも、この変化がどこから来たかはほぼ特定できる。六〇年代の『沈黙の春』に続き、六〇年代後半には先進国を中心に公害が社会問題化している。七〇年代に入るとすぐに石油危機が起こり、ほぼ時を同じくして『成長の限界』が刊行される。つまり、地球の有限性の問題が、広く人々に共有されることになった。

しかし、そうなら、一九六〇年代後半の、見田の指摘する人口増加率の鈍化は、どこから来ているのだろうか。この変化は、先に示した国連の人口部のグラフ（二二三頁参照）にもはっきりと現れている。しかし、右の、『沈黙の春』の刊行、公害問題の前景化が原因とは考えにくい。これらは当時の先進国で起こってきたことがらなのだが、人口増加率の鈍化は、このとき、先進国ではなく、主に第三世界の途上国において世界同時的に起こってきているからである（先進国での鈍化ははるかそれに先だって起こっている）。

ここに顔を出しているのは、次のような問題である。

見田は、この人口曲線の変化の理由を、明示的に語っているわけではないが、含意的には、生物学にいうロジスティック曲線との相似性によって一部説明しているとも考えられる。それを言葉にすれば、シャーレ中のバクテリアが、爆発的繁殖ののち、環境限界に達して、その個数増加の勢いを鈍化させるのと、同じ理由が、ここに働いているのではないか、というものである。しかし、われわれはバクテリアではない。とするなら、この現れを、どのように説明するのがよいのか。

私たちの生きる社会の中から内発的に出てくる有限性という観点に立つと、それが必ずしも

「リスク」の増大といった要因からだけで出てきているのではないことがわかる。ここから出てくるのは、だとすれば私たちは何によって動かされているのか、という問いである。私がここに思い浮かべるのは、人を動かすのは「欲望と恐怖」だという近代の起点を作った先の『リヴァイアサン』におけるホッブズの言葉だ。「リスク」は恐怖を通じて人を動かす。これは窮乏に対処するための必要が人を動かすという先の二分法でいえば、イリイチの道にいう「必要」と「自立」につながる要素である。では、ここにいう、もう一つ、欲望を通じて人を動かす内発性とは何か。たぶん先の二分法のもう一方、バタイユの「不羈の道」にいう「欲望」と「歓喜」につながる要素に言葉を与えられれば、それが答えの手がかりとなるはずである。そしてそれが、私たちの社会の内発的な有限性を内的に規定する、もう一つの要素を特定するのではないだろうか。

私たちの観点からすれば、一九七〇年前後に生じた人口の増加率の鈍化という現象は、原因を特定されない事実、外部からの「入力」である。しかしこの時期がまた人類史的に見て未曾有の近代の成長の最終的な絶頂期（ピーク）でもあるという、もう一つの事実＝外部からの「入力」は、この二つの間に、サイバネティックス的なフィードバック作用が働いている可能性を示唆している。世界人口の増加率の鈍化というヒト総体のバクテリアにつながる「いきもの」としての反応が、近代の「成長」のピークアウトという「人間」としての反応と、ほぼ時期を同じくしている。この符合に注目すれば、ここから導き出されるのは次のような推論（アヌス・ミラービリス）である。いまから考えれば、一九六八年というのは、世界史的に見て異様な年だった。

まずアメリカでは、公民権運動の昂揚の中で黒人の指導者キング牧師が暗殺され、ついで民主党大統領候補指名選挙キャンペーンのさなかに、次代のリベラル派の旗手と目されたロバート・ケネディ元司法長官が暗殺された。翌六九年の七月一四日に公開される映画『イージー・ライダー』が描く若者たちの反乱の気分が世にゆき渡り、ヒッピーたちによる都市離脱のコミューン運動、都市に住む学生たちによるベトナム反戦運動がともにこれまでにない規模で広まった。ヨーロッパでは、チェコでプラハの春の民主化反ソ運動が、フランスでパリの五月革命が、世界中の耳目を集めた。これに呼応するように、世界各地で、同時多発的に、熱に浮かされたような若者の動乱が起こった。アジアも例外ではない。ベトナムでの戦時下の僧侶民衆による反政府運動、韓国での民主化運動に向けての民衆の抵抗の記事が連日のように紙面を埋め、日本でもベトナム反戦の市民運動と大学解体を唱える学生運動が全国に燎原の火のように広がった。また中国では数年前から毛沢東主導のもと、激烈な文化大革命が進行していた。

五〇年代末から起こっていた映画、音楽などの前衛的な革新運動が世俗化し、大衆化してピークを迎えたのもこの時期である。カリフォルニアを発信地にしたカウンターカルチャーの文化革新の波がまたたくまに先進諸国を席巻して世界に広まり、サイケデリック・アートが世界の都市にゆきかった。ロック・ミュージックの世界でも、これまでの音楽の意味を大きく変え、一世を風靡したビートルズの演奏活動がこのとき、最後の頂点を迎えている。産業技術も例外ではない。多くの先進国で好景気が続き、科学技術の世界でも、人類初の月面着陸を翌六九年に控えて誰もが輝かしい未来を確信し、新たに未来学なるものが提唱された。人間活動一般を包括するビオ・システム（生態系）の観点に立てば、異様なほどの文化的、思想的、社会的、政治的、経済的、そして産業技術的なエネルギーの爆発、高揚がシステムとしての世界を覆いつくしたのが、この年の前後だった。

ちょうどこの年に二〇歳だった私などには、自分の基本的な生の気分が、その前後数年の高揚によって鋳固められてしまい、それを変更することはいまなおできない、と感じられる。自分がその時代によって作られたという感をぬぐえないまま、一生を終えそうな気さえするが、この異様な年は、先に示した見田宗介の世界人口のS字型曲線で、増加率がピークアウトを示した期間（一九六五〜六九年）にそのまま重なっている。なぜか。理由はわからない。しかし、理由がわからないまま、「人間」の活動の「成長」のピークアウトが、「いきもの」としての人口動態のグラフに「書き込まれている」。

ピークアウトというのは、先に述べたようにグラフ上でピークを記し、その後は右肩上がりが右肩下がりになる時点のことである。見田の生命曲線によれば、世界の爆発的な人口増加は、この時期前後に先進諸国から数十年遅れる形でようやく第三世界を中心に増加率の減少に転じ、以後、総体としてその勢いをゆるめていく。興味深いことは、先にふれたように、これらの第三世界の動向に主導された世界規模の人口動態と、先進諸国に主導された人間活動総体の「成長」のピークと、さらに先進諸国の知識層における地球の有限性の意識の浮上、哲学芸術思想の更新とが、つまり人間の「いきもの」としての動態と「人間」としてのビオ・システム総体の動態とが、ピークアウトの動きを連動させていることである。

私は先に人間の活動を自然と産業・市場をともに含む新しい生態系として構想すべきと考えたのだが、この符合は、そのシステム観をさらに「人間」と「いきもの」の統合という方向に拡張すべきことを、示唆しているかもしれない。

なぜこのようなことが起こるのか。それはわからない。しかし、何がここで起こっているのか、それがどのように起こっているのかは、検証できる。私たちができることは、検証を行い、そこから見えてくるものが何を語っているかを、この先、考えていくことである。

この間の時代の動きが教えることは、「役に立つもの」よりも「素敵なもの」、「大きなもの」よりも「小さなもの」、「重厚なもの」よりも「軽微なもの」に、私たちの欲求と関心が向かい、その方向の進展により高度な価値と達成があると、無意識のうちに感じられるようになることである。

また、すると同時に、こうした私たちの反応じたいが、——一九五八年に生まれた「ココア・パフ」が先駆的に示すように——今度は産業システムのあり方を刺激し、技術と産業のあり方を、変えていくことである。その動きが双方からの連動として起こってくる。一つの変化が次の変化を呼び起こす。変化がこうして、進化していく。

例をあげれば、「小さなもの」に高度な技術が蓄積されるばあい、その受容体もいきおい高度化されなくてはならない。名画の鑑定が教えるように、高度な発信は、高度な受信体の精度にささえられなくては形をとらないからだ。つまり、新しい発信が現れると、それを受容する側が、まず、ちょうど未開発の「南側」世界のように、発信体による新たな開発と搾取の対象が、次には受信体から未知の反応が生まれることを通じて、もとの発信体が啓発を受け、今度は受信体が発信体に教育効果を施すことになる。このばあい、搾取と啓発の主体となり客体となるのは、一方が技術であるばあい、他方は、人間である。しかし、人間とは、ここでどういう存在か。受容体として、つまり「力能」として、人間の内奥をなしているのは「脳」である。

ソニーのウォークマンの開発は、当初、名誉会長の井深大が航空機内できれいな音で音楽が聴きたいと思ったことからはじまっている。井深がそういう機器はできないかと事業部に依頼したところ、試作されたプロトタイプ機の性能が極めてよかった。そのことに驚いた井深は会長の盛田昭夫にそれを聴かせる。その音質のよさに、商品の可能性を直観した盛田が社内の反対を押し切って、独断で開発を決めるというのが、開発をめぐる経緯である。

この話のポイントは、ウォークマンが、当初はついていた録音機能を切り捨てることで、商品として成立しているという点だ。社内の反対とは、「録音機能のないテープレコーダーは絶対に売れない」というものだった。これを押し切って開発を決めたのは、自分の好きなときに好きな場所で好きな音楽を高い音質で聴くという、新しい「歓び」のもつ可能性に、ひとり盛田が気づいたからである。その「面白さ」「楽しさ」が、一台で録音も再生もともにできる「必要」と「便利さ」よりも人の心をつかむと、社内の誰よりも強く信じ、その可能性に賭けたからである。

ここに「役に立つこと」あるいは「便利さ」から「楽しさ」への転換がある。「大きなもの）から「小さなもの」への転換は、便利さ、機能の高度化それ自体の追求からそのままに起こってくる。しかしさらにその先に行くには、便利さから離陸しないといけない。技術の革新が限界まで達すると、それをその先に進ませるのは、技術ではなく人間の側の動機の改変なのである。

ウォークマンのばあい、それを生んでいるのは、機能（便利さ）の切り捨てであり、それを可能にしているのは、「楽しさ」が「便利さ」よりも人を動かすはずだという価値観、興味、関心（interest）の転換である。いわば「必要」を捨ててまでも「楽しさ」をとるともいうべき、生きる姿勢の転換がないと、こういうことは起こらない。

しかし、これに呼応するものがなければ、この価値観の転換は、実を結ばない。これに呼応する市場の反応——受容体の「脳」の変容——が生まれてはじめて、これが新しい変化に結びつく。

井深の個人的な「愉しみ」をきっかけにソニーが一九七九年に開発したウォークマンは、日本社会においては、たぶん盛田の予想を裏切る、あるいは予想を超える反応によって迎えられる。それはエリートが、航空機でよい音質の好きな音楽を聴きたい、という「愉しみ」から一転、満員の通勤電車のなかで人々が自分だけの聴きたい音楽を聴くことを可能にする媒体として受け入れられていく。新しい購買者たちはそこでニュースを聞くのでも野球の実況番組を聞くのでもない。人混みにもまれながら、それでも目をつむり、あるいは車窓を眺めながら、自分の好きな、自分が選別した音楽を聴く。

ところで、このとき、何が起こっているのか。ウォークマンは、最終的に、人間の五感のうちから、聴覚だけを切り離し、かつ単独に外界とのコミュニケーションを成り立たせる、これまでになかった人体への働きかけを行うツールである。購買者はむろん、当初は便利だというのでこの個人用音楽再生装置を歓迎しているが、でも新しい楽しみ方が発掘しているのは、トランジスタ・ラジオになく、ウォークマンにだけ新しく備わるカスタマイズ（受容者に合わせて人格化）され、孤絶化された外界とのコミュニケーション（受信＝音楽聴取）の獲得という、新しい機能である。好きな音楽を好きなときに誰にも知られずに聴けること。それはとりわけ満員電車のなかでは、このうえなく慰藉にみちた、愉しいことなのだが、そんな愉しみがあることなど、この機器が現れるまで、誰も――作り手も、受け手も――知らなかった。それは、この機器が登場して可能になった作り手と受け手の相互作用、フィードバックによるいわば「脳内」開発の産物なのである。

技術革新は、こうして、通信情報革命という領域のなかで、技術と人とのインターフェースを相互に意味更新させていく。やがては、これら技術と「脳内」の五感の開発に促された新しい愉しみの登場の一方で、問題らしきものも、生みだされるようになる。一九八三年にはこれらの「脳内」受容力に長ける一方リアルなコミュニケーションを苦手とする新種の若者たちを揶揄する「おたく」という言葉が生まれるが、一九八九年になると、一人の若者による連続幼女殺害事件を機にこうした「おたく」たちを反社会的ととらえる見方が世間にみちてくる。中島梓がこの現象に関心を向け、これに『コミュニケーション不全症候群』という著作で検討を加えるのが、一九九一年。しかし一〇年後の二〇〇一年には、ここに生まれてくる新しい人間たちを、――先に見たヘーゲルの解読者アレクサンドル・コジェーヴの用語に借り――東浩紀が日本におけるポストモダン期の新しい動き(「動物化」)の担い手として描くようになる(『動物化するポストモダン』)。「おたく」は、今度は、否定的な存在から一転し、世界の先進諸国に現れた、新しいIT時代の受容体を備える若い人々の代名詞として、受けとられるようになる。技術はこうして人間に働きかけ、またその人間の変化から啓発を受けつつ、自ら革新をとげ、新しい人間を作りだしていく。人間の欲望、興味、関心を動かすようになっていくのである。

技術と人間のであう場所

ところで、このことから、産業の高度化、技術革新、そして人間の変化のあいだの相互関係について、私たちは、どのような示唆を受けとることができるだろうか。

産業の高度化、進展は、それが産業規模の大型化を伴う場合は、当然ながら、産業事故の巨大化、過酷化を引き起こす。けれども、そのことが産業の高度化、技術革新の無限性に直ちに歯止めをかけるかというと、そう推論を進めるだけの理由は、どこにもない。産業も、技術革新も、こういう克服すべき条件を課されれば、今度は、それをフィードバックし、産業事故のリスクの増大を避ける方向で「力能（＝能う）」の無限の努力に向かうだろうからである。

その対応は当然、リスクの抑止へと動く結果として、大規模化を避けた高度化というかたちで技術革新に影響を与えるだろう。まず一方で、これまで通り大規模化を伴う高度化に向け、技術革新が続行するなか、次には、このフィードバックの作用を受け、大規模化を避けた高度化という新しいタイプの技術革新が起こってくるはずである。

まず前者のラインでは、産業の高度化は、相変わらず大規模化を追求する。そこから生まれてくるのは、大規模、高度な技術革新である。今世紀後半の実用化をめざし先進諸国が協力して開発を進めている国際熱核融合実験炉の建設、米露を中心に現在も続いている宇宙ステーション建設計画、さらに吉本も言及していた核廃棄物の宇宙への廃棄、太陽光発電所の宇宙空間設置のプロジェクトなどが、その例である。

核融合には、人工的に超高温あるいは超高圧の環境を作る必要があり、そのためにはプラズマの安定制御、超伝導電磁石技術など、巨大科学に属する技術開発が前提となる。それには、マンハッタン計画に匹敵する巨額の資金投資が要されるだろう。また、宇宙空間での技術革新の探究にも、多大の投資と高度で大規模な研究組織が求められる。しかし、核融合技術も宇宙科学も核廃棄物の宇宙廃棄、宇宙太陽光発電所建設も、軍事目的とどれだけ切り離せるかというのが最大の課題である。それだけの巨大技術を計画、実行できる主体はいまのところ、国家以外にないからだ。軍事目的とつながると、技術の開発に秘密の防御を施される。それは技術開発の「民主、公開、自主」という原則と相容れない。そのため、産業の民間部門への広範な波及が期待できないばかりか、科学本来の自由な創発性の発揮の場ともなりにくい。安全管理の上でリスクが高まり、これに「有限性の時代」のフィードバックは、抑止作用として現れざるをえない。

三・一一の原発の事故と、その後世界に起こっていることは、たとえときの政府や国家の連合が他の原発の再稼働、開発、創設に現在、動いているとしても、自然史的な過程としてみれば、この見通しを裏打ちしている。現に日本で現在稼働中の原発は、商用一七原発五〇基中二基ないしゼロ（二〇一三年五月〜二〇一四年五月現在）であり、アメリカではシェールガスの商業化にともない、原発の閉鎖や操業縮小が見られはじめている。

大規模化、高度化の方向での技術革新は、どうしても巨大技術ゆえの掣肘を受けやすい。その理由から、これらは、少なくとも限界超過生存期の「有限性の時代」においては、時代錯誤的な企てとみなされる可能性が極めて高い。そしていままでのところ、この私の推定は大筋で現実の動きと合致している。これらの技術革新によって「リスク」が劇的に逓減されるというのでもない限り、この趨勢に変化が生じるとは考えにくい。あるいはこの技術革新がこれをはるかに上回る「リスク」の発生を防止するというコンセンサスがあるのでない限り（かつての原爆製造のばあいにはナチスが原爆を先に開発するかもしれないというリスク回避の大号令がかかっていてこのケースにあたる）、国家が巨額をこれに投じるということは、今後、考えにくい。

他方、後者のラインでの技術革新は、どのように進むだろうか。その答えは、現実の進展が示す通りである。そこからどのような「意味」を取りだすかは各人の恣意にゆだねられているが、私の判断を述べれば、こうである。この問いの方向を作ってきたのは、限界超過に対する技術革新じたいのフィードバック作用である。そしてこれまで私たちが見てきた一九七〇年代以降の技術革新の趨勢が語るものこそが、このフィードバックの内容なのだ。

これを、星野芳郎の『技術革新』の描く産業革命の方向線に沿って整理してみよう。繰り返しになるが、まず、大規模で、高度な分野――その象徴が軍事技術出自の原子力技術と宇宙飛行技術――での技術革新は、現時点までのところは、それほど進まなかった。その理由のひとつは、産業事故が続発するようになったことである。たとえば、七九年のスリーマイル島原発事故の後、アメリカにおける新しい原発の設置は、一九七九年から二〇一一年までの三二年間、凍結された。安全性の要求が格段に高まることで、それはまた、経済コスト上、不利な産業分野となり、投資を遠ざけ、容易に接近しにくい産業部門となっていった。出発から半世紀をすぎ、原子炉の老朽化が進み、廃炉が問題になってくると、経費の膨大さ、作業の困難さが予想を上回るもので、より安全な新型原子炉が開発されても旧型との入れ替えが難しいことの不都合さも、はっきりしてきた。また、スペース・シャトル機の二度まで繰り返された八六年と〇三年の事故により、NASAの宇宙飛行計画も、致命的な打撃を受け、これも頓挫と縮小を余儀なくされている。宇宙飛行技術分野は、ミサイル技術と直結しており、国策として国の丸抱え態勢のもとに開拓されてきたが、それは現在、NASAの手を離れ、民間に開放されることで、かろうじて打開の道を探す事態となっている。

もう一つの理由は、こうした巨大技術ではどうしても産軍共同体の開発が主体をなすために、市場の競争原理から隔離されることになり、産業競争力を失うことである。かつて私は『昭和天皇』でその後ピューリッツァー賞を受賞するハーバート・ビックスが八〇年代に都内のある場所で行った講演を聞いたことがある。そこで彼は、なぜ七〇年代にアメリカのロッキード、グラマンといった巨大宇宙航空技術企業が日本の家庭電器産業に打ち負かされたのかと問い、その答えを、国に保護された軍産複合体と、日々秋葉原の価格競争にあけくれ、消費者の目にさらされる民間企業のあいだの技術革新力の差に求めていた。これと同じことがいま、自由で苛烈な競争にさらされた民間企業に比しての、国策で保護されてきた日本の原発産業の目を覆うばかりの虚ろさ、ひ弱さについてもいえる。

これに対し、もうひとつの動きが起こっている。

それが、星野自身の予想をも遥かにしのぐ勢いで未知の方向に世界を変えていった、先に取りあげた通信情報革命である。九〇年代以降、誰の予想をも超える勢いで、マイクロソフト、アップル、グーグル、フェイスブック等に代表される民間の、非エスタブリッシュ層から生まれた広義の技術革新をもととした社会変動が、あっという間に世界を席巻する。それは、既成の組織も市場ももたない若者たちが、巨大企業に対抗し、自分の創意と新しい欲求に立って小規模の起業からはじめ、凌駕した点にこれまでにない特徴をもっていた。

けれども、ここでの文脈で注目しておきたいのは、一九九〇年代の革命から二〇年、インターネットの世界にこれまでと違う、新しい胎動が現れていることである。最初は新しい人間が、新しい技術革新を実現、展開したのだが、今度はそれが、人間を新しくするということが起こっている。

総じて、シリコンバレーに代表される第一世代、ないしアメリカを拠点とする通信情報革命の特徴は、自由な気風と民間性の活力が、私的領域のもつ可能性を追求し、インターネット、ウェブと呼ばれる新しい関係世界を作りだし、そこから莫大な利潤をえたことだった。

その自由な気風の淵源をなしているのは、調べてみれば、あの一九六八年のカウンターカルチャーである。ここに第一世代というのは、ともに一九五五年生まれの三人のパイオニア、アップルのスティーブ・ジョブズ、マイクロソフトのビル・ゲイツ、グーグル会長（元CEO）のエリック・シュミットらをさしている。一九六八年の若者の反乱の世代よりはいくぶん若いが、カウンターカルチャーは彼ら後継世代において、コンピュータと合体している。

では何が彼らとコンピュータを出会わせているのか。たとえば、スティーブ・ジョブズは、シリア人の若手学者と大学院生の間に生まれ、両親が結婚を認められなかったために、生まれてすぐに「労働者階級」の若い夫婦に養子に出されている。六〇年代から七〇年代にかけヒッピー・ムーブメントの遺風の残るカリフォルニアに育つが、このヒッピー文化が彼に、コンピュータへのゆりかごを提供した。少年時から機械いじりとコンピュータに関心を示したジョブズは、やがてボブ・ディランとビートルズの音楽、それからブディズムとヨガに傾倒するようになる。エクセントリックな人柄をまげることなくコンピュータ関連の企業に勤め、ついで友人と起業。長髪、裸足のまま汚い格好で会社勤めをつづけて顰蹙をかうなど、カウンターカルチャーに発する奇矯なエピソードには事欠かない。二〇代なかばで巨万の富を得、その後、その型破りの自由さから自分の作った会社アップルから追放され、再び復帰。再建に成功するが、そもそもの社名の淵源は、ビートルズ。その信条をもっともよく示す例として知られる、スタンフォード大学での講演における彼の言葉、「Stay hungry, stay foolish（ハングリーであり続けよ、愚かであり続けよ）」も、その淵源はカウンターカルチャーである。

この言葉を彼は、かつての愛読書だった『ホール・アース・カタログ』の終刊号の標語から引用する。これは六〇年代カウンターカルチャーの聖書とも呼ばれるカタログ本だが、編集者スチュアート・ブランドがこれを創刊する年が、あの異様な年、一九六八年である。

これに人柄からいえば、対極にあるジョブズの好敵手、ビル・ゲイツを並べてみよう。こちらは裕福な家庭に生まれ、ハーバード大学に進んだ後に、休学（中途退学）し、起業して、マイクロソフトのOSウィンドウズの独占により、莫大な富を手にしている。しかし、たとえば自家用ジェット機を所有する一方で、普段乗る飛行機はつねにエコノミークラス、好物はマクドナルドなど、やはり独自の価値観を貫く。その腰の軽さ、よその会社の業績のちゃっかりとした横取りぶりなどに、ジョブズ同様の六〇年代のヒッピー文化のしっぽがしっかりと残っている。

一九六八年の自由な気風の特質は、「笑い」と「環境への配慮」の二つを、ともに楽天的、かつ快活なかたちで共存させていたことである。ところで、私の考えでは、このことは、自由の気風が成長の極点のさなかにうまれた最初の反転（カウンター）運動の産物だったことと、切り離せない。

この反転は、また、「ゆたかな社会」の到来の最終的なピークアウトの産物という位置づけをもっている。ロック音楽は、戦前にはなかった。そのことの意味をしっかりと考えてみる必要がある。若者の反逆は、近代のはじまりとともに現れているのだが、それが文化、そして「笑い」と結びつくのは、社会がゆたかになってからなのである。

『ホール・アース・カタログ』には、人を笑わせるような記事はないが、あえていえばアリスの物語に出てくるチェシャ猫の笑いのようなものが行間にみちている。この本はアメリカと世界が繁栄と成長の頂点にある時期、当時二九歳のスチュアート・ブランドによって創刊される。五〇〇頁にせまる分量からなり、DIY（Do it yourself）用の工作・工学知識、ドラッグなど意識拡大への関心から最新科学知識、哲学、宗教的な手引き、野宿生活に役立つサバイバル術、仕事へのアクセスまで、オルタナティブな生き方に必要なカウンターカルチャー的な情報を一冊にまとめ、カタログのかたちで満載して、当時の若者を社会からゆるやかにドロップアウトさせ、自由に生きることに向けて勧誘している。むろんタイトルに地球の語が含まれるように、底には自然エネルギーなど環境に対する関心と共生の意識が流れている。創刊編集者のブランドが、後にインターネット勃興期の一九九五年に、「われわれがいまあるのは全部ヒッピーのおかげ」と先駆的なエッセーの一つに宣言するように（池田純一『ウェブ×ソーシャル×アメリカ』）、まだほとんど姿を見せないコンピュータと、地球環境への関心を、二つながら、一九七〇年代初頭の時点で先取りしていた。NASAによる宇宙からみた地球の写真を表紙に掲げ、累計で一五〇万部を売り、全米図書賞も受賞しているが、その地球の姿はいまもiPhoneやGoogle Earthでおなじみである。

さて、ここにあるのは、何だろうか。カウンターカルチャーとはいえ反社会的な主張ではないし、地球環境への関心とはいえ禁欲的なエコロジーの勧めでもない。いまの目からみるなら、これまでの生き方への疑問と、爆発するような成長の予感と、新しく生まれた自然と環境への気遣いが、ゆたかな時代の大らかさと野放図さを失わないまま、そこに手を携え、同居している。そのビギナーズ・ラックめいた奇跡的な共存を、見田が『現代社会の理論』に述べていた対位を使って、こういってみよう。バタイユの不羈の道とイリイチの解放的な禁欲という、その後二つに分かれてしまうものが、ここにはひとつのものとして存在している、と。無限への希求を否定しないままに、有限への配慮が肯定されている。それがおそらくはこの時代のもっともよきもの、自由な気風の淵源をなすものだったのである。

それは、動態としていうなら、抗いであり、留保であり、ひとときの立ちどまりである。キーワードは、成長だ。かつては成長が前近代的な拘束から、貧困から、国家の権力から個人の解放をもたらす力だった。成長するものに、人々はつねに束縛するものからの解放の力を感じとった。それがベックのいう、近代前期のもう一つの定式だった。けれども、その感じ方があるところで消える。成長すること、大きくなること、強くなること、別にいえば、成長一辺倒と「することができる」こと（だけ）の追究に、狭さ、息苦しさを感じる、これまでにない感性が、現れてくるのだ。

この成長への懐疑は、成長のさなか、そのただなかから、内在的にやってくる。それは、「もう、これくらいでいいだろう、やめようか」という。このことが、ジョブズらの自由の気風が、資源の危機が叫ばれはじめる一九七二年にではなく、爆発的成長がピークを迎えた一九六八年からやってきていることの意味だ。つまり、一九六八年の成長の極点が同時に転換の起点となったこと――ピークアウトであったこと――の意味である。

一九七二年の資源危機をへて現れてくる、「成長は地球を破滅させる、もうこれ以上はいけない、やめなくては」という限界からの警告とは、微妙に、しかも、はっきりと違う。前者にあり、後者にもう消えているものが「笑い」なのである。

成長がゆくところまでゆきついたこと。それ以外に、通信情報革命を可能にした自由な気風と笑いの出自は、求められない。それは爆発的な成長の突端からこそ、人間の可能性が無限であることの象徴として、その息苦しさをむずかる赤ん坊の身ぶりのように、現れてくる。でも、それがなぜ、最終的に利潤の追求へと向かい、創生期の彼らに巨万の富を築かせることだけに終わるのか。次にはこの問いが、彼らの作った技術によって育てられた次の世代から生まれてくるだろう。自然史的な過程としての一つの突端から、彼らは生まれるのだが、彼らの生みだす技術が、こんどは彼らよりも新しい人間を生みだすのである。

有限性への同調

わたしの考えでは、アメリカ発のインターネット革命は――ウィキペディアのような例外も僅かにあるが――総じて、どう利潤を生むかという関心と結びついてきた。その淵源をなすカウンターカルチャーにしてからがそうで、『ホール・アース・カタログ』のスチュアート・ブランドがそういう傾向を代表している。利潤と結びつかなくなると、それは周縁化する。『ウエブ×ソーシャル×アメリカ』の池田純一が、カウンターカルチャーのもう一方の雄としてあげているリチャード・ブローティガンが、さだめしその代表格だが、彼は、代表作の一つ『アメリカの鱒釣り』を世界で四〇〇万部売った後、お金とは関係のない独自の道を進み、人々に忘れられ、一九八四年、孤独のうちに自殺している。

しかし、カウンターカルチャーから生まれたともいえるインターネットには、そもそも、こういう利潤化を空洞化させる力も、あるのではないだろうか。ブローティガンとブランドとのいずれにカウンターカルチャー、またインターネットのメディア的本質が受け継がれているのかは、そう簡単に決められないのである。

アルゼンチンの小説家ホルヘ・ルイス・ボルヘスが、「私は誰かであることが現れる文体

(somebody else's style) ではなく、誰でも構わないことが現れる文体 (anybody else's style) で記された本を書こうと思う」と述べている (「彼自身の書き方をめぐる講演後の質疑」『クリティカル・インクワイアリー』第一巻第四号、一九七五年)。インターネットに本来的に備わっているメディア的本質も、ツリー状ではなくリゾーム状である点、ここにいう「誰でも構わないこと」のあり方に近い。それは別にいうなら、ストックしないこと、フローすることを喜ぶことであり、利潤獲得ではなく贈与に向かう関係創造の力である。

二〇一一年に書かれた米国の経済学者タイラー・コーエンの著書『大停滞』は、そのことをちょうど逆の方から指摘しているものと、私の目からはみえる。彼によれば、米国における一九七〇年代以降の経済成長の停滞と景気の後退は、技術革新 (イノベーション) の空洞化ともいうべきものによって起こっている。それを代表する一つが、インターネットである。ではなぜ、インターネットの技術革新は、さして、経済成長をもたらさないのか。

彼は、ツイッターを例にあげ、こう述べている。そこでは、

「生産」は次第に、工場ではなく、私たちの頭のなかでおこなわれはじめている。経済学者が大昔から用いてきた言葉の意味が変わりつつあるのだ。コンピュータ画面上のツイッターの書き込みそのものは、取るに足らない文字の集まりにしか見えないかもしれないが、その本当の価値は私たちの脳内にある。私たちは (中略) オンラインサービスを用いて、脳内に複雑な物語とイメージを形づくる。(中略)

新しい〝容易に収穫できる果実〟（の要素――引用者）は、売り上げを生み出せる産業には存在せず、私たちの頭の中とラップトップパソコンを載せる膝の上にあるのだ。（中略）その結果、幸せや人間的成長を得ることには楽観的になれるが、収入を得たり、債務を返済したりすることには悲観的にならざるをえなくなった。イノベーションは止まっていないが、昔と異なる形で、あまり予想していなかった領域（areas）でイノベーションが起きることになったのである。（『大停滞』七五〜七六頁、原文に基づいて訳を一部変えた）

コーエンによれば、二〇一〇年の時点で、世界のインターネット利用者の大半に知られるツイッターを運営する「ツイッター社の従業員数は三〇〇人程度にすぎ」ない。その雇用創出力のなさは驚くべきだ。インターネットは、無限の可能性をもつが、その一方で、経済的な富はさほど増えていない。たとえば、「一ドルのバナナを買えばGDPの値をその分だけ押し上げられるが、インターネット上で二〇ドル相当の価値のある娯楽を経験してもGDPは上昇しない（インターネットを楽しむためには電力が必要なので、ごくわずかな電気料金の支出はGDPに反映されるが）」（七八頁）。

ここには、情報化社会のもうひとつの、むしろまったく別種の可能性が顔を見せている。それを、こういってみてもよい。

見田が先に情報化社会の可能性として例にあげた「ココア・パフ」が姿を見せるのは、星野芳郎の『技術革新』第二版の刊行される一九五八年のことである。それは、「生産」を「私たちの頭のなか」の受容の力が下支えすることで、三ドル足らずの原価から七五ドルものGDPの上昇を生みだした。でも、情報化が進み、インターネットまでくると、今度はごくわずかな数セントの電力資源を原資に、「二〇ドル相当の価値のある娯楽」が生みだされるようになるが、しかし、その生産自体が今度は「頭のなかで行われる」ため、「生産」からは「数セントの電気料金」のGDPしか生まれない。数セント、電力会社が売り上げをうるだけである。ここで、「楽しみ」と「富」の関係は逆転している。いくらパフの「楽しみ」の生産が高まっても、そこから生じる「富」の生産は七五ドルからほぼゼロへと転落しているのである。

コーエンによれば、インターネットの特徴、そして問題点は「多くの商品が無料で提供されていること」である。コーエンは、そこから、二〇世紀後半で最大の技術革新である通信情報革命が、原子力エネルギーの開発とは別の意味で、やはり民間の経済成長からそれていく空洞化の傾向を強くもっていること、それが近年の「大停滞」のひとつの誘因になっていることに読者の注意を喚起する。

でもこのことは否定的にだけ、みられるべきことなのだろうか。短期的にみれば、マイナスかもしれない。しかし長期的にみれば、むしろそこにより深い、インターネットという技術革新の可能性は、あるのかもしれない。

通信情報革命の新しい動きが私たちに示唆しているのも、たぶん、これと違うことではない。まず、第一世代を作りだした自由な気風は、この後どうなるか、みてみよう。それは創業者たちの莫大な利潤獲得のうちに拡散し、風化していく。では私的な領域への関心はどうなるか。その行方を追えば、これも、技術革新を進める一方で、拡散していく。

自由な気風の拡散とは、こういうことだ。

スティーブ・ジョブズに影響を与えた『ホール・アース・カタログ』のスチュアート・ブランドは、一九八〇年代後半には「メディア・ラボ」と呼ばれる研究拠点の創出に関与し、その後も環境問題、地球の未来構想の領域で積極的な活動を続けるなど、一九九〇年代の通信情報革命以降も最前線にある。でも、その延長上に、たとえば二〇〇九年に上梓される『地球の論点』――原題は『ホール・アース・ディシプリン』――では、地球温暖化対策の切り札として新世代の原子炉に期待をよせ、食糧・人口問題の救世主は遺伝子組み換え技術だとの考えを記す。彼はかつての自分を含めた環境保護の立場を、あれは間違いだったという。彼の理解は、たぶんそれは、変節なのではない。彼は、あいかわらず地球の運命に関心を払い、その口ぶりはいまも明朗かつ快活で、また率直だ。その語り口は、原題が、『ホール・アース・ディシプリン』であるように、一九六八年の気分を満載した『ホール・アース・カタログ』と変わっていない。「成長」の無限の自由と、有限なものへの配慮という二つのものがいまも彼にあっては未来工学という容器のなかに、共存している。違う点は、この二つがいまでは液体の中で分離してしまっているということだ。分子の結合が損なわれることでワインが酸化して酢になるように、自由な気風がいまや底抜けの楽天性により産業振興、つまり利潤獲得への関心に変質し、主張の逆転をもたらしているのである。

私的領域への関心のほうは、こうである。パーソナルな愉しみへの関心は、以後、ジョブズに iPod, iPad, iPhone への展開をもたらしながら、二〇〇〇年代に入ると、当時大学生だったマーク・ザッカーバーグに、新しいソーシャル・ネットワーク・サーヴィスであるフェイスブックを実現させるようになる。でも、そこでも似たようなことが起こる。ザッカーバーグは当初、ハッキングした同じ大学の女子学生の身分証明写真をインターネット上に公開し、勝ち抜き人気投票をさせるゲームを考案して、保護観察処分に付されている。それはストックされたもののフロー化であり、また私的領域の侵害であり、社会攪乱的な不穏さをもつ。しかし、これを「フェイスブック」に育て上げる過程で、そのめざす方向は利潤獲得へと整序されていく。このサーヴィスは二〇〇六年には全世界規模にまで拡大され、彼に莫大な利潤をもたらす一方、私的な領域への関心はソーシャルメディアとして社会化され、営利性のもとに拡散されていく。

しかし、こうした私的領域の開拓による富の獲得は、その後、先のボルヘスの言葉に示される方向に散開をとげた通信情報革命のひらく視界のなかでは、マッチョなもの、古めかしいものと感じられる。一九八四年生れのザッカーバーグの富の獲得が、二〇〇〇年代の第二世代のなかにあっていかにもアメリカ的な、前世代的な残滓をとどめた時代遅れの産物とみえるのは、そのためである。

これに対し、二〇〇〇年代以降の第二世代の手になる通信情報革命は、あきらかにシリコンバレー発のそれとは異質の感触をたたえている。彼らはもはや、利潤の獲得、富の創出に関心を示さない。産業の振興も考えない。それよりもっと楽しい、もっとチャレンジングなこととして、新しい価値の創造をめざす。第二世代の革命は、ジョブズやゲイツらとは異なり、インターネットを手がかりに、新しい公共性の創設という未曾有の方向を示すのである。

北欧発のリナックス、スカイプ、またこれはアメリカ発だが、ウィキペディア、オーストラリア発のウィキリークスといった、主に二〇〇〇年代以降に世に知られてくる企て、サーヴィス、運動が私たちに示唆しているのは、そのようなジョブズ、ゲイツらとは別種の新しい流儀、考え方である。この動きの特徴は、原則として、利潤追求から自由な、自発的な贈与の姿勢に貫かれていることだろう。そこには、インターネットを作りだした世代の「自由な気風」に代わる、インターネットによって育てられた世代の「新しい公共性」の息吹が感じられる。

なかで代表的なものが、無料で使用できるコンピュータ・オペレーション・システム（OS）、リナックスである。これは、OS独占によって巨額の富を築いたビル・ゲイツ（マイクロソフト）の対極にあって、OSの公開とボランティアによる協同作業によってフリー（無料、公開、自由参加）な対抗OSを作りあげようという企てである。ほかに同様の無料をベースとする電話通話サイトとしていつの間にか広まったスカイプがあるが、これらを開発したのは北欧の若者たちで、彼らの全員が、前世代のアメリカの富豪たちと異なり、さほど一般には名を知られていない。

なぜさほど名前を知られていないのだろうか。彼らは無料で自由な関係空間を作り、それを差しだす。莫大な利潤を生む機会を惜しげもなく捨てる。彼らと第一世代の関係は、太陽電池による太陽光発電と原子力発電の関係のようなものだ。太陽電池は光のエネルギーを直接、中間形態をおかずに電力に変換するが、原発は原子力でお湯を沸かして得た熱エネルギーを蒸気・運動エネルギーに変換してそこからようやく電気エネルギーを手にする。ここで、中間形態の蒸気・運動エネルギーを、富と利潤の獲得とおいてみよう。すると、ビル・ゲイツは、インターネットを用い、富と利潤を獲得し、その後引退し、財団を作り、贈与をつうじて社会の福祉に寄与するのだが、リナックスの創立者は、富と利潤の獲得という中間形態をスキップしてインターネットで直接、社会の福祉に寄与しようとするという、両者の違いが浮かびあがる。リナックスの若者なら、いうだろう。インターネットでお金儲けをするというのは、ちょうど原子力でお湯を沸かすようなものだ。お湯を沸かすなら別の手段もあるのになぜわざわざインターネットで、お金儲けなどというプリミティブなことをしなければならないのか、と。それくらい、従来の利潤獲得の産業的観点からみれば特異とみえるふるまいを彼らは示す。それも、ひとしなみに示す。お金を儲け、成功者として名をなすことを、彼らはいまや、欲さないのである。

リナックスを開発したのは、リーナス・トーバルズというヘルシンキ大学の大学院生だが、その名前は、一九五〇年代にアメリカでマッカーシズムの嵐にさらされたノーベル賞受賞の化学者で平和運動家のライナス・ポーリングから取られている。リーナスは一九六九年の生れ。両親はヘルシンキ大学の学生だったときに、左翼の活動家で、共産主義者だったという。抑制された利潤獲得に特色をもつスカイプの創始者ニコラス・センストロムとヤヌス・フリスも、それぞれ一九六六年と一九七六年に、スウェーデン、デンマークという北欧の国々に生まれている。

また、現在、こうした動きの突端に位置するだろうウィキリークスは、匿名で政府、企業、宗教団体などに関する機密情報を公開するウェブサイト・サーヴィスで、これも脱利潤型の社会正義の追求、社会攪乱の愉快犯的企てであるところに、大きな特色をもっている。この企ての創設者の一人として知られるジュリアン・アサンジュも、一九七一年、先のトーバルズらとほぼ同時期に、オーストラリアに生まれている。両親の離婚等にともなう親権争いで、少年時代に数十回の引っ越しと転校を経験するなど、ジョブズを連想させなくもない複雑な幼少年期をすごしているが、その流儀のほうでは、やはり、ジョブズとはだいぶ異なっている。

ジョブズの「自由な気風」をよく示しているのは、何といっても先の「ハングリーであり続けよ、愚かであり続けよ」という言葉に代表される、個の社会からの自由であり、道徳からの自由だ。それは束縛するものを前にしての、自由の謳歌である。ところでその脇に、正義感の強い少年としてハッキングをはじめた一六歳の頃にアサンジュが名乗ったコードネームの「Mendax」をおいてみよう。こちらは、ホラティウスの言葉「Splendide Mendax」からとったラテン語で、意味は、「みごとな仕方で不正直たること」である。

アメリカにおける草創期のインターネット文化について書かれた池田純一の『ウェブ×ソーシャル×アメリカ』によれば、「ハッカー」とはそもそも「プランナー」の対位語だった。計画に従って実行するプランナーに対し、「楽しみに誘導されて改変や発明を行う人」がハッカーである。池田は、それが当初は「とんでもないいたずら」というくらいの意味で使われたと書いているが、そのハッキングがやがて「不正直」、ついで反社会的な不正行為、さらに転じて国家が個人に対して行う不正行為の代名詞に変わる。「みごとな仕方で不正直たること」は、こうした国家大の不正の前で意味をなす。

前者は個に立脚している。前には社会がある。彼は楽しむ。一方後者は強者に向きあっている。前にあるのは国家である。彼も楽しむ。しかしそれは公正の気持ちよさである。ジョブズとアサンジュの距離は、この「いたずらで愚か」と「みごとな仕方での不正直」の距離、個人的な楽しみと公共的な楽しみの距離である。インターネットが第二世代では、利潤ではなく理想と親和的なツールとなっている。

ここからわかるのは、コンピュータ技術をもとに「自由な気風」によって通信情報革命を起こした第一世代が、その実現したインターネット革命によって、彼らとは異質な子どもたちを生みだすことになったということである。そのポイントを、ストック（ためこみ）からフロー（流通）といっておくことができる。その観点に立つとき、リナックスの開放とウィキリークスの暴露が一つのものであることが誰の目にもわかる。そこに技術と人間のインターフェースがある。ジョブズは素敵なマックの機器を作るのだが、すると、マックの機器は、今度は、ジョブズとだいぶ違う、リーナス・トーバルズ、ジュリアン・アサンジュを作りだすのである。

先のコーエンの指摘は、そういうことまでを含んで、インターネットの非生産性に言及している。それは無限性の近代における市場経済の常識からみれば、空虚な技術革新かもしれないが、もし技術革新が真に革命的であるなら、当然そうでなければならないように、空虚なのである。それは、空虚であることで、どう視点を変えれば、それが豊かさにみえるのか、と私たちに尋ねているのである。

データベース機能と、その私的領域への浸透能力、そしてそこでの新しい公共性の開拓、また、私的領域に「もぐる」ことによる国境の無化、情報暴露をめぐっての権力との衝突、さらにそれらすべてに通底するものとしての贈与という動機の登場――こうしたものが、当初想定されることのなかった、通信情報革命のただなかから生まれてきた未知の「質」だ。

ここに現れているものは、贈与であり、後景に退いているものは、欲望である。別にいうこともできる。いま新しく現れているのは、ひとつの力能――駆動因――であり、消えようとしているものも、ひとつの力能――駆動因――なのだ。ここに起こっているのは、人を動かす力の交代なのだ、と。

シリコンバレー発で世界にさまざまな形で広まった通信情報革命をウィキリークスまでの幅で例にとれば、そこでの技術革新の無限性は、産業の大規模化、高額化、組織編成上の高度化などを一部ともないつつも、小資源、小廃棄の方向を一貫して堅持している。また利潤獲得の方途のあることは実例で示しながらも、そうではないこともできるという力がありうることに向けて、一つの広がりをみせている。そういう力によって、新しい公共性ともいうべきものの実現に向け、もう一つの見えない革命が遂行されている。

まったく別の領域である遺伝子操作、再生医療など、医学の先端における技術革新競争についても、似たことがいえる。遺伝子再生医療で現在、ｉＰＳ細胞の作製という達成業績をもつ日本は、先頭グループに位置しているが、その研究を支える予算規模は、競争相手の米国の十数分の一ないし数十分の一といわれている。そのことは、翻っていうなら、この分野での産業の基礎研究が、たとえ圧倒的に財政的に不利な状況下ででも、高レベルの頭脳と「創発性」が促される民主的、公開的、自主的な技術開発環境が備わっていれば——その限りで——、何とかある程度までは遂行されうるということである。産業が必ずしも巨大で組織的に高度でなくとも、別種の要素、かつてレーダー開発において見られたと同じ自由の気風、新しいチームワークの「質」があれば、技術革新の高次化は不可能ではない。

そこでもインターネットの第二世代と似ていると思われるのは、米国の遺伝子医療の開発が従来通りの利潤追求型を示しているのに対し、日本の開発がそれへのオルタナティブ（対抗）の選択肢の確保をめざしていると推進者によって語られていることである（iPS細胞の場合）。彼らは、再生医療技術が特許等により利潤を生む一方、高額化して患者に不利が及ぶことを極力阻止することを、その研究開発の動機としている。彼らを動かしているものが、何より贈与のかたちをとっているらしいこと、その一点で、彼らの流儀も第二世代の公共的な姿勢に通じるのである。

野放図なハッキング、すさまじい個人間の競争、辛抱強い実験、それらをささえる人間関係の「質」など、きれいごとでは片づけられないさまざまな人的要素がそこには投入されているはずだが、この二つには、少なくとも資源、環境的にみれば、原発、宇宙技術の対極をなす小資源・小廃棄のあり方、またその操作対象が、いまや「宇宙」（マクロコスモス）から頭と心と体からなる広義の「人体」(ミクロコスモス)へと移ってきているという共通点がある。コンピュータは、一九六九年のアポロ月面着陸においては軌道計算の上で重宝されたのだが、二〇一〇年代のインターネット革命になると、より根底的にいわば脳内生産性のうえで重視されるのである。

ここまでの技術領域の観察は、少なくとも二つのことを教えてよこす。

まず、技術革新が、ほんらい、地球の有限性に対し、産業社会の無限可能性をささえる原動力として機能し、またそのような機能を期待されてきたことを考えるなら、ここにあるのは、興味深い、示唆に富む回答というべきである。というのも、むろんそこにも経済＝技術の原理は貫徹しているのだが、このことは、技術革新自身が、無限性の追究から、有限性への同調へと、その方向性を自らシフトしてきていること、また、そういう場合に、市場を開発し、産業を興し、社会を変革し、さらに新しい価値観を創出する力ともなることを、語っているからである。

これを第三次の産業革命についていえば、技術革新は、これまで、原子力エネルギーを取り出し、核技術、宇宙技術を開発し、有限性の限界をはねのけることで(化石資源の有限性への代替、CO_2排出への対処など)、人間の無限の可能性を追求しようとしてきたのだが、核技術についていえば、軍事的に圧倒的な力を発揮した一方で、民間レベルでは、一九五一年から六〇年余に及ぶ運用の期間に、それ以前の蒸気機関、蒸気タービン、電力、内燃機関がもったほどの波及力＝社会変革力をもたなかった。原子力発電のロボットも、鉄腕アトムやドラえもんなど、マンガの世界から外に出て、実現されることはなかったし、原子力船も、日本では一隻建造されたものの、頓挫したほか、外国でも軍用以外にはほとんど用いられないままに現在にいたっている。その革新は技術的には画期的だったにもかかわらず、民間に市場を開拓もしなければ、産業も興さず、また社会も変革せず、なんら新しい価値観も創出しなかった。

その一方で、インターネット（inter-network）という関係創造をめぐる技術革新が、資源もエネルギーもさして使わず、環境への負荷をほとんどもたないコンピュータをツールとする情報（ソフトウェア）部門の変革として、一九九〇年代以降、誰も予期しない形で開花し、社会を一気に変えてしまったという事実は、技術革新が、地球の有限性に同調するという条件を満たし、これにフィットするとき、爆発的な力で社会を動かすということを示唆している。そしてそれは、偶然ではない。というのも、技術革新は、より社会の要求に答えうるものとなるとき、社会に受け入れられ、社会に派生し、市場を生み、産業を興し、雇用を生む。またさらに時代の要請に深く感応するものであることを通じて、人々に考え方の転換をすら、促す。そしてこれは戦争中に、ドイツに先んじられては困ると、米国が巨額を投資して原爆を開発した事例を含んで、産業革命以来、つねに変わらない、自然史的な過程における技術の真理だからである。

そう考えれば、原子力技術、宇宙開発技術が、第二次世界大戦、米ソ冷戦の間は、科学技術の花形の座にありながら、なぜさほど民生波及の効果をもたなかったか、また、なぜ冷戦が終わるとすぐに別種の技術革新に花形の座を奪われてしまうのか、その理由もおのずからはっきりとする。これらは、戦争がなければ、少なくともあのようにも早い時期、あのようにも衝撃的な形では登場しなかったはずだ。その意味でそれらは典型的に早産的な技術的な達成だった。そのため、戦争がなくなると、この二つの技術はその巨大な規模と秘密主義の体質をつうじて、社会から剝離せざるをえなかったのである。

そして、ここまで考えてくると、これまでの技術革新をめぐる私自身の考えが、やはりこうしたフィードバックの考え方を本格的に考慮に加えるまでは、やや枠にはまり、硬直した考え方にとらわれていたことも、みえてくる。私自身の考えが、この本の前半までは、有限性のほうへと歩みながら、なお無限性の近代の考え方にも似て、一方向的だったのである。ここに新たに加わっているのは、フィードバックという観点だ。私はこれまで、人間がどのように技術革新を行うのか、と考えてきたのだが、まず、それは無限性を乗り越えるばかりではなく、乗り越えないこともできるもの、有限性に同調もしうるものだった。もう一つある。私はこれまで、人間がどのように技術を変えるのかと考えてきたのだが、それは、同時に人間を変えるものでなければ、いまやその先には進まないものだった。一言でいえば、技術革新とは、人が技術に働きかける企てというにとどまらない。そこにも、自然史的な過程がひそんでいる。それは、技術から人間への反作用をも含んでいるのである。

10　しないことができることの彼方

もう少し広い力能

さて、ここにあるのは、どのような転回の可能性なのだろう。

私は当初、技術革新とは、産業社会の無限性信仰の中核に位置し、無限性の淵源をなすと考えていた。そのことは間違っていないのだが、無限性がそれじたいとして有限性の方向に向かうこと、向かいうることを、想定していなかった。しかし、事実が示していることは何かといえば、技術革新は、有限性を前にしてやみくもにこれを克服しようとするだけの一方向的なものではなかった。またその双方向性は、資源や環境という有限性の出現に対して「重厚長大」な構えを「軽薄短小」へと転じるというだけの「実用主義」的なレベルにとどまる浅いものでもなかった。浅いというのは、そこでめざされているのが障害の克服、効率性の追求、つまり無限性の実用的なレベルでの追究にほかならないからだ。そこでは「小さなもの」をめざすこと、小資源、小廃棄な産業をめざすことがなお、無限の産業拡大の手段ととらえられている。しかし、技術革新は、そこからさらに深く、無限性の探究を思いとどまり、その一方向性の盲目的な運動から降りることもできる力だった。あることができるにしても、そのできることをしないでおくということ、そうできることがまったく異なることを実現する方向転換の力でもあるということを、それは私たちに示しているのである。

そして、こうした力を、技術革新がどのようにして手に入れるかといえば、これまでとは逆に技術のほうから人間に働きかけ、人間を変えることによってであることを、インターネット革命の第二世代の新しい動きは、私たちに示唆している。

ここからやってくるのは、ある力能の変容の感触である。私たちを駆動してきた力の変容の予兆であり、また、人の生き方、感じ方の広がりの予感ともいうべきものである。

ここに働いている変容には一つの特色がある。それは、このことが、オペレーションズ・リサーチでも、マーケッティング・リサーチでも、予測できないことがらに属しているということだ。「大きなもの」から「小さなもの」へ、大量資源・大量廃棄から小資源・小廃棄へ、「必要」から「愉しみ」へというくらいまでなら、そうした社会学的な方法、システム工学的な分析で捕捉できるだろうが、ここに起こっているのは、もう少し深い、ないし、大きすぎる変容であるため、こうしたやり方ではもう、捉えられない。仮に一九八〇年代にマーケッティング・リサーチを行ったとしても、コンピュータの通信情報革命の方向への進展、利潤追求とは別の価値観をもつ技術革命の担い手たちの登場は、見通せなかったに違いない。その理由は、そこに現れているのがこれまでにない選好で、既存の要素を駆使して用意される従来のリサーチの解読格子ではとらえられない変化だったからである。そういう答えは、問いじたいが新しくならなければ取りだせない。さらに取りだし方自体が更新されなければ、見えるものとならない。大手のＩＢＭの社是は、Think（考えよ）であり、これに対し、アップルは、九〇年代末の再出発時に、Think different.（違ったふうに考えよ。）というキャンペーンを張った。しかし実際に「違ったふうに考え」る人間たちが現れたら、彼らはもう、社是やキャンペーンという流儀からオリている。それが、リナックス、スカイプ、ウィキリークスの出現が告げることである。つまり、従来のリサーチの解読格子ではとらえられない変化は、産業・技術・科学という外部が、人間に働きかけ、人間自体を変えるところから生まれてくるのである。

人間を変えるとは、どういうことだろう。

私は当初、有限性を無限性に対立するものとして考えていた。それで技術革新についても、これをほうっておけば内的な限界を明らかにするか、そうでなければ、外から手を加えてこれを制御しなければならないかのいずれかなのだろうと、漠然と考えていた。しかし、答えは、ある意味でそのいずれもがともに正しい、というものだった。そこでは有限性と無限性は対立していない。技術革新が有限性に同調するとは、技術革新が内的な臨界にぶつかり変容を余儀なくされるということでもあれば、またそういう形で無限に進展を続けるということでもある。私たちと産業技術とは二つの仕方で関係をもつ。私たちは、技術革新に内在する臨界のあり方に学び、また必要な場合――内的な臨界が発動しない場合――には、外から働きかける。たとえば私たちはリスクの増大に対し、これを抑制しようとする。でもそれだけではない。私たちは技術革新の達成に刺激され、考え方を変え、感覚を拡張し、新しい欲望のあり方にふれ、価値観を更新する。そしてそこからまた、技術、産業、社会に働きかけ、作用を及ぼす。技術に教えられ、変容した私たちが、今度は社会、技術へと再度向かうのである。

これは新しい次元での無限性と有限性、技術と人間の相互作用だが、ここには一つの「力能」の新しいあり方が顔を覗かせている。

一方向的でない、いわば双方向的な力能である。

私はここで、この新しい力能、もう少し広い力能に、名前を与えるということを試みてみたい。このあと、何人か見慣れない名前がたて続けに出てくるが、余り気にしないように。カギは偶然性（contingencyコンティンジェンシー、偶有性とも）という概念である。一八世紀初頭の哲学者ライプニッツの分類表を出発点に、現代イタリアの思想家ジョルジョ・アガンベンの考えをヒントにする。そして、タルコット・パーソンズ、ニクラス・ルーマンといった社会学者、法社会学者、哲学者リチャード・ローティの論究にふれつつ、私自身のかつて作った可誤性という概念へとたどる。その道程で、いま現れようとしている新しい力――社会の駆動因――と、そこに姿を見せているやはり新種の自由の考え方に、簡単な概念的な素描、定義を付与できればよいと思う。

あるところで、ジョルジョ・アガンベンが次のようなことを書いている。ライプニッツは、

『自然法の諸要素』で、様相の諸形象をこのような図式にまとめているというのだ。

可能的なもの	とは存在（ないし真として存在）	することができる	何かである
不可能なもの		することができない	
必然的なもの		しないことができない	
偶然的なもの		しないことができる	

（『バートルビー　偶然性について』五八頁）

この図式が面白いのは、ふつう可能性、不可能性、必然性、偶然性といわれ、二つの独立したカテゴリーに属していると考えられている四つの様態が、一つのカテゴリー内で互いに関係しあう、四つの力能として示されている点である。「できる」はラテン語でこのばあいはpotestだが、右の図のうちの四項目は、ライプニッツの記すラテン語だと、potest, non potest, non potest non, potest non となる。それぞれ、すること＋できる、すること＋できない、しないこと＋できない、しないこと＋できる、である。この四つの様態が一つのカテゴリーのうちにあることがよくわかるが、このうち、アガンベンは、最後の「偶然的なもの」のもつ「しないことができる」力に注目し、これをアリストテレスの潜勢態（デュナミス）（種子のような現勢化されていない可能態）と結びつけ、非の潜勢力と呼ぶ。

偶然的なもの（偶然性＝コンティンジェンシー）というと、ふつう私たちは、起こるかもしれないし、起こらないかもしれないなか、たまたま起こったことというように考えている。『広辞苑』の字解にも、「何の因果関係もなく、予期しない出来事が起こるさま」とあり、そこから、誰の意図とも関係なく起こる偶然性は、過去と切り離せない、というような解釈も現れる（たとえば『哲学の木』での一ノ瀬正樹の説明）。社会学では、ニクラス・ルーマンにおけるコンティンジェンシー（偶然性）の概念として、「他でありうる可能性」と説明されたりするが（たとえば『ロスト近代』での橋本努の説明）、この可能性がそうでない可能性とどう違うのかの説明がないので、「他でもあり得ること」のどこがありがたいのかがよくわからない。しかし、じつをいえばコンティンジェントであることを、いったん過去から切り離し、力能として考えると、それはまったく異なる様相のもとに見えてくる。

社会学者たちとは異なる文脈に立ち、アガンベンがいっているのはそういうことである。アガンベンは、偶然性を、世の理解とはまったく異なり、「存在することもしないこともできる」力能というように受けとる。そして、そのうえで、これをアリストテレス出自の潜勢態概念を手がかりに、非の潜勢力（しないことができる力）ともいうべきあり方と結びつける。非の潜勢力とは、偶然性が存在することができるとともに存在しないこともできる力能であるというライプニッツの指摘をテコに、アガンベンがやや曲芸的にアリストテレスから引き出す、「存在しないことができる力」にほかならない。アガンベンによれば、アリストテレスがデュナミス（潜勢態）と名づけたものは、存在することができる力（潜勢力）と解されているものの、ほんらい、同時に、存在しないことができる力（非の潜勢力）でもなければ、論理的に成り立たない。彼はいう。

> じつのところ、何らかのものとして存在したり何らかの事柄を為したりすることができるという潜勢力はすべて、アリストテレスによれば、つねに、存在しないことができる、為さないことができるという潜勢力（デュナミス）でもある。そうでなければ、潜勢力はつねにすでに現勢力へと移行し、現勢力と区別がつかなくなってしまうだろう（これはメガラの徒の主張であるが、『形而上学』第九巻でアリストテレスによってはっきりと反駁されている）。この「非の潜勢力」は、潜勢力に関するアリストテレスの教説の密かな要である。（同前、一四～一五頁）

したがって、

> 建築家は建築することができるという潜勢力を、それを現勢力に移行させていないときにも保つ。キタラの演奏家がキタラの演奏家であるのは、キタラを演奏しないこともできるからである。同様に、思考は思考することができるとともに思考しないことができるという潜勢力として存在する。（同前、一五頁、傍点原文）

アガンベンによれば、力能には、「することができる力」のほかに、「しないことができる力」があり、その「しないことができる力」（非の潜勢力）は、「することもしないこともできる力」（偶然性の力）として、アリストテレスの「存在することができる力」という概念（潜勢態（デュナミス））のうちに含有されている。

アガンベンは、こうしてライプニッツの偶然性を手がかりに、アリストテレスの潜勢力（潜勢態）の概念のうちに、その内奥にひそむまだ十分に光をあてられていない重要な概念として、非の潜勢力ということをいうのだが、それはイタリア語では、潜勢力の potenza に対する impotenza あるいは potenza di non と呼ばれる。インポテンツ（不能）であることができる力、あるいはしないことができる力、とでもいおうか。そして彼の中では、することのできる力よりも、しないことができる力の方が強い、あるいは意味が大きい。そこから「キタラの演奏家がキタラの演奏家であるのは、（キタラを演奏することができるからというより）キタラを演奏しないこともできるから」だという、一種独特な彼のいい方が現れてくる。

しかし、ここで、いったんアガンベンの観点を離れ、逆に一歩「できる力」のほうに踏み込み、偶然性を、ライプニッツからアリストテレスにいたる潜勢力の時点で、とめおいてみよう。つまり世の理解にいう、過去との結びつきを切断したうえ、現在のただなかにおける「することもしないこともできる」力、また「することもしないこともできること」と、考えてみよう。すると私たちはここで、前に述べたこととの関係で、どのような概念的な展開をうるだろうか。

することもできるししないこともできる。そうであることの力。また、そうであることもありうるし、そうでないこともありうる。その意味。

これを、コンティンジェンシー（偶然性）の概念の意味の変遷としてみるなら、ここにある意味の拡張は、社会学の領域において、ちょうど、法社会学者ニクラス・ルーマンが社会学者タルコット・パーソンズのダブル・コンティンジェンシーという概念を「二重の条件依存性」から「二重の偶発性」へと拡張してみせたことに対応している。パーソンズは、あるシステムの中で人が決定するためには相手の思惑を予期することが必要で、その相手の思惑についても同じことがいえる――相手もこちらの思惑を予期できなければどうするという自らの思惑を定められない――以上、そこには二重の条件依存性(ダブル・コンティンジェンシー)があり、この循環的な決定不可能性を解消するには、「安定的なシンボル体系と価値秩序の共有が必要である」と考えた（長岡克行「ダブル・コンティンジェンシー」『現代社会学事典』）。

ここで私の考えをさしはさむと、相手の思惑とは、こちらがあることを行うことに対する相手の反応、つまりフィードバックの可能性のことをさしている。このばあい、将棋においてプロの棋士が何手も先まで読むように、重層的な予期が可能であるためには、その予期を成り立たせる安定した共通認識（とそれへの信頼）が必要だというのがパーソンズの考えである。その結果、パーソンズはシステム安定のためにシステム内部に巣くう循環的な決定不可能性を、駆除すべきものとみなすのだが、これに対し、ニクラス・ルーマンは、いや、面白いじゃないか、とばかり、この「ダブル・コンティンジェンシーにおける自他の行為の不確実性こそがコミュニケーションを創発し、さらに社会秩序への関心を動機づける」（大澤真幸「ダブル・コンティンジェンシー」『岩波　哲学・思想事典』）のでは？と、この観点を逆転させる。偶発性としての〝そうであるかもしれないしそうでないかもしれないこと〟が、ここではシステムの安定化を損なうリスクから、フィードバックの可動域を拡大し、システムを活性化する動因と見直され、その意味を「転義」されるのである。

この読みかえは、ルールというものがプレイのもつ偶然性の力によって刻々変わり、それによってプレイもまた影響されることを考えれば容易に理解できる。

また、これとまったく同じことがソシュールの言語学におけるラング（言語のルール）とパロール（そこで話されるプレイとしてのことば）の関係についても観察される。ソシュールの理解では、ラングという言語のルールが変わるのは、そこに日々交わされる言葉（パロール）が、スポーツ競技におけるプレイ同様、することもできればしないこともできるという面白みの動態のうちに生きている――偶然性のうちに揺動する――からだ。やりとり（フィードバック）をつうじ、パロールにおいてラングが、コンティンジェント（偶然的）に生きられることが、ひいてはラングを動かすのである。

偶然性、潜勢力、可誤性

このコンティンジェンシーの概念の拡張の延長上に――アイロニーという全体の行論のありようには賛成できないものの――、『偶然性・アイロニー・連帯』におけるリチャード・ローティの偶然性（＝偶発的投企）という考え方を、位置づけることができる。

ローティのいいかたは多岐に亘り、これについても多様な解釈があるのだが、たとえば次の松岡正剛の指摘は、先の意味の拡張の側面をよくとらえている。松岡は、書評集『千夜千冊』でリチャード・ローティの『偶然性・アイロニー・連帯』をとりあげ、偶然的であることのこの新しい意味あいを顧慮し、これを「コンティンジェントであろうとすること」といい直したのち、こう述べている。

そうだとすると、システムやわれわれがコンティンジェントであろうとするとは、どういうことかといえば、次のようにパラフレーズすることができる。コンティンジェントな当事者や当該システムが新たな事態（＝現在）にさしかかったときに、そこに連なる歴史や思いちがいや創発的な発見を、たとえ当初の方針や目的から軌道が逸れようともそのまま引き受けていくという偶発的投企に、当事者が当該システムがあえて向かっていくということ、それがコンティンジェントな態度や方針である、というふうに。（松岡正剛「千夜千冊・一三五〇夜　ローティ『偶然性・アイロニー・連帯』」）

松岡がいうのは、することもしないこともできるなかであることを行う「偶発的投企」には、ただあることを（ルールに準拠して行う）「予期的な投企」にはない力能、つまり当該システムと当事者の「コミュニケーションを創発し、さらに社会秩序への関心を動機づける」意味と価値と創発性があるだろう、ということである。ここで付け加わっているのは、コンティンジェントであることの主体は、システムであることのほかに当事者（個人）でもありうるという点である。その投企の偶発的なありようが、新しい意味と価値と創発性をもちうるというのだ。

さて、こう書いてくると少なくとも私にはみえてくるのだが、もしコンティンジェンシーというものが「他でありうる可能性」と説明されるよりも、「することもしないこともできるなかであることを行う偶発的投企」あるいはそれをもたらす契機、と語られたほうがよいとすると、これは、私がかつて考えた「可誤性」という概念と、ほぼ同じである。我田引水に聞こえるかもしれないが、この概念を、ローティの当該システムと当事者から、さらに当事者のみの偶発的投企のありようへとシフトすると、可誤性になるからである。

可誤性というのは、私が先に「戦後後論」という一九九六年の論考に提出している考え方である。簡単にいえば、正しさに守られて、誤らないように誤らないようにと考え進める仕方には面白みがない。つまり、価値、創発性がない。つねに誤りうる状況のなかに身を置いて考えることのほうが、価値が高く、創発性に富み、ものを考えるあり方として、重要だとする概念である。

ドストエフスキーの『カラマーゾフの兄弟』の「大審問官」の章で、大審問官がキリストに、十字架に架けられたとき、お前はなぜ、民衆が十字架からおりてみせろ、そうすればお前を神の子と信じてやるといったのに、そうしなかったのか、ときく。そしてその理由を私は知っているゾ、という。それは、民衆の一人一人がいわば自らリスクを冒して自由におまえを信じることを、欲したからだ。人々が奇跡を見せられ、奇跡の奴隷となって安全な仕方で自分に帰依するようなあり方を、欲しなかったからだ。

むろん大審問官の揚言はこの後、しかし、お前は間違っている、人間はそういうささえのない自由にはたえられないからだ、と続く。作中語られる大審問官の詩劇では、これに対し、最後、キリストが大審問官への接吻で答えるのだが、このようなありかたについて、これを文学のもつ可誤性と呼び、現象学における不可疑性と対比して、私はそこにこう述べている。

ここにあるのは、あの誤りうることが正しいことより深い、というドストエフスキーの直観が彼（劇中のキリスト――引用者）にたどらせた、たぶん最深の定言である。（中略）文学は、誤りうる状態におかれた正しさのほうが、局外的な、安全な真理の状態におかれた、そういう正しさよりも、深いという。深いとは何か。それは、人の苦しさの深度に耐えるということである。（中略）誤りうるかぎり、そこには自由があり、無限があるのだ。現象学が教える不可疑性は、やはり誤りうることの中におかれた思考法だが、それでも、それとこの文学の可誤性のあり方の間には、あの善人なおもて往生をとぐ況んや悪人をや、という親鸞の『歎異抄』中の言葉における、善人と悪人ほどの違いがあるのである。（「戦後後論」『敗戦後論』所収）

人は、あることを行うのに、それをすることもできるしないこともできるというなかで、行うばあいがある。また、単にそれを行うことができるというので、行うばあいがある。私はリチャード・ローティの偶然性のとらえ方には、ルーマンからの一歩前進があると思う。彼がいうのは、このばあい、前者の個人のふるまいのコンティンジェントなあり方にも、後者の必然の奴隷としてのふるまいにはない、意味があり、価値があり、創発性がある、ということだろうからである。

ルーマン、ローティふうにいえば、「大審問官」の章のキリストは、人が自分をコンティンジェントに――信じることも信じないこともできる開かれた自由でリスクあるあり方の中で――信仰し、自分に帰依することを望む、といっている。そしてそれを「自由な信仰」（『カラマーゾフの兄弟』米川正夫訳）と呼んでいる。このコンティンジェントなあり方が、奇跡をみせられ、やっぱりキリストは神の子だと思い、そのキリストに帰依する人々の安全な「自由のない信仰」と、対比されている。私が可誤性と呼ぶのは、人がコンティンジェントなままに――正しいかもしれないし、誤っているかもしれないというささえのない（可誤的な）あり方のなかで――物事を考え、ことに処すことのうちに現れているある実存的な態様のことである。

これを翻っていえば、私が先に、人の考え、行いについて述べたことが、ローティの議論では、人とシステムの様態についてもいえるものとして語られ、ルーマンではより広く、システムの様態について、展開されている。これは、逆向きに見られたもう一つのコンティンジェンシー概念の意味の拡張である。それをここの文脈に重ねていえば、私が個人のふるまいについて述べた「することもしないこともできる」ことのうちにある自由（可誤性）が、個人と社会、社会自身、さらにシステム全般へと拡大され、コンティンジェンシーという概念のもと、「することもしないこともできる」力能へと拡張され、接続されているのである。

さて、ここでこの「することもしないこともできる」力を、自由から力能までの幅で一つの概念として受けとり直すと、これまで見てきた近代の成長の思想が、一方向的にそうなることをめざす、「することができる」力の思想であることがみえてくる。またこの「することもしないこともできる」双方向性の力が、脱成長の思想に重なるものとみえてくる。ライプニッツ、アガンベン、ルーマンらを手がかりに、有限性への同調について考えてみれば、私たちを動かしているのは、「することができる」力であり、「しないことができる」力であり、そして「することもできるししないこともできる」力である。また、「することができる」自由であり、「しないことができる」自由であり、そして「することもできるししないこともできる」

自由でもある。この先に、もう少し広い、知の地平が開けてくるのである。

コンティンジェントな自由

「することもしないこともできる」偶然性の力とは、力能――社会の駆動因――としてみたばあい、「することができる」可能性の力と、どういう関係にあるのだろうか。

これが「することができる」だけの力（可能態）よりもはるかに高次の力であることは、これに「しないことができる」マイナス方向の力能が加わってはじめてロボットが壊れやすい卵を扱えるようになることを考えれば、すぐにわかるはずである。自転車も最初はペダルが前向きにしか駆動されないためにつねに足を動かし続けなければならず、不便だったのが、車輪とペダルの間に空回り（フリーホィーリング）機能が発明されてはじめて、使えるものとなった。これでようやく運転する人がペダルに足を休めたまま、惰性で前方に進むことが可能になったのである。「することができる」可能態の力は一方向的だが、「することもできるししないこともできる」偶然態の力は双方向的だ。「フリーホィーリング（free-wheeling）」はボブ・ディランの二番目のアルバムのタイトルでもあるのだが、「してもしなくともいい」偶然性の力とは、ディラン流の「いい加減なこと」の力でありつつ、限界超過生存期に適した、フィードバックの力をもち、有限性に同調する、――新しい力能でもあるのである。

このことをはっきりさせるために、先のライプニッツの四つの様態の関係図表に沿って、そこでの力能の関係を数値で表してみよう。すべきことが二つあり、そのいずれかをするのがプラス1、しないのがマイナス1、不問とされているのがゼロである。その二つを、XとYとする。

不可能性　「Xをしない　マイナス1」

+「Yは不問　ゼロ」

=　マイナス1

必然性　「Xをしないことができない　プラス1」

+「Yをしない　マイナス1」

=　ゼロ

可能性　「Xをする　プラス1」

+「Yは不問　ゼロ」

=　プラス1

偶然性　「Xをすることもしないこともできる　プラス2」

+「Yは不問　ゼロ」

=　プラス2

この表を説明すれば、不可能とは、Yは不問として（ゼロ）Xができない（マイナス1）力なのでマイナス1、必然とはXを必ずするが（プラス1）Yはけっしてしない（マイナス1）力なので合計ゼロ、可能とはYは不問として（ゼロ）Xをできる（プラス1）力なのでプラス1。これに対し、偶然とはYは不問として（ゼロ）Xはすることもできるし（プラス1）しないこともできる（プラス1）ので、その力能の和はプラス2、である。

力能としてみると、「することができる」成長の力をいわば倍加したものが、「することもできるししないこともできる」偶然性の力だとなる。することもできればしないこともできる力が立ちどまるべきところで立ちどまると、壊れやすい卵も、しっかりと、やさしく、ロボットの指に摑まれる。ペダルに足を乗せたまま楽勝で坂道を自転車で降りてゆける。一見ちゃらんぽらんな、はっきりしない、コンティンジェントな力が、じつは――というか、同時に――もっとも高次の、インテリジェントな力能なのだ。

さて、私がこの力能に注目するのは、この偶然性の力が、有限性に同調する力能として、「できる」と「したい」の相関から取りだされる、先に述べた無限性の近代型の自由とは違うもう一つの自由、いわば有限性の近代型の自由のありかを、うまく切り出す手がかりを提供していると思われるからである。

先にみた「力能」と「欲望」の相関の説明の場面を、思いおこしてみよう（6章　技術と力能）。そこで、竹田青嗣は、自由を定義して、「欲求（＝欲望）」と「自分の能力（＝能う）」のあいだに生じる「制限と努力と可能性との相関的意識」であると述べていた（『近代哲学再考』）。そこにあって欲望と力能がせめぎあう条件は、つねに欲望が力能を上回っていること、両者の関係が欲望＞力能だということである。

たとえば、車がほしい、けれどもそれを手に入れるだけのお金がない、というばあい、両者の関係のうちに自由は「制限と努力と可能性との相関的意識」として現れる。欲する人は、この制限と可能性のなかで、目標にむけて努力し、工夫し、やっとこれを手に入れるとき、その達成のうちに自由の感覚を手にするという事態がそこに想定されている。

これは、私たちにも見覚えのある近代後期、つまり私たちの生きてきた時代における自由の範型である。しかし、この自由が、つねに人間の自由の範型だったわけではない。ここにえられる自由のかたちを、欲望によって設定された目標「への自由」とすれば、それ以前に人々によって生きられたのは、束縛「からの自由」ともいうべき範型だった。たとえば身分制度、家制度など自由が政治的に社会的に認められていない段階では、自由とはそうした束縛「からの自由」というかたちをとっていた。それが近代社会に入り、自由が権利として認められるようになると、自由は新たに欲望と力能との相関のうちに本質をもつものへと変わるのである。

そこでは、前者の束縛「からの自由」よりも、後者の目標「への自由」のほうが負荷の程度は軽く、その色あいもうすい。しかし、両者をこのような負荷の色あいで比べれば、その後、その色あいはもっと「うすまっていく」だろう。近代の成長期とは、力能と欲望とがそれぞれに昂進された時期である。そこでは両者の関係は最適のせめぎあいの条件をもっていたと定義できる。しかし、それ以後、成長の度合いは鈍化する。それにしたがい、この両者のせめぎあいも強度を弱めていく。そこでは、自由は、両者の相関というかたちではもはや定義できない方向に、範型を逸脱させていくだろうことが予測される。

じじつ、吉本隆明は一九八〇年代の末に書かれた「エコノミー論」のなかで、こう述べている。

> わたしたちが思いおこすあのふるい自由の規定は、現実が心身の行動を制約したり疎外したりする閾値のたかい環境のイメージといっしょに成りたっていた。（中略）わたしたちが現に実感している自由の規定は、現実は心身の行動をうすめ埋没させてしまうという環境のイメージといっしょに成りたっているものだ。ふるい自由のように制約や疎外を実感できないので、まったく恣意的に振舞っていいはずなのに、と惑っているのだ。（「エコノミー論」『ハイ・イメージ論Ⅲ』一二六頁、傍点引用者）

自由はかつて現実が厳しい拘束と感じられている時代にはそれからの解放を意味していた。その拘束がゆるみ、外的な社会環境が「心身の行動をうすめ埋没させ」ると、その定義は無効になっていく、とこの吉本の文章は予想している。近代以前の「閾値の高い」環境が解放され、その後やってきた時代の自由の範型を、竹田は、新しい駆動因としての欲望に着目し、欲望と力能の相関のもとに定義してみせる。そこでは束縛＞力能が、束縛の後退により、欲望＞

力能に取って代わられている。

新しい欲望・力能相関における自由の無限性は、これを駆動する欲望の無限性からやってきている。その源泉は、他者との関係のなかに生じる普遍的な承認ゲーム（社会からまた相手から承認されることをめざす運動）の無限性である。でも、その無限性も、そこに生き生きとした多元的なゆきかいがなければ、やがて、均質化し、飽和し、空転をきたすようになるだろう。竹田は、書いている。

現象学的には、この欲望と可能性の関係の「無限性」こそ、人間的な「自由」の本質を規定するものです。この関係が一義的であればあるほど（動物にとっての環境世界は人間の関係世界にくらべて、はるかに一義的です）、「自由」の意識は後退します。「欲望」、「欲望の対象」、そして「能力」のあいだにはさまざまな意味の連関が生じますが、この連関が多義的であればあるほど、意識は、この意味の連関を創発的に分析し、綜合し、編み変える。そのことがつねに「可能性」と結びついているかぎりで「自由」の意識はますます高くなるのです。（『近代哲学再考』二二八頁）

私の考えでは、他人の欲望を欲望するというコジェーヴ出自の欲望ゲームやボードリヤール流の記号消費の論が、その後、説得力を失うようになるのは、九〇年代以降、世界経済が大きな困難に直面するようになるからではなく、そもそも、人の欲望するものを欲望するという記号消費のあり方が、昂進するにつれ、その一面性から空転を余儀なくされるからである。そこに人間という多元的な外部性の要因が入ってこなければ、記号とはそれだけでは一元的な存在にすぎない。竹田のいうように、一元的な記号的差異は、やがて飽和してしまうはずである。

たとえば、社会に認められたいという近代的な承認ゲームは、かつては「末は博士か大臣か」といわれた。でもいまでは、「博士」も「大臣」も、そのときのような「欲望の対象」としての強度をもっていない。「大臣」（政治家）、「博士」（学者）になったはいい。でもそれで、何をするのか、という「その後」（＝外部）の要因までが入ってこないと、欲望と力能の関係は一元化し、空洞化する。そこでゲームは創発的に生き続けていけなくなる。インターネットで巨万の富を築く。でもそれで何をするのか。記号外の要素が入ってこないと、いまやゲームは頽落するのである。

ブランドの服も、しゃれたペンも、ここでの「博士」、「大臣」と同じである。みんなが憧れるものの象徴というだけでは、やがて記号として陳腐化し、欲望を空転させて終わる。「博士」が中間子を発見したり、iPS細胞を作りあげたり、「大臣」が国境問題を平和裡に解決したり、代替エネルギー開発に道をつけたりするのでなければ、つまりプレイにコンティンジェントな要素、可誤的な要因がつねにみちているのでなければ、ゲームは、生き生きとしたものに保たれないのである。

しかし、この欲望・力能相関のもとにえられる自由が、なかなか生き生きとした状態に保たれにくいという以前に、この欲望＞力能の関係の基盤が、ここまで述べてきたような有限性の近代の浮上によって、根拠を失おうとしている。いま新たに起こっているのは、このような事態なのではないかと思われる。そうだとしたら、近代後期に現れた、竹田のいう自由の範型も、構想も、大いに力をそがれざるをえない。そのばあい、新たな環境のもとで、改めて人は、自由をどう考えればよいのか。

自由をめぐる問いは、まったくこれまでとは違う範型のもとに考えられなければならなくなるだろうが、いま、若い論者の國分功一郎が提起しているのは、私の目に、そういう問題であるように思われる。

國分はいう。ガルブレイスは高度消費社会（「ゆたかな社会」）では「供給が需要に先行している。いや、それどころか、供給側が需要を操作している」と述べた。しかし、「いまとなってはガルブレイスの主張はだれの目にも明らかである。消費者のなかで欲望が自由に決定されるなどとはだれも信じてはいない。欲望は生産に依存する。生産は生産によって満たされるべき欲望を作り出す」。ならば「好きなこと」が消費者の自由な欲望からやってきているなどとは、とうていいえないのではないか。

こう言ってもいいだろう。「ゆたかな社会」、すなわち、余裕のある社会においては、たしかにその余裕は余裕を獲得した人々の「好きなこと」のために使われている。しかし、その「好きなこと」とは、願いつつもかなわなかったことではない。（『暇と退屈の倫理学』二〇頁、傍点原文）

願ったことが――努力を通じ、しっかりと――かなえられること、つまり、欲望∨力能の関係が崩れている。國分は、そこから、社会に必当然的に「退屈」と「暇」が生まれてくるが、そこで自由はどのように考えられるべきか、人はどのように生きればよいのか、と問うている。ここに顔を覗かせているのは、明らかに竹田の欲望・力能相関の範型と異質な、新しい自由の範型の予兆である。

生きているという感覚の欠如、生きていることの意味の不在、何をしてもいいが何もすることがないという欠落感、そうしたなかに生きているとき、人は「打ち込む」こと、「没頭する」ことを渇望する。大義のために死ぬとは、この渇望のさきにある極限の形態である。(同前、二九頁)

「ゆたかな社会」で、大義に搦めとられずに、人はどのように生きることができるか。つまり、ここに現れているのは、そうは書かれていないものの、「ゆたかな社会」で、欲望にも依存できず、大義にも回収されないとすれば、人はどこに生きる意味のささえを見出せるか、という新しい自由をめぐる問いである。

こう見てくれば、『近代哲学再考』における竹田の「欲望」も、先に見た『歴史の終わり』におけるフクヤマの「気概」と同様、そのままでは、もはや自由や生きる意味をささえるにたりない。そういう時代が、いま来ているのかもしれぬという感想が浮かんでくる。そして、そういう感想に促され、これがいま私たちの迎えようとしている時代の条件なのだと、仮に考えてみようとすると、このような受けとり方をささえる新しい感じ方が、すでに私たちのまわりで自明になりつつある現状がみえてくる。

これまで人は欲望に突き動かされ、そこに浮かびあがる目標を達成すべく生きてきた。そしてそこにえられる感覚を自由の感覚と呼んできた。でも、いま現れてきているのは、欲望に自分自身動かされながらも、同時に、その欲望による駆動、あるいは承認願望による動機づけを、うっとうしく、不自由に感じる——ひらたくいえば「マッチョ」に感じる——、重層的な生の自由の感覚ともいうべきものである。

わたしはそれをしたい。それをする。でもそれはけっして自分がそれを欲望しているからというのではない。少し違う。またこれを承認されたいからだといわれてしまうと、これも違う。違和感が残る。

それを何と呼べばよいか。

私は、これをこそ、コンティンジェントな自由の範型と呼んでみたい。そこに働いているのは、解放や大義に抗うように、欲望や承認願望に対しても抗う、これらの人を動かす力にコンティンジェントであろうとする意思であり、力である。

解放、大義。また、気概。欲望、承認。これらに代わる駆動因なるものが、新たに現れてくるというのではない。そうではなく、こうした駆動因から自由な、しかしそれらと自由に関係を保つ、偶発的契機であろうとする意思。それがいま新しく現れてきているものなのである。

ここに、欲望以後の自由のカギは、顔を覗かせているのではないだろうか。

これを「コンティンジェントであることの自由」と名づければ、こうしたあり方を、いまもっともよく語る一つは、性的、民族的なマイノリティにおけるカミングアウトの例である。若い社会学者の大坪真利子によれば、カミングアウトとは「coming out of the closet」という英語の慣用句から出てきた言葉で、世間に対し、「自らのセクシュアリティを明確な形で宣言すること（ゲイであるならば「ゲイ」である、と名乗ること）」である。これに対し、クローゼットとは、これを周囲からの圧力によって「表明することができない状況」をさしてきた。

しかし、

近年、米国を中心として、ホモセクシュアリティの開示を「カミングアウト」として解釈されることや、過去を「クローゼット」として解釈されることを否定する語りが見られるようになっている。たとえば、「カミングアウトをした」と報道された著名人のケースのうち、「カミングアウトではない」と報道そのものに異議を申し立てる発言（Inbar, 2011）や、セクシュアリティを公に開示しないでいた過去を「クローゼットにいたわけではない」（Inbar, 2011）「隠していたわけではない」（Portwood, 2012）「プライベートなことなので言わなかった」（Inbar, 2011; Portwood, 2012; Sullivan, 2012; Guardian co.uk, 2013）と説明するケースがその例に挙げられる。

これらに共通する特徴は、セクシュアリティが非開示だった過去を、「言うことも言わないことも可能」な中、状況に応じて「選択」した沈黙であったと説明する点にある。（「言わなかったことをめぐって——カミングアウト〈以前〉についての語り」『ソシオロジカル・ペーパーズ』第二二号、二〇一三年三月）

つまりはゲイの人間が自分はゲイであるということは、これまで語ることのできなかった人間が圧力をはねのけて「語ることができた」言説として長い間受けとめられてきたのだが、そこに最近、いや自分が自分はゲイだというのは、「語ってもよいが語らなくともよいこと」として語っているのであって、何もカミングアウトしているわけじゃないですよ、という人間たちが、次から次に現れてくるようになった、というのである。

大坪の論考の面白いところは、これまで社会学は語られたことについてその意味を考察してきたが、語られないことについては、それほど考察されてこなかった、と考えている点である。往年の鶴見俊輔の用語でいえば（『デューイ研究』一九五二年）、コミュニケーションならぬディスコミュニケーションの社会学が、そこではめざされている。その観点に立って、右の引用部分では、「語られない」ことは、これまで「語ることができない」不可能性としてしか受けとめられてこなかったが、しかし、そのことを、「語らないことができる」あるいは「語ることも語らないこともできる」——ここでのいい方でいうとコンティンジェント（偶然的）なあり方として受けとめることも必要なのではないか、ということが指摘されている。

彼女の指摘が教えるのは、ここでの「語らないこと」をめぐる社会学の文脈では明らかに、「語ることができる」よりも、「語ることも語らないこともできる」のほうが、力能として強大であるという認識が共有されようとしていることだ。ここには「語ることができた」と承認されることに対するおだやかな憤慨があり、「語ることも語らないこともできる」コンティンジェントな力の獲得こそが自由の獲得だという感覚が、はっきりと姿をみせている。自分の言動をカミングアウトだと受けとめられて抗議している人々は、なぜヘテロな人々が自分はヘテロだということのうちに享受されているコンティンジェントな自由（言ってもいいし言わなくともいい）が、自分たちにはないのか、そのことは不当ではないかと、抗議している。そしてゲイの人間が自分はゲイだとコンティンジェント（偶発的）にいっていることが解放だとか抵抗だとか告白だとかと可能と不可能と必然の様態で受けとめられるのは、うっとうしいではないか、そう受けとめる人々は、――自分たちの享受しているコンティンジェントな自由が他人からは奪われているということに気づかない点で――鈍感だしマッチョなのではないか、と抗議しているのである。

この感覚の基礎にあるのは、コンティンジェントであることとは、何者かに促され、「立たされ」（ハイデッガー）、動かされることからの自由だという、新しい自由の考え方である。先の「大審問官」の章のところで、キリストが人々に対してコンティンジェントに――することもできるししないこともできるという状態のままに――、自由に、自分を信仰してほしい、と欲したという話を思いおこそう。ここにあるのは、自分たちは「コンティンジェントな自由」

をこそ求めているのだという、新しい主張なのだ。

欲望に対しても、承認願望に対しても、――それに従うこともできるし従わなくともいいというように――一種、コンティンジェントな関係でつきあいたい。そういうコンティンジェントな感覚が、吉本のいう「うす」く「恣意的」なあたらしい自由として、おだやかに提起されている。

それは、欲望が人間にとって本源的な動因であるという竹田の見解を否定しない。また、承認願望が人を動かすことの基底性を受け入れる。しかしながら、そのことに対して、一義的な奴隷的関係に入ることを拒否している。それからは独立し、一種ちゃらんぽらんな関係を保ちたい――「フリーホィーリン」（ボブ・ディラン）でコンティンジェントな関係を保ちたい――、それが、いま現れようとしている新しい自由の範型であり、また新しい自分との関係の意識なのである。

「大審問官」の章での、キリストを評した大審問官の言葉では、こういわれている。大審問官はいう。キリストよ、結局おまえは人が奇跡の力で自分に帰依することを欲しなかった。だから十字架にかけられたとき、多くの人が下りてみせよといったのに、そうしなかった。

つまり、例のごとく、人間を奇跡の奴隷にすることを欲しないで、自由な信仰を渇望したから、おりなかったのだ。おまえは自由な愛を渇望したために、一度で人を慴伏させる恐ろしい偉力をもって、凡人の心に奴隷的な歓喜を呼び起こしたくなかったのだった。（『カ

ラマーゾフの兄弟』米川正夫訳、傍点引用者）

自由とは何か。人が自由を感じるのは、欲望をかなえることによってでもあるが、またときに、欲望をかなえることから自由であることによってでもある。このばあい、欲望にとらわれないとは、何にも欲望を感じないということでも、欲望を否定するということでもない。欲望と、してもよいがしなくともよい、することもできるがしないこともできる、コンティンジェントな関係を保つということである。ここからわかるように、コンティンジェントであることのうちには、人がコンティンジェントであろうとすると、そこに「リスク」が入ってくるという本質がある。そしてそれがいま、通信情報革命の第二世代が、インターネットの関係創造力に促され、新しい公共性を創出しながら私たちに示唆していることでもあるだろう。それは、欲望からの離隔ではない。欲望にとらわれるよりもより強い、欲望との関係の創出である。欲望をかなえることからえられる自由の先には、欲望に対してコンティンジェントになることでえられる自由がある。というより、ほんらいなら「欲望に対するコンティンジェントな自由」、イエスのいう、自由な欲望があって、その先に、この「欲望をかなえること」があるべきなのである。

Ⅵ　イエスということ

11　人間といきもの

有限性、フーコー、生政治

　この考察はどこで終わればよいのだろうか。

　最初、私は私たちの生の環境として、有限性が外からくるだけではなくて、内からもくることを明らかにしようと、この論に赴いた。三・一一の原発事故の後の事故原発への保険の打ち切りが、「ああ、もうダメだ」という産業システムからの声に聞こえた。そのギブアップが、世界史的に何を語っているのか、と考えたことがその出発点だった。

　しかし、その結果わかったことは、生の環境として有限性を前提にものごとを考えなければならない新しい時代を、はっきり、有限性の時代として受けとめてみれば、それは、あらかじめ警告を受けていた「限界」を超えた時点で、もうすでにはじまっていたのだということだった。オーバーシュートという概念を私は限界超過生存と名づけたが、一九八〇年代のどこかの時点で、私たちはその「限界」を超えている。それ以後は、サーモスタットの設定値を超え、つねにフィードバックが作動する状態で生きてきた。というより、そのことが私たちの生の条件に組み入れられていた。そのことを繰り入れて考えなければならない時代がはじまっていたのだ。私たちは、ただそのことに気づかなかっただけなのである。

そしてそのことに気づいてみれば、そのフィードバックは、限界の閾値を超える以前にもっと早くから、はじまっていた。人類がもっとも加速し、成長の度合いを高めたのが八〇年代に先立つ、一九六〇年代後半から七〇年代初頭までの時期であること、その時点で、私たちの世界、もしくは人類がその意味での成長の「ピークアウト」を超えてしまっていることも、いまの目からは、明らかである。

有限性の時代とは何か。

それは、まず、無限性の時代を成り立たせてきたさまざまな条件が臨界に達し、そこで一対一の対応関係の関節がはずれてしまった時代のことだ。生産とリスク、産業と自然、責任と賠償、犯罪と罪科、欲望と力能など、さまざまなところで、それまでの関係の関節がはずれかかっている。

そして、それはまた、そのことに対するフィードバックがつねにかかるようになった時代のことでもある。そこではオーバーシュート（限界超過生存）が起こっていて、限界の超過、一対一対応の関係のほつれに対し、つねにそれを回復しようというフィードバックの力が多くは気づかれないままに働いている。

このフィードバックは、陰に陽にと私たちに働きかけている。私たちの頭、身体にだけでなく、心にも意識されずに働きかけている。だから、私たちは解放だとか抵抗だとか欲望だとか承認だとかが、主体だけに発し、客体（相手）からやってくるものに無感覚なあり方で語られるとき、暴力的なものをおぼえ、うっとうしいと感じる。それらが私たちにとってなくてはかなわないものであることを知りつつ、また同時に、そう思う。そこにはもはや変えられなければならないものがある。出番をまっているものがある。それが彼方で手をふっていると、私たちはそのとき、感じるのである。

しかし、このこと、よい知らせとわるい知らせがともにあること、そういうなかに私たちが生きていることには意味がある。こうしたフィードバックを通じて、世界が有限であることは、私たちにひとつの課題を差しだしている。私たちは、こうした働きかけに、敏感で、また、それに即応できる新しい質をもった頭と心と身体を用意しなければならない。

コンティンジェントであること、コンティンジェントであろうとすること、つまりコンティンジェントな力をもつことは、そのためのひとつの重要な手がかりである。私たちはむろん、パンがなければ生きていけないが、ここに響いているのは、パンへのコンティンジェントな関係でもある。「ほんとうの奢侈は、富への完全な侮蔑を要求する」とバタイユはいった。彼は、富とのコンティンジェントな関係をそこで宣言しているのだ。

さて、この論での最後の問いを私は、こうおこう。

有限性の時代は、いま、気づかれずにもう到来している。この時代を、どう生きるのがよいのだろうか。

有限性の時代を生きるとは私たちにとって、どういう生の条件を受けとめることなのだろうか。

この問いをできるだけ大きく受けとってみよう。すると、意外に思われるかもしれないが、もう一度、私たちは思想の海へと船をこぎ出すことになる。ミシェル・フーコーが最晩年に提出している考え方に、生政治（bio-politique）という概念がある。これが、その基礎をなすビオスとゾーエーという古代ギリシャ出自の概念とともに、このことを考えるうえで、私たちを励ますからである。

フーコーによると、かつて西洋の古代において君主の権利は生殺与奪の権というかたちで存在していたという。君主は臣下に対し、この権利をもっていて、たとえば、どんなときでも、いうことを聞かなければ殺すゾ、という形で自分の欲することを行わせることができた。たぶんそれは、古代に家父長が奴隷の命と同様に子供の命を「自由に扱う」権利を享受していたことに端を発するのだろう。「彼は子供たちに命を『与えた』のであるから、それを彼らから取り返すこともできた」のである（『性の歴史Ⅰ　知への意志』一七一頁）。

しかし一七世紀になり、古典主義の時代に入ると、こうした君主の権利のあり方は、一八〇度変化する。それまでは生きているものを死なせることが権力の形だったのだが、今度は死んでいくものを死なせず、生かしておくことが、権力の形になるからだ。

国家は以後、教育等を通じ、人民を、生かし、規律を施し、調教し、かつ誕生、死亡率、寿命等を媒介に身体的にも生物学的にも管理を加える仕方で、権力を行使するようになる。人々は抽象的な国民から具体的な住民へと意味を変えられる。そして人民が数として管理を受ける人口という概念、生き物となってはじめて生じる人種という区分も現れるようになる。権力のあり方がこれを行使する主体と客体とに深く分離されると、客体が、牧人にとっての羊のような、生き物としての存在に変わる。この側面ではもう、同等の存在ではないので、いうことを聞かなければ殺すゾと威嚇はされない（牧人は羊にそうはいわない）。こうして、「死なせるか生きるままにしておくという古い権利に代わって、生きさせるか死の中へ廃棄するという権力が現われ」てくる（一七五頁、傍点原文）。人々を死なせず生かす形で行使されるこの権力を、フーコーは、生権力（bio-pouvoir）と呼び、このような権力によって動く政治を、生政治と名づけている。

でも、なぜこのような変化が生じるのだろうか。フーコーは明言こそしていないが、もとマルクス主義者だけあって、背景にぼんやりとは資本主義の勃興、産業社会の成立という自然史的な過程の展開を想定している。これまでの権力は、「様々な力」を「阻止し、抑えつけ、あるいは破壊する」ことに存していた。これに代わってむしろそれらを「産出し」、「増大させ」、「整える」ための権力が現れてくる。それは「資本主義の発達に不可欠」である。生産機関に人々の身体を管理された形で組み込み、人口現象を経済的プロセスにはめ込むこと、「資本主義にとっては、このどちらもが成長・増大すること」が必要で、「力と適応能力と一般に生を増大させつつも、しかもそれらの隷属化をより困難にせずにすむような、そういう権力」がそのために要請されている、と書くからである（一七八頁）。

ここで意味深いのは、次のことだろう。

この生政治の出現が語っているのは、西洋の一七世紀の古典主義時代に生じた、生と死とに関わるひとつの布置の逆転である。

古代では、じつは生きていることが当然事だった。臣下とはいえ、自分と本質的に同等の存在が隣りに生きていた。だから、殺すゾということが脅威となりえたし、いうことをきかせるのにそうした威嚇が必要であった。でも古典主義期に入ると、もう殺すゾの恫喝はいらない。隣りに生きているのは同等の存在ではないからだ。それは生きるのを認められ、生かされている（牧人にとっての羊のような）存在だ。逆にケアされなければ死んでいく。つまり、人は権力の目に客体として現れると、生き物として、死すべきものとして、つまり有限の存在として、みえてくるのである。

ここで、先にアガンベンがいっていたことを、もう一度思いおこそう（10章）。アガンベンは、『バートルビー　偶然性について』のなかで、メルヴィルの「バートルビー」にふれてライプニッツの「しないことができる」力を取りあげた。そしてあの後、その偶然性の場所から、私とはちょうど逆の方向に考え進めていくのだが、その先、「できない」ことの意味、もう人間ではなくなること、むき出しの生といったことがらについて考え、やはりこのフーコーの生政治の問題とぶつかっている。そこで彼は、ビオスとゾーエーという、古代ギリシャの

「生」の概念についてふれ、大要、このようなことを述べている。

彼によれば、古代ギリシャには人が生きるということに関して、いま私たちがもっている「生」（life）というような一語は存在していなかった。それは、いわば「生命／生存」と「生活」とに分かれていて、前者はゾーエー（zoë）と呼ばれ、「動物であれ人間であれ」生き物に共通の、生きている、という事実を示し、後者はビオス（bios）と呼ばれ、人間のそれぞれの個体や集団に特有の生きる形式をさしていた。

アリストテレスは、人間は政治的ないきもの（ポリティコン・ゾーオン）だといった。意味は「ポリスを生きる・ゾーエー」である。このうち「ゾーエー」は、生き物としての人間の生をさし、もう一方の「ポリスを生きる」つまりビオスが、政治的存在としての人間の生をさしている。ハンナ・アーレントは古代ギリシャの社会を、生き物としての人間の生が営まれる家空間（オイコス）とそれぞれの家空間から家父長が出てきて市民として言論をたたかわせる政治的空間（ポリス）に分けてみせる（『人間の条件』）。それでいえば、ゾーエーはオイコスで営まれる私的な生存と生殖のためのヒトの生、他方、ビオスは、ポリスで営まれる公的で政治的な人間の生を意味している。

このそれぞれの家空間とそこから出てくる家父長たちが集合して営む政治空間が、やがて権力を行使される客体空間と権力を行使する主体空間との二つに割りふられ、正対する。すると、権力の目に人民がゾーエー（生き物）として現れる一方、権力というビオスの領域に、反作用としてゾーエーが進入してくる。そうフーコーはいうのであり、そこに登場するのが生政治なのだと、アガンベンはここでの展開を説明している（『ホモ・サケル――主権権力と剝き出しの生』七〜九頁）。

アガンベンによれば、このアリストテレスの定義を参照して、フーコーは、

人間は数千年ものあいだ、アリストテレスにとってそうであったもののままにいた。すなわち、まずもっては生きている動物であり、それに加えて、政治的生活をなしうる動物であった。これにたいして、近代的人間はどうかといえば、その生にかんして、生きているということそのものが政治的な問題となるような、そのような政治のなかにいる動物なのである。（『性の歴史I　知への意志』一八一頁、ただしアガンベン著作解説における上村忠男訳を採用している。『アウシュヴィッツの残りのもの――アルシーヴと証人』二三五〜二三六頁）

と書いたのだという。そこで人間はビオスであることをやめてはいない。しかし、生権力のもとでゾーエーに変えさせられる。アガンベンは、この「生権力の最大の野心」は、人間の身体のうちにゾーエー（生存）とビオス（生活）、「非-人間と人間」の「絶対的分離を生産すること」なのだという（『アウシュヴィッツの残りのもの』二一〇頁）。以後、権力は、人間を、一方では生物としての人間（ゾーエー）、他方では言葉を話す知的で公的な存在（ビオス）と分離したうえで、植民地支配における「分割して統治せよ」よろしく、双方を別々に、ときに対立させつつ、管理・支配するようになる。

アガンベンも指摘しているが、このフーコーの生権力という考え方は、一九五〇年代末にア

ーレントが行った右の、ポリスとオイコスの二分論に立った、近代における公的空間への「社会的なるもの」の介入と制覇という指摘と、ほぼ同型である（『人間の条件』）。このアーレントのきわめて重大な指摘は、現代思想において、なぜか「その後ほとんど引き継がれなかった」、アーレント自身、これと先行する全体主義の起源に関する論との関連を追尋しなかった。他方フーコーは、「生政治の研究を開始するにあたってまったくアーレントの探究を参照しなかった」、強制収容所と全体主義にも「追求の手を伸ばすことがけっしてなかった」とそう、アガンベンは総括している（『ホモ・サケル』一〇頁）。たぶんフーコーは、自分の主張をアーレントの文脈で受けとられることを避けたかったのだろう。ゾーエーはアーレントにとっては否定的な存在だが、フーコーは少なくともその価値判断には、無前提に同じられないと考えたはずだからである。

ここにいわれるフーコーの生権力のありようの一番私たちにとって身近でわかりやすい例は、病院での入院生活、とりわけ終末医療の現場での患者の「生」の状況だろう。そこで患者は、普段の療養生活ではそうは見えなくとも、医療対象として、ゾーエー（生物としてのヒト）とビオス（言葉を話す社会的存在としての人間）に分離させられ、生きている。そのため、医療者と患者とは、患者が元気なあいだは、ゾーエーとビオスとの両面で交渉・交際しているが、病態が昂進すると、患者は医師の目にゾーエーとして現れだす。そしてしまいに病態重篤となり、意識を消失させると、以後彼はビオスであることをやめたゾーエーとして、なかなか死なないままに、身体に管を通された状態で病床にあり続けるのである。

ところで、世界の有限性が明らかになるなかで生きるとは、つまり限界超過生存（オーバーシュート）の状態で人類が生きるとは、ある意味で、人類全体が巨大な終末医療のホスピスに入るということではないだろうか。

そして、そこで私たちは、むろんそのようには自覚していないわけだが、ゾーエーとしての生と、ビオスとしての生を、それぞれ切り離され、さらにそれをもう一度縫い合わせる形で、日々生きることを、強いられるのではないだろうか。

ここで思い出してほしいことは、この論のだいぶ前の方で、私が、どうすれば人類は滅びずにすむかという「成長の限界」の論理にふれ、彼らの論理では、人々をほんとうに動かすことにはならない、と書いたことである（1章）。このような「当為（すべし）」だけに立脚した「半面」の近代理解、人間理解の論理では、人の心には響かない。なぜなら、人はパンだけで生きる存在ではないからだ。だから、どうすれば有限性という危機を回避できるかという「リスク近代」という考え方では不十分で、どうであればこの有限性の時代を生きてゆけるかという「有限性の近代」という考え方に立たなければならない、と先に述べた（4章）。

私が難じているのは、ここでの言葉でいうなら、『沈黙の春』や『成長の限界』の著者たちが、善意からではあるけれども、人々を「生き延びさせるべきもの」、つまりゾーエーとしてしか、見ていないことである。ビオスとしての人間が、そこでは取り落とされている。彼らは終末医療の医師たちのように、人間を気づかないままに生物として、ゾーエーとして（のみ）見ている。そこに働いているのは生権力と同質の、人々を――支配、管理とはいわないまでも

——一つの目的に集中させ、その完遂にむけて動員し、指導するビオス（理性的存在）の力である。

私たち人間は、いまやビオスとしての自分とゾーエーとしての自分の絶対的分離を、自分の中に含みつつ、生きている。かつてはそれは生権力の統治の効果として語られた。いま権力がそのような生権力という性格をもっていることはたしかだろう。でもいまは、生政治という以前に、この絶対的な分離が、有限性の時代に生きる私たちみんなの生の基本的な条件、基礎的条件なのである。

この絶対的分離がいまもフーコーやアガンベンのいうように生権力の統治の効果のままなのだとすれば、私たちはこれに抵抗しなくてはならないだろう。でも、そうでないのだとしたら、私たちが抵抗しなければならないことは同じでも、その抵抗のあり方は、変わってくる。抵抗はどのようなものになるか。

それは、人々に生き延びることだけを考えさせる、そういう力への抵抗である。しかし、それは——アーレントが考えただろうような——人を生物としての存在（ゾーエー）に下落させる、そういう力への抵抗なのではない。それは、『成長の限界』の著者たちにおいてそうであり、現在の国際組織の環境政策の決定者たちにおいてもまたそうであるように、ビオスとしての理性的な観点に立ち、世界をどうすべきかと考えると、人々がゾーエーとして見えてくる——ゾーエーとしてしか見えてこなくなる——、という、有限性の言説が有限性の世界ではじめてもつことになる、人をうむをいわさず生きることへとせきたてる力としての生権力に対する抵抗なのである。

ここにあるのは、人を一元的な目標にまとめようとする力としての生権力である。人はパンだけで生きるのではないというイエスの言葉が、信仰してもしなくてもよい自由の中で自分を信じてほしいという大審問官の劇に語られるイエスの言葉に、この地点で、重なる。

私たちは、いまやビオスとしての自分とゾーエーとしての自分の絶対的分離を、自分の中に含んで、生きている。有限性という生の条件を受けとめるとは、私たちがこの事実を受けとめ、引きうけることである。

そこでの抵抗は、どのような意味を帯びるだろう。

先のアガンベンの指摘に戻ると、アーレントは、フーコーのいう生権力の浮上を自分の考察では「社会的なるものの勃興」と呼んでいる(『人間の条件』第二章「公的領域と私的領域」)。アガンベンの指摘とは少し違って、前著『全体主義の起原』との関連で、全体主義は、ゾーエー(＝ビオスの駆逐)の世界の席巻によって起こったと考えられており、次著の『革命について』では、アメリカ革命(独立戦争)ではなくフランス革命がその後の革命の雛型になったのは、前者が(「自由をよこせ」という)ビオスに立つものであったのに対し、後者が(「パンをよこせ」という)ゾーエーに立つものだったからと――ビオスとゾーエーの言葉はないものの――はっきり述べられている。じつは私はこの問題について前にだいぶ詳しく論じたことがある(『日本の無思想』第三部第一章第三節「近代」、「商業と産業の勃興」「社会的なものの制覇」の項)。そこでの考察に立ったうえでいえば、有限性の時代にありうべき抵抗とは、フーコー、アーレント流の立論に抗して、ゾーエーとしての自分にも権利を与えてなされる抵抗である。そうすることでいわば人間観を、未来の方向にも、初原の方向にも拡張すること、これがいま私たちにとって必要な、有限性の時代における抵抗のあり方だろうと、考えられるのである。

ゾーエー、吉本、アフリカ的な段階

ここで、先にふれた二人の思想家に、再度、対比するかたちで登場してもらうことになる。二人というのは、『アフリカ的段階について——史観の拡張』における吉本隆明、そして『ホモ・サケル』、『アウシュヴィッツの残りのもの』におけるジョルジョ・アガンベンである。ゾーエーとしての自分に場所を与えるのに、吉本とアガンベンは、右のアーレント、フーコーから一歩を進め、それぞれに対極的なアプローチをみせている。

まず吉本は、一九九八年に書かれた『アフリカ的段階について——史観の拡張』で、およそ、こんなことをいっている。

ヘーゲルは、彼の同時代である一九世紀西欧にゴールが来るかたちで世界史を構想したのだが、その仕方は、時代の突端部分をつないで稜線をとりだし、その前後関係を発展として論理化するものだった。そのため、西欧の同時代からみて動きのないアフリカなどの地域は旧世界として除外され、ほかの遅れたアジアなどの地域も新世界に関係する限りでとりあげられ、同じ西洋でも、古代ギリシャ以前の古い世界は、同様の未明の旧世界に組み入れられることになった。そういう世界史の考え方のはてに、いまの世界がある。

そこでは、アフリカの登場とともに「さまざまな矛盾や対立」が激化している。具体的にいえば、現代アフリカは後進地域というよりはいまや完全に世界から立ち後れ、落伍した地域とみなされ、世界からの救済なしにはもう立ちゆかないことが明白な「お荷物」的存在と受けとめられている。アフリカまでをほんとうの意味で組み込んだ未来世界の構想は、現在、ほぼ存在しないといってよい。

しかし、この矛盾と破綻は、もとをただせばそもそもこれらの未明の世界を旧世界と呼んで排除することで作りあげられた「ヘーゲル、マルクスなどの一九世紀的な史観の矛盾に起因」しているのではないだろうか。私たちがアフリカ大陸の国々と社会に代表されるアフリカ的な要素を除外して世界を考えてきたことのツケが、ここに顔を出しているのではないだろうか。こうした従来型の考え方を根本的にあらためないかぎり、もはや世界規模の世直しともいうべき変革が不可能であることが、ここに、示されているのではないだろうか。

ここで切り捨てられているものがなにかといえば、ヘーゲルの近代的な見方からは無意味なものと判断された始原世界の未明性だ。しかし、もし世界史という概念が成りたつとしたら、それは、世界を構成しているすべての人が、日々、ふつうの生活の中で普遍的に経験している全領域的な「生きること」の総和が、あるがままに取りだされることによってだろう。それ以外に、普遍的な世界史という概念が成りたつ根拠はないからだ。でも、そうだとすれば、始原世界の未明性は、この普遍的な世界史へと史観を拡張するうえで不可欠の要素だということになる。そうしたものを日々の生の奥底に息づかせながら、いまも私たちは生きているからである。

ヘーゲルは歴史についてはじめて世界的な規模の哲学をつくりあげてみせた。十九世紀の前半のころだ。歴史は誰にも納得できるようにいえば、もともとある現在の瞬間に世界中のすべての人間が、何をかんがえ、どんな行為をしているか、その総和を意味している。すると歴史の貌は個人の肖像写真に似てくる。ある瞬間とつぎの瞬間とでは歴史の貌はさしたる変化はない。（中略）だが（中略）時を経て比べてみると、その貌ははっきり判るように変っている。するといちばんわかり易いのは、ある瞬間、ある時代の歴史の貌を基準にとって、その前と後でどうちがっているかを推論してみせることだ。ヘーゲルは同時代の西欧社会をいちばん発達した場所として基準において、世界史を区分けした。それが歴史の哲学の基本だった。（『アフリカ的段階について——史観の拡張』一五〜一六頁）

ここでヘーゲルに切りすてられた「未明」な要素を、仮にアフリカ的な世界と呼んでみよう。するとそこで生きられている精神世界は『古事記』などの日本の神話にも、北米のネイテイブ・アメリカンの創世神話にも、また太平洋の島々の民話などにもみつかる、「未明の社会の世界普遍的な共通性」であることがわかる。西洋の旧約世界にすら、ヨブ記などのうちにその未明性の片鱗が認められる。

しかも重要なのは、この未明性が過去の存在なのではないということだ。それは現在性でもあるのであって、一方で、いまアフリカ大陸に、欧米の現代性の洗礼を受けながら高度な文明社会を体現した諸都市が存在している事実のうちに現前しているし、また他方、これに対応する事実として、現代社会の都市に生きる私たちのなかにも、この未明の精神世界が、自然との交感の力、あるいは理性的な力の損耗と不在を通じて、なおありありと生きている。

この未明性の現在性を損わないように、いま空間的な地域区分とも時間的な時期区分とも異なる脱価値的な区分概念として「段階」という考えを新たに設け、これをアフリカ的段階と名づけるなら、この従来型の世界史の変革のカギは、この未明性の「段階」を文明と人間の「母型」として組み入れ、未来と過去の双方向に拡張し、そこから世界史を組み替えることではないかと考えられる。

> 十九世紀の前半ごろから西欧社会でかんがえられた近代主義的な歴史観では、近代主義的な視野の外に出てしまう未来と、近代主義的な視野の外に出てしまう大過去とは、おなじように、不明の領域として歴史の圏外におかれてしまう。一方は文明の見透しえない未来として、また一方は動物生に等しい考察するに価しない野蛮な過去として。（同前、五

頁、傍点引用者）

母型をなすもの――動物生――が切り捨てられている。でも、いまわれわれが迎えようとしている世界は、この母型を切り捨てた近代的な歴史観のままでは対応しきれないのではないか。――つまり、ビオス（理性的人間観）だけでは、もう足りないのではないか。これが、この本を書く吉本に働いている直観である。

なぜ、世界は変わったのか。またどのように、世界は変わったのか。その答えが、フーコーでは、産業近代に入り、権力が人が生きていることを相手にするように変わったという事実に求められ、アガンベンでは、――後に示すように――言葉（ビオス）では伝えられないほどのことを人間が行うようになってしまったという絶滅収容所（ゾーエー）の出現の事実に求められる。それと同じく、吉本では、アフリカの社会の世界史への登場によって世界の近代的な修復プランの矛盾と破綻がいまや明らかであるという事実のうちに、求められている。

フーコーでは、そのことが生権力の浸透と語られ、これに対抗するには新しい考え方が必要だとされている。アガンベンのばあいには、そのことがアウシュヴィッツで「回教徒」と呼ばれる一群の「植物人間」的な境地にまで貶められた存在によって象徴され、ついでその新しい考え方の創出には「しないことができる」非の潜勢力が足場になるだろうと、示唆されることになる。これに対し、吉本では、さらに一歩進め、南北格差の致命的拡大を受け、この新しい世界の危機に向きあうためには、これまでの近代的な歴史観に欠けた「文明の見透しえない未来」とともに、「動物生に等し」く「考察するに価しない」と目されてきた「大過去」を繰り込む、新しい考え方が必要と、述べられるのである。

ところで、吉本のいう、近代的な文明からは見透しえない未来とは何だろうか。それをいま、私たちが有限性の時代と呼ぼうとしているものに重ねていけない理由を、私としては思いつかない。ヘーゲル的な世界史は無限性の近代を前提としている。これに対し、いま私たちが現に生きていることに気づこうとしているのは、世界が有限だという、そこからはけっして「見透しえない」だろう、未来だからである。

そのような意味では、私がここまで考えてきたことは、次のような吉本の掲げた課題への応答の試みだといっても、許されるだろう。後に見るように、吉本のこの著作の起点にあるのは解剖学者三木成夫の仕事なのだが、それとの出会いをきっかけにはじめられたこの著作の前身にあたる『母型論』という発生学的考察の序には、次のような言葉が見つかる。

> おまえは何をしようとして、どこで行きどまっているのかと問われたら、ひとつだけ言葉にできるほど了解していることがある。わたしがじぶんの認識の段階を、現在よりももっと開いていこうとしている文化と文明のさまざまな姿は、段階から上方への離脱が同時に下方への離脱と同一になっている方法でなければならないということだ。(『母型論』七頁、傍点引用者)

『アフリカ的段階について』の副題は、これまで示されているように「史観の拡張」という。ここでの歴史観の「拡張」は、初原の繰りこみでありつつ、過去を取りこむことと未来を繰りいれることとが同時的かつ同じ方法によるものと観念されているが、背後にあるのは、こういう認識である。

アフリカ的な段階は、世界史の母型をなす。でもそれは、たとえばエコロジーの論者が考えるように、原始共産制などのユートピア社会のようには存在していない。アフリカ的な世界にもゾーエーとビオス、精神世界と政治制度とがある。それは精神世界として豊かだが、政治制度的には「土地、財産、奴隷、生産物などの全所有がひとりの専制的な王に属する」、野蛮で残酷な世界である。だからヘーゲルは、これを未開社会という判定のもとに切り捨てた。でもそれだと、アフリカ的な世界を半面でしかみていないことになる。

わたしたちがヘーゲルのアフリカ的な世界への理解といちばん離れてしまう点は、原住民が人間としての豊かな感情や情念をもたず、宗教心も倫理もまったくしめさない動物状態の野蛮とみなしているところだ。ヘーゲルは野蛮や未開を残虐や残酷とむすびつけ、生命の重さや人間性を軽んじている状態にあると解釈している。だが現在のわたしたちは西欧近代と深く異質の仕方で自然物や人間を滲みとおるように理解し、自然もまた言葉を発する生き生きした存在として扱っている豊かな世界だとおもっている。(『アフリカ的段階について』二七頁)

ヘーゲルはいわば絶対的な近代主義といえるところから、世界史を人類の文明の発展と進化の過程とみなした。そこからは野蛮、未開、原始のアフリカ的なものは、まだ迷蒙から醒めない状態としかかんがえられるはずがない。たしかに自然史（自然をも対象とする歴史）としては妥当な視方だという考えも成り立つ。だが人間の内在史（精神関係の歴史）からみれば、近代は外在的な文明の形と大きさに圧倒され、精神のすがた形はぼろぼろになって、穴ぼこがいたるところにあけられた時期とみることもできる。（同前、二七～二八頁）

ヘーゲルのまなざしは未明の世界に生きる人の外形（政治制度）には達していても、その人々の精神についてまで見てとる繊細さをもっていない。そのようなヘーゲルの見方は、いまの私たちの目からはまた別の意味で、野蛮で残酷、かつ鈍感で粗暴と見えざるをえない。

これは吉本ならずとも、私たちの誰もが、ヘーゲルの時代から一八〇年をへて、感じることではないだろうか。このちょっとした違い、野蛮と残酷さの意味の違いが、近代のただなかと終点のあいだに横たわるおよそ二世紀のへだたりの、もう一つの意味なのである。

さて、このヘーゲルの近代的な世界観への私たちの違和感は、二つの方向性を示している。一つに、それでは、他の世界の理解の仕方として、あまりに荒っぽく、粗雑で、ばあいによっては残酷で野蛮ですら、あるのではないだろうか、ということ。もう一つに、それでは、自分たちの世界の理解の仕方としても、やはり過度に一元的で、窮屈で、息苦しいのではないだろうか、ということである。

あらかじめいっておけば、前者はヨーロッパ中心主義のもつ近代的な野蛮さへの違和感であり、後者はヘーゲル流に欲望・承認・力能相関で現代社会を説明しつくすばあいに浮かびあがる圧迫感とそこにひそむ一元性への違和感である。この二つはゾーエー的な要素の否定ないし無視、軽視から生じているのではないか、というのがここで吉本のいうことである。

吉本は、前者に対し、一つの答えを提示している。

ヘーゲルの見方は、アフリカ的な段階、つまりここでの私たちの考察にいう人間の生のゾーエー的な本質を見届けていない。その偏頗な人間観、世界観のはるけき結果としてアフリカの現状にみられる現在の世界の矛盾と破綻がある、と考えるべきだ。そのことが示唆しているのは、このゾーエー的な本質を「母型」として繰り入れた人間観の再構築なしには現代社会の世界問題の解決は不可能ということだ、とこれが吉本の答えである。

人間の生のゾーエー的な本質とは、人間の中にある人間以前の存在としての本質、動物、植物、さらには生命にまで遡る「人間以前」の生命体としての本質ということである。人間は、人間として生きている。しかし、同時に動物であり、動植物のなかの一存在としての生き物であり、さらにその根源をなす生命をもつ生命種でもある。

そのようなものは人間ではない、とたとえばアーレントなら古代ギリシャ以来の人間観に立っていうだろう。だからこれは史観の拡張にとどまらない、人間観の拡張の提言でもある。吉本は、人間のゾーエー的な本質を示す、アフリカ的段階における人間の姿を、ネイティブ・アメリカン・チェロキー族の少年を主人公とする小説や『古事記』の記述などを取りあげ、示している。そこでは、人間が動物や植物や自然の事物とのあいだに文明世界の人間には思いも及ばないような深い交感の世界を作り上げている。

（祖母が主人公の少年に話す）

父さんはね、「茶色の鷹（ブラウン・ホーク）」って呼ばれていた。とっても理解の深い人だったたよ。木の考えてることだってわかっちゃったの。わたしがまだちっちゃかったときの話だがね、父さんがなにか困ったようすだった。家の近くの山には白カシの木がたくさんあったんだけど、そのカシの木が興奮しておびえてるって、父さんは言う。（中略）ある朝早く、山の上からお日様が顔をのぞかせたころ、父さん――茶色の鷹は、白カシの林にきこりが何人もはいってるのを見つけた。幹に印をつけたり、全部伐り倒すにはどうすりゃいいか調べたりしてるじゃないか。きこりがいなくなると、白カシは泣きだしたんだってさ。（中略）

父さんがチェロキーのなかまたちに相談すると、みんなで白カシを守ろうってことになった。きこりたちが引きあげるのを見はからって、夜の間に総出でその道をあちこち掘り起こして、深いみぞだらけにしたんだ。女も子どもも手伝ったよ。（フォレスト・カーター『リトル・トリー』和田穹男訳、『アフリカ的段階について』四〇～四一頁より再引用）

そこでは人々は誰もが山の中に誰も知らない自分だけの秘密の場所をもち、そこで（植物となって、なのだろう）自然と交感する。その場所は死ぬまで誰にもいわない。また誰もが（多年生の草木のように）一回性の生命のほかにいつまでも死なない生命をもっている。前者はからだの心（ボディー・マインド）と呼ばれ、後者は霊の心（スピリット・マインド）と呼ばれる。

「欲深になったり、ずるいことを考えたり、人を傷つけたり、相手を利用してもうけようとしたりしたら、霊の心はどんどん縮んでいって、ヒッコリーの実よりも小さくなってしまうんだよ」

吉本は、こうしたアフリカ的段階の感性を「自然まみれの意識」と呼ぶ（五六頁）。その核心にあるのが、先の引用で傍点をふっておいた吉本の言葉でいうと、そこに生きる人々の「動物生」としての経験なのである。

吉本は、このような経験を、アーレントのように反理性的なものとして唾棄するのでも、世の自然愛好家たちのように、なつかしくほほえましいが、いまは失われかかったものと哀惜するのでもなく、逆に私たちの生の現在性の根底にすえ、思想化し、そこから新しい考え方を作りだす以外に、現在の世界は救われないだろうと考える。ここでの文脈にひきよせていえば、ビオスだけでは足りない。ゾーエーに立て、というのだ。

ビオス、アガンベン、語りえないこと

これに対し、アガンベンの答えを、次のように受けとめることができる。

アガンベンにおける「動物生」の象徴はナチスのユダヤ人絶滅収容所の中で囚人たちにすら目を背けられる存在となった最下層の一群の集団である。彼らはその疲弊と損耗の程度において一線を越えて非-人間の側に入った囚人たちであり、その様子から収容所内で他の囚人から「ミイラ人間」、「生けるしかばね」などと形容され、その崩れ落ちた姿勢と祈りの姿勢の類推から広く、「回教徒」と呼ばれた。

回教徒にふれた章で、最初に引かれているのは、アウシュヴィッツをへて生還後、作家活動をしたジャン・アメリーの証言である。

アメリーは、回教徒とは、「あらゆる希望を棄て、仲間から見捨てられ、善と悪、気高さと卑しさ、精神性と非精神性を区別することのできる意識の領域をもう有していない囚人」に与えられた呼び名であり、彼らはさながら「よろよろと歩く死体」であって、その生存においては「身体的機能の束が最後の痙攣をしているにすぎなかった」と書く。

また、アガンベンにこうした絶滅収容所の生き証人の証言の問題を考えさせるきっかけとな

ったたろう、生き証人のもう一人の書き手、プリーモ・レーヴィは、こう述べている。

> 彼らの生は短いが、その数は限りない。彼らこそが溺れたもの、回教徒（ムーゼルマン）であり、収容所の中核だ。（中略）彼らの死を死と呼ぶのもためらわれる。死を理解するにはあまりにも疲れきっていて、死を目の前にしても恐れることがないからだ。
> 顔のない彼らが私の記憶に満ちあふれている。もし現代の悪をすべて一つのイメージに押しこめるとしたら、私はなじみ深いこの姿を選ぶだろう。頭を垂れ、肩をすぼめ、顔にも目にも思考の影さえ読み取れない、やせこけた男。（レーヴィ『アウシュヴィッツは終わらない』一〇七頁）

アガンベンがいうのも、アーレントとはちょうど逆のこと、やはり、現代のことを考えるには、「人間」だけでは、もう足りないのではないか、ということである。

アウシュヴィッツがもたらしたのは、人間がもう人間とはいえないところまで追い込まれるという経験である。生物としての人間という地点にまで生の経験が押し広げられた。そうである以上、また、その経験が、そのことを目撃した人間によって共有され、生きられる以上、いま、人間について考えるとは、生物としての人間というところまでを含まないと、もう、十分ではないのではないだろうか。

私はこのアガンベンの衝迫ともいうべきものを、自分なりに受けとめることができるように思う。

アガンベンは、たとえばプリーモ・レーヴィ、あるいはジャン・アメリーのように、収容所から帰還し、そこで何が起こり、どのようなことが経験され、自分は何を見たか、ということを何度も自省しながら証言し、その試みを繰り返した書き手が、その後、なぜ自殺しているのか、もしくは事故死しているのか、ということを考えている。

ジャン・アメリーは、W・G・ゼーバルトの評論『空襲と文学』にも取りあげられている。忘れがたい小説『アウステルリッツ』にもちらりと姿を見せ、一滴のインク染みにも似た影を落としている。彼は、収容所での過酷な経験について何度も絶望的な接近を試み、一九七八年に自殺している。

プリーモ・レーヴィもアメリーに勝るとも劣らない証言の試みを続け、一九八七年に自殺（ないし事故死）している。レーヴィは、その著『休戦』を映画監督フランチェスコ・ロージが映画化することになり、それを喜ぶメッセージを発信したが、一週間後に、住居のベランダから落下した。事故死の可能性も否定できないが、その証言の試みが絶望的な様相のもとにあった事実に変わりはない。

彼らは証言し、その証言は衝撃をもって受けとめられ、真摯な読者が数多く生まれる。彼らの証言は大きく取り上げられる。しかし、自殺する（ないし死によってむこうの世界にいく）。彼らはともに収容所囚人の常として腕に囚人番号の刺青をいれられていたが、その墓碑には、自分の囚人番号が彫りこまれていることでも共通している。

　彼らはなぜ証言し、自分の見たもの、経験したことは、語っても伝わらないといい、さらにそういうことをこそ伝えようとあがく身ぶりをみせたあとに、自殺しているのか、あるいは死んでいるのか。それは、収容所で見たこと、経験したことを証言しようとするうちに、それがとても相手に伝わりえないことで、そのことこそがそこで経験されたことの本質なのだと感じられ、その思いが重なり、その重みに潰されるようだったからだろう。それで彼らは、自分の証言が受けとめられれば受けとめられるほど、それを喜ぶ気持ちはあるものの、同時に、それと裏腹の、絶望感にもぶつからざるをえない。でも、そうだとすれば、収容所の証言のもっている本質は、そこで行われ、見たことは、証言では伝えることができない、という圧倒的な不能感のもとに、制圧されることである。

　だから証言を繰り返したあとの死ということがある。

　こう考え、アガンベンは、絶対に言葉では伝えられないという証言の不能性の象徴として、もはや人間ではない——生き物としての——生存を生きる回教徒を取りあげる。ここでも彼の前提は、人間の、人間のことを考えるには、もはやビオスだけでは足りない、である。ただ彼は、吉本の場合とは逆に、ビオスの外に出ない。どうすればビオス（理性的存在）が、いわばビオスの外部に出ることなく、このゾーエーの「むき出しの生」に向き合えるか、と考えるのである。

　アガンベンは、近年の著作でさまざまなことを論じているが、いま、この文脈で最も単純な一つの線を取りだしてみよう。そうすれば、『バートルビー　偶然性について』（一九九三年）、『ホモ・サケル——主権権力と剝き出しの生』（一九九五年）、『アウシュヴィッツの残りのもの

――アルシーヴと証人』（一九九八年）を通じて、彼がそのために提示しているのが、先に述べた「しないことができる」力としての非の潜勢力であることがわかる。先のヘーゲル的な世界観への違和感のうち、第二のもの――欲望・力能相関への違和感――が、コンティンジェンシーとつながる所以が、こうしてゾーエーとの線上にみえてくる。

アリストテレスのいう潜勢態（デュナミス）＝潜勢力が、じつは「（することができることを）しないでいることができる力」（つまり非の潜勢力）を本源とする力であること、そうでなければ潜勢態はすぐに現勢態に転じてしまい、潜勢態としては存在できない、ということが、先のばあいと同じく、『ホモ・サケル』でも、ほぼ同じ仕方でアガンベンによって何度も強調されている（六九〜七〇頁）。

ところで、この非の潜勢力（potenza di non）が、アガンベンにおいては、「できない」こと（impotenza）の意味と、背中合わせの存在となっていた。そのことを、『バートルビー』の訳者高桑和巳が、同書中の訳注に、このような付記を残す形で示唆している。

> アリストテレスに由来する哲学用語としてのイタリア語 impotenza ないし potenza di non（ギリシア語 adynamis）は本書では「非の潜勢力」と訳している。通常は「存在したり為したりすることができない」こと、つまり「無能力」「潜勢力のなさ」と解される語だが、アガンベンのテクストでは「存在しないことができる、為さないことができる潜勢力」と同一視されている。（八七〜八八頁）

補足すると、高桑によればアリストテレスでは潜勢力（デュナミス）と非潜勢力（アデュナミス）は違う概念で、意味は「することができる」と「することができない」である。そこにライプニッツ出自の偶然的な様相に発する、「しないことができる」は、力能として存在の余地がない。しかし、『バートルビー』で、アガンベンは、このライプニッツの偶然性の概念を手がかりに、アリストテレスからくる潜勢力とライプニッツからくる偶然性とを合体させ、アガンベン流の「しないことができる」非の潜勢力という新概念を捻出している。それが、高桑の指摘からみえてくることである。

「しないことができる」力、非の潜勢力という概念は、アガンベンがいわば作りだしたものなのである。

もっともそれは捏造というのではなく、そもそもアリストテレスの潜勢態と現勢態の概念定位のうちに含意されていることで、アリストテレスもそのことをさまざまに裏書きしている、というのがアガンベンの理解である。でも、このとき彼は、じつは、この非の潜勢力が「できない」ことの力ともいうべきものと、背中合わせの隣接概念であることに、なかば気づいている。それが、アリストテレスのadynamis（非潜勢力）を、彼がイタリア語で「potenza di non」（非の潜勢力）とも、「impotenza」（不能の力）とも、混用並記している事実が、語っていることである。

ここにあるのは、どういう思考の襞か。私の考えをいえば、こうなるだろう。アガンベンはこの発見に立脚して、ゾーエーを前にし、そのゾーエーと向きあうために、ビオスに求められているのは、「しないことができる力」、非の潜勢力だと、考えている。「しないことができる力」を行使して、アウシュヴィッツ後の人間（ビオス）はかろうじてあの回教徒のゾーエーとしての不能の力に、少しでも接近できるのではないか、とそう考えているのである。

彼は、『ホモ・サケル』で、もし非の潜勢力が潜勢力の本源力なのだとしたら、それが現勢化することをどう考えるべきなのか、と問い、苦しい答え方をしている。それはしないことができる力が尽きて、つまりその否定によって、できることがはじまる（現勢化する）ということではない、というのだ。そうではなくて、しないことができる力がさらにそれをしないことのできる力の発現をえて、つまり当初の非の力の自乗――「しない」の「しない」――によって棄却され、解除されて、できることに場を譲る――その結果現勢化が場をうる、というのである（七〇〜七一頁）。これは、取りようによってはほぼ詭弁ともいうべき曲芸的言辞なのだが、とはいえ、アガンベンに寄りそってこれを意味ある言葉と受けとることも、不可能ではない。

「しないことができる力」の向こうに、背中あわせで「できないこと」の力とでもいうべきものがあるとすれば、「しないことができる力」は必ずしも「することができる力」の否定からその力を汲み出すだけでなく、「できない力」の肯定からも、その力を引き出すことができるだろう。

「できないこと」にも力がありうることについては、たとえば日本画の現代画家山口晃が、

「一度、自転車に『乗れる』ようになってしまうと、『乗れない』事をできなくな」ると、面白いことを述べている（『ヘンな日本美術史』六二頁）。いちど自転車に「乗ることができる」力を得てしまうと、「乗れない力」が失われるというのだ。明治初期に日本の絵の世界で、西洋から「写生」というものが入ってきて誰もがデッサンをするようになると、デッサン力が獲得された代わりに、それ以前にあったモチーフと背景を一緒の「成分」にして描くという日本画ほんらいの描き方――デッサンから離れていること――ができなくなってしまう。この非デッサン力は西洋絵画の文法からいうと、デッサンが「できない」ということだが、日本画のほうからいえば「デッサンができない（デッサンから離れている）」ことが「できる」ことであり、能動的な力をもつことを意味している。山口は、遠近画法にはありえない河鍋暁斎の描法を例に、この「できない」力のあり方――デッサンから自由だとどういう描き方ができるか――を説明する。河鍋にはほかの日本の画家には失われてしまうこの「できない力」――日本画特有の描法の視覚――が、明治になった後も強力に保たれていたというのが、山口の言い分である（二三九頁）。

しかしふつうは、自転車のばあいと同じく、いったん「することができる」力の世界に入ると、この「できない力」は失われてしまい、この後できるのは「することができる」を「しないことができる」までに高次化することでかつかつ、かろうじて、「できない」ことに近づくことだけだろう。このことを受けていえば、アガンベンのいいたいのは、次のことである。どうやっても未経験の人にはわかってもらえないことでとうてい証言できないことがある。

ある。それを仮にゾーエーとして無意味に生き、ゾーエーとして無意味に死ぬところに落とし込まれる経験、また、そのような存在の同類としてそのような存在とともに生きる経験と、アガンベンの回教徒の例に寄りそって、いっておこう。このばあい、ビオスにこのゾーエーの経験は伝わらない。伝わらない、そのことがこの経験の真実である。

そういうばあい、われわれビオスに可能なのはどのようなことか。証言は伝わらず、受けとられない。しかし、この証言がなされない事実、そこで語られず、聞かれない証言の集積を、ともに、非の潜勢力を行使して、「語られなかったこと」「語られることの可能性」それ自体として集め、いわば非のアーカイブ（書庫）の形に作りあげようとすること。それはできる。それが最後の努力の方向となるのではないだろうか。これは、表現されたもののではない、表現されうる（が表現されずに潜勢態としてとどまっている）もののアーカイブ（書庫）、そういうものを、構想することで、この「表現されえない」ものを可視化する試み、また、そこに新たな主体の芽をみてとる試みである。

「（中略）どのようにして語ることの可能性がそれ自体としてあらわれることができるのか」。（中略）証言は語ることの不可能性との関係をとおしてのみ（中略）与えられることができる。（中略）それは、主体のもとで主体が言語をもつことができるのか、もたないことができるのか、にかかわる。すなわち、主体とは、言語が存在しない可能性、生起しない可能性である。（中略）人間が言葉を話す存在であり、言語活動を有する生物であるのは、言語を持たないことができるゆえのことなのであり、自分の幼児期（in-fanzia, in-fans〔言葉を発することのできない状態〕）であることができるがゆえのことなのである。（『アウシュヴィッツの残りのもの』一九六～一九七頁）

引用をみてもわかるようにアガンベンの言い方は難解をきわめている。ほとんど空転すれすれだといってもよい。しかし方向を示せば、これが、この私たちの問題の場における、アガンベンの答えである。少くとも私には、彼の提言は、権利あるものと映る。

つまり、吉本のばあいとは異なり、ここでは、ビオスが自分の原罪ともいうべき「することができる」力を「しないことができる」力で凌駕し、打ち消しつくすことで、ゾーエーの前に向きあうこと、その解せない声の前に立ちつくすことが、めざされている。しかしそれを、あくまで「できる」ことに立つビオスの原理である「力」によってめざそうというのが、アガンベンの立場である。「できない」ことの前に立つことを、そしてそれに寄りそうことをめざすのだが、そのために自分たちの手元にあるのは「(しないことが)できる」という力だけだというのである。

しかし、そう受けとってみれば、このアガンベンの提言と吉本の提言とは、互いに背中合わせに貼り合わせられると一枚の鏡をなす、一対の存在であるかのように思われてくる。二つで両側から一つのことを述べる二様のアプローチとも、みえてくる。

吉本は、ゾーエーに立て、という。彼の答えは「アフリカ的段階」を繰り入れ、「できない」こと（ゾーエー）が母型にくるように史観を拡張せよ、というものだ。しかし、彼が「段階」という概念を〝捻出〟するに際し、これは地域区分でも時期区分でもないと断るのは、それが前後関係でも上下関係でもなく、そこで未来と初原が対立するのではないこと、いくつもの段階が〝フラットに〟並立し、上方への離脱と下方への離脱が共存できる関係こそがそこに創出されるのでなければならないことを示すためである。この関係式のなかで、「できない」は、「できる」ことの否定や反動であってはならないのだ。

一方、先の引用をみてみよう。アガンベンも、人間が「言語をもつ」のは人間が「言語を持たないことができる」幼児期（インファンス）をもつからだといっている。アガンベンに代わって私がいうならば、彼は、人間が言葉をもつのは――ビオスなのは――、その基底において人間がゾーエー（言葉をもたない生き物）であることができるからだ、といっているのである。

ここまでくると、吉本のいう、近代的な考え方を、上方と下方とに、同じ方法で離脱するということの意味も、みえてくる。

そもそもなぜそれは、同じ方法でなければならないのか。

根本のところをいえば、両方向に同時に離脱する以外に、ここにいう近代からの脱却は不可能だからである。

では、吉本のゾーエーに立てと、アガンベンのあくまでビオスにとどまり、「しないことができる」力でゾーエーに向き合えという二つの提言をともに貫くものは、どのような原理だろうか。

そこにあるのは、「できないこと」の肯定である。ただしそれは、「できること」を否定しない、「できないこと」の肯定である。

ルソーが、あるところでやはりこの幼児期（in-fans 言葉をもたない状態）にふれながら、「自然は子どもが大人であるまえに子どもであることを望んでいる」と書いている。大切なのは、「できないこと」と「できること」の順序だ。これを「ひっくりかえそうとすると、成熟してもいない、味わいもない、そしてすぐに腐ってしまう速成の果実を結ばせることになる」、と（『エミール』）。

ところで、その順序が可能にするもの、「できないこと」が「できること」をささえ、「できる」力が「できない」力に基礎づけられることからやってくるものが、これまでみてきた「することもしないこともできる」力能と自由の原理としての、コンティンジェンシーなのではないだろうか。してもしなくともよい自由があり、かつそこでは、そのいずれをも選びうる力能が手にされているのだが、そのこと、そうしなくともよい自由があり、そうしないことができる力能がこれをささえていることが、そこで「できないこと」の総体に基礎づけられているのである。私は、先に、「当為（すべし）」だけでは弱い、「歓び」がそこになければ、と書いた（1章、2章）。でも、いま考えれば、大切なのは「当為」では*ない*、「歓喜」という、その取捨ではなかった。当為からも、欲望からも切り離され、なおこれら双方と、独立して、生き生きとしたつながりをもつこと、その関係を作り直すことがいま求められている。「できないこと」がそのことを私たちに促しているのである。

ここで整理をしてみよう。先に掲げられた問いは、有限性の時代にありうべき抵抗とはどのような形をとるか、ということだった。そこではゾーエーとビオスとが対立しないあり方が模索される。カギとなるのは、この自由が、「できないこと」と「することもしないこともともにできること」という二つの力の両端にふれていることである。このうち、後者の「することもしないこともともにできること」は、コンティンジェントな力をもつということ、前者の「できないこと」にふれることは、有限性を肯定すること、それにイエスということである。

「できないこと」にふれる

思い返してみよう。

有限性の時代は、「できないこと」にふれることからはじまっていた。この間、私たちがやってきたのは、次から次へと、「できない」ことと向き合うことだったのだ。

まず、地球の有限性がやってきて、私たちの生きている世界がいまや無尽蔵な包容力を失いかけていることがわかった。母なる自然は、もう許容限界のリミットに来ており、経済の世界でも、産業の世界でも、資源も環境も、これ以上はサポート「できない」ことが誰の目にも明らかになった。

しかも、それはただ外からやってくるだけではなかった。巨大技術が過酷事故をもたらし、次には金融資本主義の暴走とその破綻があり、大量消費、大量廃棄の産業を駆動してきた資本主義の行く末について黄信号がともった。共産主義思想による問題解決が遠のいたあとで、自由主義をチェックするものがなくなり、自由主義、民主主義に対しても、その独善化、空洞化の兆しが強まった。簡単にいえば、近代の指南してきた「できること」のすじみちが危うく感じられるようになった。

技術革新と力能の方向についていえば、七〇年代に入ったあたりから、大きなものよりも小さなものが、より情報を詰め込んだ、何だか高度なものに感じられるようになった。そういう新しい価値観が私たちに根づいた。スマートなもの、好ましいものがいつ頃からか英語で「クール（cool）」といわれるようになったが、そこにもあまりエネルギーを浪費しないもの、熱量の多くないものがよいという同方向の有限性への同調がみられるだろう。誰もう、大きなことはよいことだ、とはいわない。そこには「できない」ことを単に否定的にみるというのではない、「できない」ことに向けての価値観、感覚の広がりがあった。

それは、「できない」ことを前にした親の家計のやりくりの苦労をみているうちに、無駄遣いをしなくなってくる子どもを思わせる。機能を逆にそぎ落とし、一つのものにだけ特化した商品に対する、これまでにない好みも、私たちに現れてきて、もっぱらスティーブ・ジョブズのアップルが、こういう動きに先鞭をつけたのだが、こうしたもののうちに顔を出しているのも、「できない」ことへの感受性の深まりだったとみられなくはない。

これに呼応して、やがて「できない」ことに対して「することができる」力を対置することへの息苦しさが、とくに若い人々を中心に広まってきた。それに代わって、「することもしないこともできる」力、「してもしなくともよい」というコンティンジェントな自由なあり方、「しないことができる」力を喜ぶ感性と価値観が浮上してきたが、これも広くいえば「できないこと」との私たちの出会いと向き合いから生まれてきたのだ。

そのむこうには、購買と消費自体からすら離れ、購買と消費を「することもしないこともできる」力、「してもよいがしなくともよい」という自由、また「しないことができる」力への指向すら、現れてきている。購買と消費の意味をコンティンジェントなものに変えようという地域通貨の試みなども行われるようになった（西部忠『地域通貨』）。介護の研究をするロボットの工学者が、一人では何もできない「弱いロボット」を作るようになった（岡田美智男『弱いロボット』）。通信情報革命の第一世代から第二世代への移行が、私性の追求から新しい公共性の創発という方向のうちに示しているものも、このことである。そこにあるのは、誰かであること（somebody else）よりも誰でも構わないこと（anybody else）のほうが文体としては強いという、あの先に少しだけふれたボルヘスの言葉が示唆する、関係における非主体的な自分であることの広がりでもある。

「できない」ことと「しない」ことの差が小さくなっている。というより、「できない」ことと「しない」ことの関係じたいがコンティンジェント（偶有的）になっている。そういう新しいあり方が、「できないこと」の可動領域の拡大とともに現れてきているのである。

いまでは、私たちにとってもっとも深い自由とは、「することができる」自由でもなければ、「しなくともよい」自由でもない。私たちが欲するのは、恣意的な自由、「してもしなくともどちらでもよい」自由、「することもできるし、しないこともできる」自由である。でもなぜ、この自由が大切なのだろうか。その理由は、これが、「何でもあり」の文字通り恣意的な自由だからというのではない。それは結果にすぎない。この自由が尊いのは、どのような奇跡と必然性からも独立し、大義にも使命感にも欲望にも承認欲求にも縛られないまま、でも、それらの友人として、それらとともに、この自由がコンティンジェント（偶有的）に、可誤的に生きていることとなのである。

こうしたなか、響いているのが、富とのコンティンジェントな関係について述べた、「ほんとうの奢侈は、富への完全な侮蔑を要求する」というバタイユの声だろう。でも、これら一連の動きをもたらしたのは、バタイユの時代にはなかった、ここ半世紀来の私たちの「できないこと」との向き合いの経験である。

これらに並行して、また別種の「できないこと」との向き合いもせりあがってきている、と私の目にはみえる。

欲望の後退、力能をめぐる私たちの諦観ともいうべきものが、それである。

考えてもみよう。一九六〇年代後半といえば、先に見田の生命曲線が語っていたように、世界人口の増大圧力が人類史上でもっとも高く、世界がさまざまな意味で沸騰していた時期である。その頂点に近い一九六九年の七月二〇日、人類が――アメリカの名のもとに――初の月面到達を達成した。この日、月面を踏んだアメリカの宇宙飛行士ニール・アームストロングが、「これは一人の人間にとっては小さな一歩だが、人類にとっては偉大な飛躍である」といった。これは、一九五七年にソ連の手で初の人工衛星スプートニクが打ち上げられてから、わずか一二年後のことだった。

このことの背景には、先にも技術革新のところで少しふれた米ソ間の熾烈な国家の威信をかけた競争がある。でもさらにその背後には、一種の人類の成長ユーフォリア（多幸感）ともいうべきものがあったはずである。

このとき地球上の多くの人が、次は火星だと思った。なにしろ最初の人工衛星から月到着までがわずか一二年。三〇年後の二一世紀までには、ゆっくり見積もってももう火星には到達しているだろう。そう考えられたとしても不思議はない。

事実、技術史家の山田慶児は、一九六〇年代にアメリカのランド・コーポレーションが世界の技術専門家に対して行ったという近未来の技術予測のアンケート報告にふれ、そこでもっとも際だっているのは、「コンピュータ・情報関係の技術」の到来という予測がほとんどあげられていないことだが、それにつぐのは、「宇宙空間の征服」に関して「見事に予測が失敗している」ことだと述べている。むろん、それに先立ち、生存環境の悪化、資源の枯渇等に対応する「代替エネルギーの研究の必要性など」も、「一九六〇年代の技術者はだれひとり予測ができなかった」。さて、このうち、第一の点は、山田のいうように「情報理論の発展とインターネットの出現がいかに大きな出来事であったか」を示している。しかし、第二の点は、やはりこの時期、専門的な広範な領域の技術者を包み込む形で、宇宙征服など一種の成長ユーフォリアの熱気が広く世界を覆っていたことを証しだてる、一つのデータとなるだろう。

山田は、一九六五年に出されたその報告書をもとにフランスの技術史家ベルトラン・ジルがまとめた一九七八年刊「プレイヤッド百科叢書」の『技術の歴史（*Histoire des Techniques*）』所収の図と表についてもふれているが、山田に教えられ、その本を繙いてみれば、たしかに彼のいうとおり、一九七〇年代に実現する技術として、「原子力推進ロケット、イオン推進ロケット、月面上の仮設基地、火星と金星への有人飛行」があげられているほか、一九八〇年代に入ると、「月面の恒久基地、火星への着陸、月面での機材・機器の製造」が実現し、その先の「木星への着陸」すら「一九九三年から二〇二〇年」までには実現するだろうと、驚くべき見通しが示されている（一〇一五〜一〇一六頁）。六〇年代は、世の第一線の高度な専門家技術者集団の予測じたいが、そういうものだったのである（『技術からみた人類の歴史』一一〇〜一一二頁）。

この時期には、「未来の衝撃」（アルビン・トフラー）という言葉も作られ、未来学なるものが先進国を中心に流行した。先の一二年間をほぼ自分の一〇代と重ねるようにして成長した私のうちにも、このときの宇宙への膨張感覚ともいうべきものが身体記憶としてありありと残っている。

でも、しばらくすると、このとき開発された未来予測の手法を踏襲して、これとは逆向きの予測、「成長の限界」が生まれてくる。一九七〇年のトフラーの『未来の衝撃』と一九七二年の『成長の限界』は、前にふれたように分析方法としてはほぼ同じである。それなのに、入力される情報の数値、そして種類が、僅か数年のあいだに大きく変貌し、分析視角に一大逆転をもたらす。そしてそれから四〇年、いまなおアメリカとロシアには火星到達をめざす計画が細々と生きているものの、それより先に向かおうという計画は、もう地球上のどこにも存在していない。そしてそのアメリカも、ブッシュ前政権のもとで二〇〇七年に二〇三七年までの火星有人飛行計画(コンステレーション計画)を発表したものが、二〇一〇年、リーマンショック後のオバマ政権によって中断を決定され、新たに計画を策定し直される形で、現在にいたっている。

変化の理由を技術の停滞に帰すことはできない。火星への飛行は技術的には不可能ではないからだ。現に右の月面到達者アームストロングは二〇〇五年、質問に答え、火星飛行は月面飛行時の困難に比べれば容易と答えている。このばあいの「できない」理由は、別のところからくる。それだけの予算を投入するのに、もう国民の支持がない。人類の夢は宇宙の彼方に向かうことという、かつて人々を動かした欲望と共通感覚が、消えている。それだけの資金があれば、もっと別のことに使われるべきだろうというのがいま生きている人間たちの絶対多数意見なのである。かつては、月の次は火星、火星の次は木星、さらに太陽系のむこうと夢が語られたのだが、私たちが人類の万能感に浸っていたその時期のほうが、むしろ例外的なユーフォリア期だったことが、明らかになろうとしている。

今日、私たちはあまり宇宙のことは考えない。人類は月までは行った。火星は無理だろう、いやことによれば、火星までなら行けるかも、そんな程度に思っている。でも、驚くべきは、そのことを私たちが必ずしも否定的に感じていないということではないだろうか。それがいま、新しく現れてきていることである。これは、ことによれば、近代のルネサンス期以来、はじめてのことかもしれない。その意味はけっして小さくない。そこに示されているのは、人類の可能性は有限で、その最遠到達点は、火星くらいだという力能をめぐる諦観——無限追求性の後退の受け入れ——が、もうすでに、私たちのものになろうとしているということだからである。

でも、よく考えてみれば、地球が有限で、世界が有限であるとは、人類が有限だということなのではないだろうか。有限性を認めるとは、究極的には、人類という概念が有限で、人類もいつかは滅びるということを、認め、受け入れることなのではないだろうか。「できない」ことの果てにあるのは、人類が有限だということ、人類の可能性、能力それ自体に、つまり人類の本質規定に「できない」を繰り入れ、これを受け入れることなのである。

そして、気づいてみれば、そのことをもまた、すでに私たちのあいだではじまっていると、見られなくはない。

すぐにわかるところでいうと、私たちは人間の歴史を最近、非常に長いスパンで見るようになっている。未来学に続いて、『成長の限界』が現れ、これに並行して前世紀の最後の二〇年間、広く浮上してきたのは、ノストラダムスなど終末思想であり、その流れはいまも途絶えていない。でも、これまでにないこととして、従来世界史と呼ばれてきたジャンルを、より長く、広く、人類の歴史としてとらえるさまざまな著作の試みが、今世紀になって続々と現れ、人々に受け入れられるようになってきた。

ちょっと近年のこのジャンルの著作を見渡しただけでも、すぐに、ジャレド・ダイアモンド『銃・病原菌・鉄――一万三〇〇〇年にわたる人類史の謎』(二〇〇〇年、原著一九九七年)、グレゴリー・クラーク『10万年の世界経済史』(二〇〇九年、原著二〇〇七年)、マット・リドレー『繁栄――明日を切り拓くための人類10万年史』(二〇一〇年、原著二〇一〇年)、クリストファー・ロイド『137億年の物語――宇宙が始まってから今日までの全歴史』(二〇一二年、原著二〇〇八年)といった前世紀末から今世紀初頭にかけて執筆された宇宙史、地球史、人類史、世界史の本が見つかる。ダニエル・コーエン『経済と人類の1万年史から、21世紀世界を考える』(二〇一三年、原著二〇〇九年)など、脱成長を掲げた経済史の本なども書かれ、ベストセラーになっている。

このうち、訳題、副題に掲げられている一万年単位その他の年数表記は、訳書のもので、原著にはない。けれども、この事実は、二〇世紀の末あたりからこうした著作が多く書かれるようになり、その大半がベストセラーとなっていることを受けて、いっせいに日本で訳が行われるようになったためと考えられる。この事実は、右の観測の妥当性を強めこそすれ、けっして弱めるものではないだろう。

いつのまにか、私たちは人類は有限であるという感覚を、受けとり、身につけはじめているのではないか。そしてそれは偶然でも何でもなく、私たちが「欲望」と「力能」とから距離をもてるようになったことと鋭く連関しており、それをもたらしたものが、私たちのさまざまな「できないこと」との出会いと向き合いなのではないか。

近年一部で名高いライトノベルのタイトルのように、「人類は衰退しました」、――私たちの内部で誰かがそう呟くようになっている（田中ロミオ『人類は衰退しました』）。また先にふれたように、「弱いロボット」を作りだすまでに私たちの技術と人間の、「できること」と「できないこと」のインターフェースは、成熟し、コンティンジェントなものとなっている。

人類が有限だとしたら。

そして永遠に続くのではないとしたら。

そのこともまた、そのことじたいで、人間について、私たちがまるきり考え方を変えなければならないことを、示唆しているのではないだろうか。

12　リスクと贈与とよわい欲望

生命種としての人間

たしかに私たちは人間が不死の存在だとは考えてこなかった。アーレントがいうように、古代ギリシャの時代、特にソクラテス以前には、逆に人間を「可死」の存在、死すべき存在と考えてきた。誰もが自分が死ぬことは知っていた。でも、その後、無限の観念が、それと対になる。人間は死ぬし、自分もいつかは必ず死ぬが、それでも人間は無限の可能性をもち、世界は無限に続くと、無意識のうちに感じるようになる。そしてやがて、人類という観念が現れると、その無限が人類と結びつき、神の永遠を押しのけ、今度は個の有限と人類の無限が、一対をなし、私たちの人間観をつくるようになる。

たとえば、ハイデッガーは人間を自分がいつかは必ず死ぬことを知りつつ生きる唯一の存在だといい、現存在と呼んでいる。でも、先に見たように、他方では悠久で永続的な自然──「大地」と「天空」の関係──に信をおく。彼は、戦前には死への決意性をいい、それが本来的な大義への没入という契機を彼の哲学に必要とさせた。戦後になると、原子力と宇宙の時代の到来を受けて大地とのつながりが断たれることに危機感を強め、技術を否定する本質的な観点を示すが、その人間観が永続するものを、本来性、あるいは不死ないし永遠のかたちで必要とした点では、戦前から戦後にむけて、変わらなかった。一九五七年に人工衛星が打ち上げられたのを受け、一九五九年にはソ連の「天体進出」宣言にふれ、「大地と天空」を忘却に陥れるものだと否定的な論評を下している。それも、天空の侵犯によって大地的なものの悠久性が毀損されると感じたからだったろう（「仕事場からの手記」『ハイデッガー全集第一三巻　思惟の経験から』所収、一八九〜一九二頁）。大地が、つねに人類に対する永続的なものの代替物だった。

人を死すべきものとして見る一方、他方に永続的なものをおいている点では、マルクスも同様である。彼は、死は個人に対する類の冷厳な勝利のようにみえる、でも特定の個人とは特定の類的存在として、生き、死ぬ存在であって、そこには類として「人間的な生命を発現する全体的存在」が生きている、といった。彼によれば特定の個人は、「特定の類的存在であるからには死をまぬがれない」から、死ぬのにすぎない（『経済学・哲学草稿』長谷川宏訳、一五一頁、傍点引用者）。つまり、吉本のいい方を借りれば、

〈死〉んでしまえば、すくなくとも個々の人間にとって（中略）（全自然と全人間の──引

用者）関係は消滅するようにみえる。そしてたしかに個人としての〈かれ〉にとっては消滅をするのだ。（中略）（この関係は、社会での関係、現実的な諸問題としては――引用者）社会がかわれば、かわってしまうし、社会的に消滅させようとすれば消滅するが、自然と人間のあいだではかわらないのである。〈自然〉哲学のカテゴリーで、〈死〉によって消滅するようにみえる自然と人間とのあいだの〈疎外〉関係の矛盾を、かれは、類と個の関係としてきりぬけるのである。（吉本隆明『カール・マルクス』二二頁）

となる。

そこにあるのも、死をまぬがれない個人と、永続する人類の対位であり、実存主義を唱えたサルトルも、やがて自分の考えをマルクス主義の内部に位置づけ、実存主義はマルクス主義に同伴しつつ、批判的にこれを補う、と述べるようになる。

けれども、「成長」に限界があり、このままいけば地球は危機に瀕するかもしれないとは、何よりこの人類の生存の永続性に、黄信号がともる、ということを意味する。

ほんとうは、人は死ぬが、人類は残るという信憑が、有限性というなかで、その確かさを再審されているのである。

では、もし人類が有限だとしたら、そして永遠に続くのではないとしたら、私たちは人間をなにに基礎づけるべきなのか。どのような永続性に対置すべきなのか。

人間は死ぬ。人類も、いつかは滅ぶ。しかし、ニヒリズムに陥るまいとしたら、私たちは、それでもその後、生命種は生き残る、といわなければならない。私の考えをいえば、この論の前半に述べたようにたとえ人類が滅ぶのだとしても、むろん無限は、有限な人間（ビオス）のうちにとどまる。たぶんそれはコンティンジェントな自由と力能として生きるのだ。でも、それと同時に、このたびは、私たちも、私たちの基底をなすゾーエーに権利を与え、人は死に、人類は滅びるが、生命種は生き残る、とつけ加えなければならない。そういう認識が、これまでの有限な人間の中の無限とともに、どうしても必要になる。その認識が私たちの中の無限を一元的なものから多元的なものに変える。コンティンジェントにする。有限の中に無限があるように、無限の中にも有限があってかまわないのである。

顔をみせているのは、人類の一員としての人間ならぬ、生命種の一員としての人間、生命種としての人間という、新しい人間観である。生命種とは、簡単にいえば、虫けら、ということだ。虫けらは政治的活動を「できる」か。「できない」。モノの制作を「できる」か。「できない」。ここでも、もはや「人間（ビオス）」だけでは足りない、という声に、私たちはもういちど、出会う。

歴史をふりかえれば、有限性という考え方は、人間を生物としてみる見方、ゾーエーと見るフーコーの生政治とともに、その成果として、はじめて言説のかたちで浮上している。一七八九年のフランス革命では、人間の理性信仰が歴史上ではじめて、決定的な強度で現実を動かした、と考えられた。人間の理性（ビオス）によってさまざまな課題を克服できるとする理性万能論（コンドルセ『人間精神進歩史』など）が高まり、次には、革命の恐怖政治化によってそれに対する警戒心がいやました。そういうなか、マルサスは、『人口論』で、「人口は何の抑制もなければ等比級数的に増加するが、生活物資は等差級数的にしか増加しない」と述べて人口問題に一石を投じ、反理性主義の論陣をはる。理性主義者（ビオス）は正しい人間の本性による社会制度の変革、貧困なき世界の建設をいうが、人間を拘束する自然法則（ゾーエー）は、食糧の必須と性欲の必然であり、この非対称性がある限り、理性による問題解決は困難と、主張したのである。

しかし、いま現れているのは、ちょうどマルサスとは逆の意味でのゾーエーとしての人間だ。そこではゾーエーであることのうちに、人間の新たな可能性が見出されようとしている。

この観点に立つと、先に取りあげた見田の「軸の時代Ⅱ」をめぐる講演の見方が、また別種の視界のうちに再浮上してくる。見田は、そこでマルサス同様に、人口統計学の成果に学び、人口の問題を取りあげている。

見田は、先にもふれたように、人口のS字型曲線を最初に社会分析に取りいれたのが、『孤独な群衆』のデイヴィッド・リースマンであることに注意を喚起している。リースマンは、当時新たな学問であった人口統計学の成果を社会学に取りいれ、その人口曲線に現れた三つの態様から名高い三つの社会的類型を取りだすことを通じ、人間を「群衆（crowd）」として提示する。これに対し、見田は、その先の時代を構想するに際し、S字型曲線を新たに「生命曲線」と名づけ、人間の「歴史曲線」と対置させることで、じつはリースマンの「群衆」としての人間の前方に「生命種」としての人間という新しい観点のありうべきことを、示唆するのである。

見田は、このS字型曲線が生物学ではロジスティック曲線と呼ばれ、閉じられた生存に適した環境容量のなかで生物がどのような個体数の増減を示すかを表すグラフであると紹介したあと、「歴史曲線」と対比し、こう述べている。

シャーレの中の微生物のような単純化された条件下では、この曲線はきれいに描かれる。大自然での大型動物の場合はもっと複雑な経緯を辿るが、基本的にこの原則（いかなる生命種も限られた環境内ではS字型曲線的推移をたどる――引用者）は貫徹する。地球という有限な環境下での人間という生命種の全体の歴史もまた、基本的にはこの原則を免れることはできない。（予稿「軸の時代Ⅰ／軸の時代Ⅱ――森をめぐる思考の冒険」二頁）

ここでは、「人間という生命種」つまり生命種としての人間が、歴史的存在（類）としての人間に対置されている、とみることができる。人間は、いまや人類が有限だとすれば、生命種の一つとしての自己の意味を、考えなければならないところにきている。それが新しい人間観の足場となるだろう。こういう認識を、見田の仮説の前におけば、これに基礎づけられ、見田の「生命曲線」という仮説は、もはや仮説とはいえないたしかさを帯びて、再浮上してくるのである。

見田がここで述べることは、一見したところはとても単純なことだ。別のところで、彼はいっている。

昆虫にとって森とは何かというと、（S字型曲線にいう――引用者）第Ⅱ期の大増殖期においては、もっぱら征服の対象であって、森という自然環境をどんどん征服していけば自分たちは増殖するわけです。ところが第Ⅲ期に入って環境限界に達すると、森は征服の対象ではなくて、共存の対象になります。つまり、森の中のほかの動物や植物とどうやって共存すれば、持続的にその森の中で一つの安定平衡のシステムの一環としてその昆虫も生き延びていくことができるかということです。第Ⅱ期の昆虫にとっては森は征服の対象である。しかし第Ⅲ期の昆虫にとっては森は共存の対象なのです。それは地球という有限な環境の中に生きる人間にとっても同じことで、第Ⅱ期の人間にとっては、自然は征服の対象です。それに対して第Ⅲ期をモデルとして考えてみると、それはどうやって他の種と共存するかということで、自然は共存の対象です。（講演記録『現代社会はどこに向かうか――《生きるリアリティの崩壊と再生》二〇一二年）

同じことが、先の「軸の時代Ⅱ」の講演では、こう語られている。

「人間主義は人間主義を超える思想によってしか支えられない」。これはとても具体的な例から考えられます。たとえば、水俣病はどうして起こったのかというようなことを考えると、人間を大事にするということは、人間だけを大事にするという思想によっては支えられない。人間だけを大事にするという近代的な人間主義のおかげで、水俣の人間たちはひどい目に遭ったわけです。（「軸の時代Ⅰ／軸の時代Ⅱ——森をめぐる思考の冒険」）

　環境限界に達すると、私たちは限界超過生存（オーバーシュート）の時代に入り、たえずフィードバックのかかる世界に生きることになる。それがここにいわれる共生の——つまり有限性の時代の——システム論的な基底である。

　有限性の時代の到来が私たちに語りかけていることは、今後、「生命種としての人間」という人間観を足場に考えるのでなければ、そこから新しい時代を生きる思想は生まれてこないだろうということだ。いったん「生命種としての人間」という観点に立てば、自然は征服の対象ではなく、共生と共存の対象とみえてくる。そこから新しい価値観を作りあげ、世界に向きあうことが必要だ。およそそういうことが述べられている。

　一見したところ、目新しいことはいわれていないようだが、しっかり受けとれば、違う。ここで、見田に想定されているだろうエコ・システムを先にふれたように人間の活動の全幅を含む（産業も市場も含む）ビオ・システムとしての生態系＝生体系にまで拡大して受けとれば、この「人間主義は、人間主義を超える思想によってしか支えられない」は、同じように「技術は技術を超えるものによってしか支えられ」ず、他方、「エコロジーもまた——人間中心のものである限り——それを超えるものによってしか支えられない」と告げる、新しい洞察を語っている。人間を生命種、生体として考える人間観のほうが、人間を人間として考える人間観よりも広く深い。この洞察は、私たちがいま、新しい生の条件を引きうけることの足場なのである。

ビシャから三木へ

解剖学者の三木成夫によると、人間のなかには植物の生と動物の生とがあるという。その人間の身体をなす二重性が、ここにいうゾーエーとしての生とビオスとしての生の二階層構造としての人間——アリストテレスはこれを「政治的な・生き物」と呼ぶ——の基礎である。三木によれば、人体の働きは、植物的で不随意的な内臓系と、動物的で随意的な体壁系に分かれる。内臓系は、心臓など血管系、食道、胃や大腸などの腸管系、腎臓などの腎管系からなり、夜眠っている間も不断に働くことをやめない。体壁系はこれに対し、脳から脊髄にいたる神経系、筋肉系、そして皮膚の外皮系からなり、人間の意思を形成し、意思に従って動き、可感である。むろんこれは人間に限ったことではない。生物体に普遍の構造であり、魚を解剖すると、頭部では、この内臓と体壁は堅く嚙み合って分離が難しく、尾部では、内臓が消失して体壁だけとなってくるが、中間の胴部では、この両者は截然と「腹―背」にその居を分つ。（「南と北の生物学」『海・呼吸・古代形象』一三七頁）

三木は、「鯉こく」の輪切りを例に取り、この腹と背の分かれ方を説明する。「鰹ぶし」では「まずこの体壁を左右の半身に、次いで各々を背半と腹半の計四枚におろして造る」。そこで「腹側の切り身の内面が内臓で抉られているさま」は、同じ半身に切断されて吊される「草食獣の胴体」でも同じである。こちらでは間をアバラ骨が走っているが、食肉のばあい、この「腹背」の筋肉が「バラ肉とロース肉」になる。

私たちは古来、この二つの区別を「おなか」と「背」として意識してきた。「背に腹は代えられぬ」とは、この区別の実感を述べたものだ。「思う」という漢字が「田」と「心」からできているのも、このことを指す。この漢字の「上半分（田――引用者）は脳を上から眺めたところ、下半分（心――引用者）は心臓のかたちで、これは〝あたま〟が〝こころ〟の声に耳を傾けているところを象ったもの」とも、語られている（同前、一二四頁）。

三木によれば、私たちが心と呼ぶものの出所は、内臓系である。その根源を「食と性」を司る内分泌系が占めている。ところで、彼の解剖学的人間論で私たちの関心と響きあうのは、そもそもが西洋の解剖学的見地からも影響を受けたものでありながら、そこでの脳を中心とした体壁系つまりビオスと、内臓系つまりゾーエーに対する評価軸が、これまで見てきた西洋系の考え方を逆転したものとなっている点である。

彼によれば、「一見奇異」に響くかもしれないが、内臓は、「本来、天体の運行に乗っかって、その機能を営む」。

回遊魚の鮭は、夏の間外洋の餌場で食べ続けるが、秋になるともはや完全に食を断ち、腹腔を「子種ではち切れんばかり」にして産卵のため故郷の川を一途にめざす。植物でも、春に開花があり、交配が起こると、秋に実りが得られるという形でこの「食と性の交代」が同様にみられる。人類では、この交代が「いわば食い気と色気の二足の草鞋となってほとんど消失し」ているが、それでも「春の目ざめ」と「食欲の秋」といった表現にこの遠い過去の面影を偲ぶことができる。

こうして見ると内臓系は、悠久の進化の流れの中で、ただひたすら宇宙空間の「遠」と共振を続けてきたことがうかがわれる。古代の人びとはここに小宇宙が宿されるといったが、卵巣が暗闇の腹腔内で月齢を知っている、というこの超能力の事実は動かぬ証拠と見ることができよう。(同前、「内臓の感受性が鈍くては世界は感知できない」一三〇頁)

これに対し、「表皮・神経・筋肉の三層からなる」体壁系は、もっぱら生活空間の「近」と結びつく。ここでは、皮膚を含め体表に開口するすべての感覚器官が、身の回りに起こる一々の出来事の、いってみれば輪郭を直接間接になぞるのである。それは、だから最終的には「触れる」世界でなければならぬ。逃げる獲物にとびかかり、異性のからだを嗅ぎ回り、あるいは眼で舐め回す……俗にいう〝目先の動きに振り回される〟世界のことをいう。アンテナの届かぬ遠い宇宙空間の天体運行と、生まれながらに〝同調〟し〝共振〟する、先の内臓の世界とはあまりにも対照的ではないか。（同前）

体壁系の頂点に位置する脳は、宇宙空間の謎にも挑む。しかし、それは「生活空間の『近』」をどこまでも延長していった果てに、いわば徒歩で、地続きのまま、この「無限」の謎と向きあっているのにすぎない。一方、内臓系は、直に無限な「天体の運行」と感応しあい、その機能を営んでいる。内臓系の世界（心）のほうが、体壁系（脳）よりも深くて広い、と三木はいうのである。

彼は、その延長でこんな面白いことをいっている。動物の体制はストック、「溜め込む」ことにある。植物の体制にストックはない。植物の体制は、フローだけ、それは外界との感応の世界である。そこから、

この両者の関係は、例えば「動物のからだから腸管を一本引っこ抜いて、これをちょうど袖まくりするように、裏側にひっくり返し、ついで露出した腸の粘膜に開口する無数のくぼみを一つ残らず外に引っぱり出し、そうしてできた形が、すなわち植物である」とい

う、この譬えのなかに、（中略）示される。ここで引っぱり出された粘膜のくぼみが、葉っぱと根っ子になることは申すまでもない。こうして出来た植物の根や葉は「太陽を心臓に、一方は天空から大地に向けて、もう一方は大地から天空に向けて、果てしなく廻る巨大な循環路の、それはあたかも毛細管の部位に相当する」という譬えでもって説明される。（同前、「『排泄』に関する試論——伊沢漢法によせて」七二頁）

人間が手袋だとして、それを腸管を中心に裏返す。まず掌部分を裏返し、その後、指の部分も一つ一つ、内側にくぼんだところを「外に引っぱり出し」て完全に裏返しにしてやる。すると、くぼみが突起になり、それが葉っぱ、根っ子であって、人間は一本の木になる。そこで心臓は、ちょうど太陽に重なる。光を受けた葉の一つ一つで起こる光合成は、人体の毛細血管での栄養の補給と重なる。この一本の木をもう一度、裏返す。すると、そこにもう一度、人間が——動物としての人間、生物としての人間が——姿を現わすだろう。そう三木はいうのである。

吉本の『アフリカ的段階について——史観の拡張』における「動物生」といういい方、またその「精神史」と「外在史」という考え方の全体は、その最初のヒントを、この三木の解剖学的な人間観から受けとっている。吉本は、一九九〇年代初頭に、三木の著作と出会い、彼自身のかつての言語学的な、また心的現象学的な原理的考察が、もう一つ深い発生学的な人間論、世界論へと踏み込めるのではないかと考えた。先に見た吉本の歴史観の更新の提言は、じつはそこから生まれてきたものにほかならない。

吉本は、一九六〇年代に著した言語論の中で、言語を書き手の思いを負荷として担っている部分と、書き手の意図を負荷として担っている部分との「共存」として考えればよいと考え、そのそれぞれの部分を自己表出、指示表出と名づけた（『言語にとって美とは何か』）。いま、部分といったが、本当はそれでは正確ではない。側面といいなおそう。でも側面でも、十分ではない。一つの表現された言語は、たとえばxとyの座標空間上の一点aが（x、y）と表記されるように、x軸上の価値（自己表出）とy軸上の価値（指示表出）の、互いに独立した「複合値」として示されるからである。

この二つが異なる原理にたつものであることを示すために、吉本が間接的に引いてくるのは、フランスの医師ジャン・イタールが書いた、『アヴェロンの野生児』という著作に出てくる一つのエピソードだ。この話は、映画監督のフランソワ・トリュフォーが「野性の少年」という映画にしたことで、私の世代には、広く知られている。

この映画のハイライトになっているのは、こういう場面である。イタールは森で捕獲された狼少年（野生児）ヴィクトールをひきとる。この野生の少年に言葉を習得させようとして、牛乳（lait フランス語で「レ」と発音する）といえば、牛乳を与えようといい、さあ、「レ」を発音してごらん、と促す。でもヴィクトールは頑強に抵抗し、発語しない。欲しかったらいいなさい、というのだが、いわないのだ。

しかし、何日かの試みの後、イタールがとうとう根負けして、しょうがないとヴィクトールに牛乳を渡す。ヴィクトールがごくごくと牛乳を飲む。すると、その口から、思わず言葉が洩れる、「レ」と。

吉本は、このことからも、発語者の必要をみたすため、意図を伝えるものとしての言語機能と、発語者の思いを表出するものとしての言語機能とは異質で、一つの言語には、必ずその両面が含まれているという言語観を提示することになる。その彼が、三木の著作に出会い、この言語の二重構造が人間の身体のもつ二重構造と同型であることを知り、このうち、思いにまつわる自己表出は三木のいう「内臓器官的なものを主体とした動き」に、意図にまつわる指示表出は体壁系の「感覚器官」の動きに、そのまま「対応するのではないか」と考えつく。そうだとすれば、自分のこの考え方を「文字以前の言語論」、つまり心身の世界、さらには人間の関係意識の発生の場所にまで遡及できるのではないか、と彼は考えるのである。（吉本隆明「三木成夫さんについて」『モルフォロギア』第一六号、一頁、七頁）

先の『アフリカ的段階について——史観の拡張』は、この吉本が一九九六年の瀕死の水難事故のあと、長年続けてきた個人誌を終刊とするに際し、当初は購読者向けに私家版として刊行したものである。ある意味で、遺言として書かれた著作と受けとって、間違いがない。三木からの啓示を受けてたどり着いた、彼の発生論的考察のひとまずの達成点が、そこに示されている。

そこで、吉本は、ゾーエーに立て、という。そこにあるのは、ゾーエーがビオスよりも広く深いという考えである。ゾーエーがビオスよりも広く深いとは何だろう。イタールがヴィクトールに欲しかったら「レ」といいなさい、というのは、ビオス的な観点（意図）である。ヴィクトールがそれに応じず、でも牛乳を飲んだらおいしかったので、思わず「レ」といったのは、ゾーエー的な反応（思い）である。

むろんこれは一つのエピソードにすぎない。これをもって言語学的な根拠とするにはとうてい足りない。しかし、この話は、何かを伝えてはいないか。

ここでも、ゾーエーはビオスよりも広く深いかもしれないということが、この挿話の私たちに考えさせることである。

この話はもう少し展開できる。

というのも、三木にみられる解剖学的所見の嚆矢をなすものに、一九世紀初頭のフランス啓蒙期の医学者M＝F＝クサヴィエ・ビシャの学説があった。そのことを私はある弟子筋の専門家の証言から知った。それによれば、三木の最初の著作「解剖生理」（一九六六年）は、「これまでのどの解剖学の教科書とも違った方法」で、人体の構造と機能を記述しているが、じつはアリストテレスとビシャに影響を受けたものだったという。

……それ（「解剖生理」——引用者）は、アリストテレス（島崎三郎氏の教示による）とザビエル・ビシャー（田隅本生氏の紹介による）にしたがって、人体を構成する諸器官を栄養—生殖にたずさわる植物性器官（内臓系）と感覚—運動にかかわる動物性器官（体壁系）の二つに色分けする。（後藤仁敏「三木成夫の生涯と業績」『モルフォロギア』第一六号、

三六頁）

ところで、このクサヴィエ・ビシャはフーコーの生政治の考えの起点の発火点の一つでもあるのである。先にあげた著作のなかで、アガンベンがフーコーがこのビシャに言及していることにふれ、ビシャの学説では、人間の生が、やはり二つの部分の共生として理解されると述べて、こう続けている。二つのうち、一つは植物的な有機的生の「内側」部分で、それは内臓部分に重なり、「同化と排泄の習慣的な継起」を司る。もう一つは動物的な生をなす「外側」部分で、主に運動、睡眠-覚醒の機能を司る。

有機的なものと動物的なものの分裂は個体の生の全体を貫いており、有機的な諸機能（血液の循環、呼吸、同化、排泄など）の連続性と動物的な諸機能（それらのうちでももっとも明白なのは睡眠-覚醒の機能である）の断続性の対立、有機的な生の非対称性（唯一の胃、肝臓、心臓）と動物的な生の対称性（対称的な脳、二つの目、二つの耳、二本の腕）の対立のうちに示されている。そしてさらに、両者の生の始まりと終わりにおける不一致のうちにしめされている。（『アウシュヴィッツの残りのもの』二〇五頁）

このアガンベンの引用が意味深いのは、古代ギリシャの人間観におけるビオス（政治的社会的文化的存在としての人間）とゾーエー（生き物としてのヒト）の対位が、ビシャにおいて、一人の人間のなかでの二つの生の共生というかたちに変移している点を、おさえていることである。

ここでゾーエーとビオスの問題が、ビオスとしての人間の問題から、いわばゾーエーとしての人間の問題に変わっている。つまり、一個の人間の問題に変わっている。人間一人の生には、こうした異質な二つの部分がある。アガンベンは、「じっさい、有機的な生（先に述べてきた植物的な生にあたる――引用者）は、胎児のうちで動物的な生に先立って始まり、老年期と死期において動物的な生の死のあとに生き残る」と述べ、さらに「フーコーは、ビシャにおける死の多様性、死が運動をとおして死となること、あるいは部分ごとに死となることに着目した」と記している（二〇五頁）。

三木は一九二五年に生れている。独自の観点からダイナミックな発生論的人体観を提出したが、生前はあまり知られなかった。一九八七年に急逝の後、吉本をはじめとする何人かの思想家、学者に大きな影響と刺激を与え、いまでは広く知られているが、それは、西洋の解剖学の知見に多くを負っているとはいえ、彼の考え方が、西欧流の考え方にはなっていないからである。

それは、アリストテレス、ビシャの観点をそのまま受けとるかたちには成立していない。何がビシャから三木への一歩か。ビシャにおいては、足場はあくまでビオスにおかれている。そのため、老年期の最終的な死の様相は、動物的な生の部分が死に、植物的な生だけが残っているものととらえられる。そこで植物的な生は、三木におけるようには可能性にむけて開かれていない。ヘーゲルにおける旧世界と同様、またアーレントにおけるオイコスの生と同様、動きがなく、閉ざされた世界のままである。

この点から見れば、自然な死がまさに消滅させようとしている生体の状態は、母親の胎内にいたときの状態、しかも植物の状態に似ている。というのも、植物は内側でしか生きておらず、植物にとってあらゆる自然は沈黙しているからである。(X. Bichat, Recherches physiologiques sur la vie et la mort, 二〇二頁、アガンベン『アウシュヴィッツの残りのもの』二〇八頁より再引用、傍点引用者)

ビオスのないゾーエーは、死んだも同然とみなされている。先にみたところから明らかなように、三木は、こうしたビシャにいたる西洋の観点を、目立たないかたちではあるけれども、一八〇度逆転しているのである。三木は、この植物の生、内臓系の生は、宇宙とつながっている、開かれている、とみる。むしろ、この植物の生、ゾーエーこそが、「大自然と間断なく交流する、ひとつの開放系に擬せられることとなる」とみている(『海・呼吸・古代形象』七二頁)。

考えてみよう。

人間を、植物までをも含む生命種のひとつという時点にまで遡及して考え直すことは、退歩を意味するだろうか。むしろそれは、人間観が広がることなのではないだろうか。人間を、他の動物、他の生物と区別して、特別な、孤立した存在と考えることのほうが、むしろ退嬰的、守旧的で、ときに野蛮で残酷ですらあることなのではないだろうか。

こう考えてくれば、有限性に出会うこと、「できないこと」に出会うことは、いま、たしかに、より深い、より広い、もう一つの考え方への更新を促されることなのである。

生命、贈与、希望

最後に。

私はこの論で何を述べたことになるのだろうか。

むしろ何を述べなかったかを取りだしてみることに、意味があるかもしれない。

世界が有限であることを受けいれよう、と私はいった。今後、地球に予想される破局がどのようなものであるかということは、本を読み、勉強しないわけでもなかったが、述べなかった。

今後、数十年の間に、どういうことが起こるかという未来予測も、個々にわたる検討は行わなかった。

このありうべき破局を避けるために、今後私たちが何をしなければならないか、ということも、書かなかった。

その代わりに、そういうことを考える際に、一歩手前で、どういうことと向きあうことが、私たちにとって大事なことか、たとえば、脱成長という考え方が、成長の考え方にとってかわるとしたら、その思考の交代は、どれくらいの深度にまで及ばなくてはならないか、欲望と可能の相関図式に代わって、「してもよいししなくともよい」自由というものが人に望ましく感じられるとしたら、それは、なぜなのか、結局、そういうすぐには役に立たないことについて、考えた。

しまいにやってきたのは、これも、ひとつの問いである。

地球と世界が有限性を前にするというのが、これまで人類の経験したことのない新しい経験なのだとしたら、その核心にあるのは、どのような試練なのだろうか。

有限性を前にするということには、二つの意味があった。

ひとつは、無限性の時代が、無限に成長を続けるというあり方の内側から、壊れはじめていたということである。その結果、さまざまな私たちの世界を作り上げていた一対一の関係が、その関節をはずし、ほころびをみせるようになっていた。私たちは、その関係の壊れを修復し、もう一度、新たに世界と関係を作り出さなければならない。

もう一つは、まったく新しい生の条件が、有限性の時代の到来とともに、私たちに課されるようになったということである。一言でいえば、私たちはさまざまな「できない」ことと向きあわなければならない。そこで必要なのは、人類がもはや永続する存在ではない、ということに、イエスをいうことである。

そこから私が用意したものは、ひとつに、コンティンジェントな自由と力能を、これまでの「成長」型の自由と力能から更新しよう、という提言である。

そしてもう一つ、これまでのエコ・システムをより広義のビオ・システムへと生態系の概念を拡張するとともに、人類としての人間に、新たに生命種としての人間という考え方を加えることで、人間観と世界観を未来に向け、更新しようという提言である。

人間の本質とは、人間が人類であるとともに生命種でもあることではないのだろうか。

そしてその二つに前後とか上下の関係がなく、両者のあいだにもはや対立と対位の関係が解除されてあることが、私たちの希望なのではないだろうか。

ここで一つの寄り道を許してもらいたい。

人間が生命種でもあると考えて、私に思い浮かぶのは、こんな吉本隆明の指摘である。

そこで吉本は、フロイトから着想を借りるのだが、フロイトが人間（ビオス）をもとに「欲望」の形で考えているところを、生命種（ゾーエー）をもとに「違和感」の形に差し戻すことで、ここでの観点からいうと、フロイトの先に出ている。

吉本は、フロイトの理論はつねに「心的モデルの古典的性格」をとどめているという（『心的現象論序説』一三頁)。私の考えでは、「エス」に気づきながらも、フロイトの発想と人間の理解がなお人間(ビオス)中心にとどまっていること、欲望を基礎にしていること、そのあたりをさして、吉本は「古典的」だ、古い、といっているのである。

「心」を扱おうとしたその原理的な考察のなかで、吉本は「心はそれだけで扱える」だろうかと問い、こう考えている。

たとえ、どんな外界のきっかけの結果として起こるのでも、(お腹が重苦しいというような)内的な生理過程の結果として起こるのでも、生きている個体は「なお〈じぶんがいまこう心でおもっていることをたれも知らないし、またたれも理解することはできない〉という心的状態になることができる」(同前、七頁)。

これは、個体の「心的な現象」が自分自身の心的な過程、生理過程とじかに関係しているということだろう。そうなら、そうである限りで、「心」をそれだけ独立させて考えることは、可能だとみなすことができる。

では、このことを人間について考えてみるとして、人間の個体が〈じぶんがいまこう心でおもっていることをたれも知らないし、またたれも理解することはできない〉と感じるということ、そのことの根源にあるのは、何だろうか。猫についても同様に考えてみよう。猫も、〈じぶんがいまこう心でおもっていることをたれも知らないし、またたれも理解することはできない〉と感じるかもしれない。そのばあい、猫の「感じる」は、何を内容としているだろうか。もっともっと遡及すれば、最後、アメーバまでくる。アメーバも同様かもしれない、と考えてみることができよう。もし単細胞のアメーバが〈じぶんがいまこう心でおもっていることをたれも知らないし、またたれも理解することはできない〉と感じるとしたら、それはアメーバが、何をどう感じている、ことになるだろうか。

ここで吉本の念頭にあるのは、たとえば、次のようなフロイトの言葉である。フロイトは、いっている。

　生命は、考えられないほどの遠い昔に、想像できないような方法で、生命のない物質から誕生したと言われますが、それが真実であるならば、私たちの前提に基づくと、生命を消滅させて、無機的な状態をふたたび作りだそうとする欲動が、その時点で発生したはずなのです。

　この欲動はわたしたちが想定している自己破壊的な欲動であり、これはすべての生命プロセスの中で作動している死の欲動の現れと理解することができるのです。（中山元「不安と欲動の生」『精神分析入門・続』第三二講、二四二頁）

フロイトがいうのは、無機物から有機物、生命種になったからには、生命には「生きているということへの違和感」があるはずだということである。自転車をめぐる先の面白い例になっていえば、生まれたからには、死がそこで失われているわけで、何かがどうも欠けている、おかしい、と感じるはずだ、というのだ。無機物が生命をもつ。すると、なんだか変だな、と生命体は感じる。この生きていることへの違和感が、人間のタナトス欲動――「死への欲動」――の根源だとフロイトはいうのだが、ここで吉本は、フロイトのようには考え進めない。人間の一歩手前で、立ちどまっている。

フロイトは、人間から発想し、人間に帰る。そこから人の名づけようのない無意識の動き（それ（エス））が「死への欲動」として取りだされもするのだが、吉本は、その考えは「古い」のではないか、と考えている。そして、いわばアメーバの場所にとどまり、そこで、この名づけられない動き、力を、「生きていることへの違和感」として生命種に普遍の心的現象の根源と考えようとする。それが、吉本のいう、生あるものが生きているゆえにもつ、「原生的疎外」という概念である。

……生命体（生物）は、それが高等であれ原生的であれ、ただ生命体であるという存在自体によって無機的自然にたいしてひとつの異和をなしている。この異和を仮りに原生的疎外と呼んでおけば、生命体はアメーバから人間にいたるまで、ただ生命体であるという理由で、原生的疎外の領域をもっており、したがってこの疎外の打消しとして存在している。この原生的疎外はフロイドの概念では生命衝動（雰囲気をも含めた広義の性衝動）であり、この疎外の打消しは無機的自然への復帰の衝動、いいかえれば死の本能であるとかんがえられている。（『心的現象論序説』二二頁）

フロイトのように考えれば「エロスとタナトス」になる。「エロス」（生の欲望）も「タナトス」（死への欲動）も、ともにビオス（理性的存在）から見られたゾーエー（生物的欲動）である。しかし、ゾーエーに立つなら、この二つはどうなるか。

ともに根源に「原生的疎外」をひめた生命種としての動きが、人間に現れたものとなるだろう。

人間には原生的疎外があるが、この疎外を通じて、人間はアメーバまでつながる「生命体としての異和」の領域を生きている。この原生的疎外の心的内容をフロイトはいわば人間化して〈エス〉（無意識）と呼ぶのだが、この「無意識」の代わりに、これを逆に生命体化して「生命体としての異和」とでも呼べば、人間は、人間であることのなかに「生命体としての人間」の領域をもっているということになるだろう。ちょうど先に吉本によって言語が自己表出と指示表出の相乗構造だと考えられたように、人間はここで、生命体と意識体の異和の構造とみなされるはずである。「心」と「精神」はその産物なのだとなるはずである。

これが、有限性の時代にありうべき人間観ではないのだろうか。

これに対し、「心」は他者との関係のうちにとらえられるべきではないか、ここには他者の契機が欠けているではないかという批判があるかもしれない。でも、ここで「心」は「社会」を生きる他者といまある仕方でつながらない代わりに、外部と、だからやはり他者と、別の仕方でつながっているというのが、この吉本の観点をささえる、三木の内臓系の反転の意味なのだと考えておくことができる。

そこではビオス（頭）ではなくゾーエー（内臓）こそが、宇宙＝外部と交感している。他者とは、他の生物種であり、また宇宙なのである。

この相乗構造では、人間は、生命体という一階部分と意識＝人間という二階部分とからなる建物である。一階部分を、不随意でとらえることができないアメーバ状、二階部分を、随意、意志の力で何ともなるが、下方の作用を受けつつ、その作用の淵源には手をつけられない意識存在として生きている。フロイトは、この構造をビオスとして二階部分から見て、階下に「無意識」を発見した。しかし、もし、いまこれをゾーエーとして一階部分から見上げれば、私たちは、どのような視界をうるだろうか。

私の予測を一言でいえば、生命体であると同時に意識存在でもある人間の活動から何一つ排除しない、産業、技術、市場を含んだビオ・システムとしての生態系（生体系）のヴィジョンが、そこにえられるはずである。

私たちにできるのは、アガンベン式に、「しないことができる」力を行使してこの「できない」ことからの視界に肉薄することだけだが、すると、このビルは、いわば横倒しになって平屋構造となる。そこで吉本の未来と初原をつらぬく「段階」は、フラットな「間取り」のようなものとなる。そしてそこでは、「できない」こと（ゾーエー）と「できる」こと（ビオス）が「することもしないこともできる」コンティンジェントな力能によってひとつながりの長屋的構造のなかに収められることになる。そこで「できること」と「できないこと」とは応答を行う。会話をかわす。フィードバックしあうのではないだろうか。

ここでは、それ以上のことはいえない。世界の有限性を肯定する思想の、これはほんの出発点のヴィジョンであるにすぎない。でも、こうはいえるのではないか。人間の本質とは、人間が人類だということでも、人間が生命種だ、ということでもないに違いない。そうではなく、人間が人類であるとともに生命種でもあること、それが新しい私たちの人間観の出発点なのであるに違いない。そのように人間を考えたばあい、いまある問題がどのように私たちの前に見えてくるかを見定めよ、それが私たちの最初の課題なのだ、と。

すると、そこから、私たちのもうひとつの提言もやってくる。

私たちが生きているのはオーバーシュートの時代、限界超過生存の時代である。そのような条件下、人が生きることは終末医療のホスピスに生きることに一部重なる。

だとすれば、そこでは、欲望とリスクは、その意味を変えるのではないか。

欲望は、「したい」から「しないのもいいな」の幅に広がる。また、「できるのだが、できないのもいいな」へと、薄まる方向で強くなる。この欲望の広がり（薄まり）に寄りそうことで、今度は力能の意味が、「することもしないこともできる」ことのほうへと、拡張されていくはずである。

また、リスクは、これまではベックが富の生産とリスクの生産のバランスの崩壊からこの概念をつかんだことに示されるように、近代を作り上げてきたさまざまな一対一の関係性が崩壊していくことをさしていた。しかしこのリスクも、有限性の時代に入れば、その意味を反転させる。有限性の時代における課題は、この壊れかかり、あるいは壊れてしまった一対一の関係性を再度修復し、回復して、新たにもう一つの関係を作り出すことである。そのためにできるのは何か。リスクは、ここに再び、姿をみせてくるからである。新たな関係の創出のためには、リスクが冒されなければならない。

ただし勘違いしてはならないのはここでリスクを冒すことの意味は、ベックがいう意味とは大きく違っていることだ。ベックのいう「リスク社会」の根源が、人と人との、社会と社会との、近代前期が作りあげた関係の一対一対応の「関節のはずれ」、「破れ」にあるのだとしたら、今度は一転して、それを修復し、回復することがめざされなければならない。そのためにも、「リスク」を冒す必要が出てくるが、ここにいうのは、その意味でのリスクだからである。社会のリスクを克服し、新たな関係を作りだすために、最初の一歩を踏み出すという、また別のリスクが必要なのだ。

それは、たとえば、何の見返りもないかもしれないことに、見返りを期待せずに、一方的に交換をもちかけることである。リーナス・トーバルズが、リナックスを発想し、実行したときには、そういうリスクが取られていただろう。それは、お金を失うリスクではない。関係の創出の企てが、無に帰すということへのリスク、一方的な交換のもちかけがいつも起点にもつはずの、孤独なリスクである。

そのリスクの別の名前は、贈与である。ふつうそのような一方的で絶望的な、リスクそのものであるような交換のもちかけは、贈与と呼ばれているからだ。

そこにあるのは、ギブ・アンド・テイク（give and take）のやりとりではない。それは、システム内部では、関係の不均衡を均衡に戻し、一つの閉回路としての関係を安定化させる動きをもってしまう。昔、私の知人が、貧しい学生のときにほとんど見知らぬ人から数百万円の贈与を受けたが、その人は、自分へのお返しはいらない。その代わり、もし可能な境遇になったら、自分と同じことをまた別の若い人にしなさい、といったそうだ。それで、私の知人は同じことをしている。これは、ギブン・アンド・ギビング（given and giving）のやりとり、関係の不均衡をつねに産出していく動きである。贈与されたものが、贈与する。そこから関係の不均衡が生じるが、それは言葉を換えれば、関係が創出されるということである。

そこで関係の不均衡は不均衡のままに取り残される。リスクは多重化され、いつまでも解消されない。しかし、このリスク、不確定性こそ、ニクラス・ルーマンのいう関係創出力の源泉なのだろうし、また、三木成夫のいう「フロー」しかない内臓系の外部との関係世界の動態なのだろう。

そこで、そのリスクを支えているのはどういう心持ちだろう。先のトーバルズは、自分のOS（リナックス）開放の申し出でリスクを冒したとは考えなかったに違いない。ただ彼は、この一方的な提言に対する応答があってもなくても構わない、しかし、自分は、こうしてみたいから、するのだ、と思ってそうしたのに違いない。つまり、ここでリスクを支えているのは、いわば、弱音器をつけられた欲望、そのことによって強弱の度合いを獲得するようになった、コンティンジェントな欲望なのである。

贈与とは、見返りを欲しない投資であり、その意味で、リスクの行使なのだが、もっといえば、この薄められた欲望の行使でもある。見返りがきてもよいがこなくともよい、そのどちらでも構わないという心意のもとに果たされる、コンティンジェントな自由が、その奥に控えている。

また、コンティンジェンシーは、あることを、誰かわからない人からの、ものからの、贈与として受けとるということのうちにも、顔を見せている。それは、勝手に、自分のリスクで、誰かを、あるいは何かを、ささえなしに信じるということだからだ。あるものを勝手に贈与として受けとることが、そこではもうひとつの贈与の行為なのだ。

関係がなくなると、ストックが消え、フローがなくなり、手持ちぶさたになる。何もなくなる。そのとき、私たちの手にあるのは、なにごとも期待しないが、でも、もし返答があれば、それを拒まず、ありがたく受けるというコンティンジェントな関係への欲望である。そこから関係を作りだそうとするのが、一方的な偶発的投企としての贈与の意味なのだとすれば、ここには、リスクとコンティンジェンシーと贈与をつなぐ一本の線があることになる。

この一本の線から流れ出てくる水のように薄められた欲望を、ここでは、ためらいながら、希望、と呼んでおこう。

この先の考察は、別の機会に譲るべきだろうが、私は、このような意味で、ちょうどコンティンジェントな力が、近代的な「することのできる」力に対する有限性の時代における「脱成長」の主導的な力能と考えられるように、「贈与」が有限性の時代における、ベックのいう「リスク」の反意語になるのではないかと予測している。

投資と保険は、未来を可視化するところから現れた。しかし、それは、関係が生きて機能していることに依存している。そこではギブすることが、テイクすることへの予知に基づく行動なのだ。しかしいまはその関係が壊れている。必要なのは、関係を回復し、未来を作り出すことだが、そこでリスクは、見返りの予期のもつ単なるリスク（不確実性）から、見返りを予期しないことのもつ偶発的投企性に変わるだろう。予期の不可能性（パーソンズ）から、関係の創発性（ルーマン）になり代わるだろう。コンティンジェントであることが、コンティンジェントであろうとすることに移ると、予知が、投企となり、投企が、贈与へと育つのである。「できない」ことを前に、イエスということ。それを受け入れ、肯定すること。

このことは、何ら抽象的な問題ではない。

最後に小さな具体的な話をしよう。

前に一度ふれておいた戦後の問題である。

日本の戦後の問題も、この有限性の生の条件のもとで、考え直されなくてはならないだろうと、私は考えている。アジアとの関係では、何度でも、相手が了解するまで、なすべき謝罪をしっかりと行い、関係を築き直すことが重要である。アメリカとの関係では、原子爆弾の投下が最後の問題となるが、抗議すべきはしっかりと抗議し、関係を再構築したうえで、さらに、赦すべきはしっかりと赦し、その関係を先に進めることが必要となる。

その道程は困難を極めるだろうが、原爆投下に対しても、抗議したうえ、たとえ相手の謝罪が得られなくとも、一方的に赦すこと、それが、平和憲法という、贈与され、また贈与の原理に立つ憲法をもつ日本にとってありうべき未来への一歩となると、私は考えている。

そこでも大切なことは、負債はしっかりと返済すること。相手に債務があれば、返済をしっかり要求すること。そのうえでやるべきことがなされた後は、新しい関係の創造に向けて、一方的に、贈与することである。

関係の修復、信頼の創造。その根源に負債の支払いと贈与の用意がある。

参考文献

邦文著作

（©は初刊刊行年）

池田純一『ウェブ×ソーシャル×アメリカ――〈全球時代〉の構想力』講談社現代新書、二〇一一
伊東光晴『技術革命時代の日本――経済学は現実にこたえうるか』岩波書店、一九八九
伊東光晴「経済学からみた原子力発電」『世界』二〇一一年八月号
大澤真幸「ダブル・コンティンジェンシー」（『岩波 哲学・思想事典』）岩波書店、一九九八
大坪真利子「言わなかったことをめぐって――カミングアウト〈以前〉についての語り」『ソシオロジカル・ペーパーズ』第二二号、二〇一三年三月
大前研一『原発再稼働「最後の条件」――「福島第一」事故検証プロジェクト 最終報告書』小学館、二〇一二
岡田美智男『弱いロボット』医学書院、二〇一二
加藤典洋『アメリカの影』講談社文芸文庫、二〇〇九、©一九八五
加藤典洋「これは批評ではない」『群像』一九九一年五月号

加藤典洋『敗戦後論』ちくま文庫、二〇〇五、©一九九七
加藤典洋『日本の無思想』平凡社新書、一九九九
加藤典洋『ポッカリあいた心の穴を少しずつ埋めてゆくんだ』クレイン、二〇〇二
加藤典洋「『世界心情』と『換喩的な世界』――9・11で何が変わったのか」『国際学研究』二四号、二〇〇三
加藤典洋『3・11死に神に突き飛ばされる』岩波書店、二〇一一
柄谷行人『トランスクリティーク』批評空間、二〇〇一
柄谷行人『世界史の構造』岩波書店、二〇一〇
木村栄一ほか『損害保険論』有斐閣、二〇〇六
國分功一郎『暇と退屈の倫理学』朝日出版社、二〇一一
後藤仁敏「三木成夫の生涯と業績」『モルフォロギア』第一六号、一九九四
小山鉄郎『あのとき、文学があった――「文学者追跡」完全版』論創社、二〇一三、©一九九二
竹田青嗣『近代哲学再考』径書房、二〇〇四
竹田青嗣『人間的自由の条件――ヘーゲルとポストモダン思想』講談社、二〇〇四
竹田青嗣『人間の未来』ちくま新書、二〇〇九
橘木俊詔ほか『リスク学入門1　リスク学とは何か』岩波書店、二〇〇七
田中ロミオ『人類は衰退しました』全八巻、小学館、二〇〇七～二〇一三
中沢新一『日本の大転換』集英社新書、二〇一一
中沢新一『野生の科学』講談社、二〇一二

中山元「『技術への問い』M・ハイデッガー（平凡社）」（ウェブ「KINOKUNIYA書評空間BOOKLOG」２０１０年４月19日、http://booklog.kinokuniya.co.jp/nakayama/archives/2010/04/post_73.html）
星野芳郎『技術革新』岩波新書、一九五八
星野芳郎『技術革新　第二版』岩波新書、一九七五
松岡正剛「千夜千冊・一三五〇夜　ローティ『偶然性・アイロニー・連帯』」（http://1000ya.isis.ne.jp/1350.html）
三木成夫『海・呼吸・古代形象――生命記憶と回想』うぶすな書院、一九九二
水野和夫『資本主義の終焉と歴史の危機』集英社新書、二〇一四
見田宗介『現代社会の理論』岩波新書、一九九六
見田宗介「アポカリプス」『国際学研究』二四号、二〇〇三
見田宗介『社会学入門』岩波新書、二〇〇六
見田宗介「軸の時代Ⅰ／軸の時代Ⅱ――森をめぐる思考の冒険」（『軸の時代Ⅰ／軸の時代Ⅱ――いかに未来を構想しうるか？：シンポジウム報告論集』）東京大学大学院人文社会系研究科グローバルＣＯＥプログラム「死生学の展開と組織化」、二〇〇九
見田宗介『現代社会はどこに向かうか――《生きるリアリティの崩壊と再生》』弦書房、二〇一二
宮台真司「システム論」（『社会学事典』）弘文堂、一九八八
山口晃『ヘンな日本美術史』祥伝社、二〇一二
山田慶児『技術からみた人類の歴史』編集グループSURE、二〇一〇

吉本隆明『カール・マルクス』光文社文庫、二〇〇六、「マルクス紀行」一九六四年執筆
吉本隆明『心的現象論序説』北洋社、一九七一
吉本隆明「三木成夫さんについて」『モルフォロギア』第一六号、一九九四
吉本隆明『ハイ・イメージ論Ⅰ〜Ⅲ』ちくま学芸文庫、二〇〇三、©一九八九〜一九九四
吉本隆明『情況へ』宝島社、一九九四
吉本隆明『母型論』学研、一九九五
吉本隆明『アフリカ的段階について——史観の拡張』春秋社、一九九八
吉本隆明「『吉本隆明』2時間インタビュー『反原発』で猿になる！」『週刊新潮』二〇一二年一月五日・一二日号

訳書

(©は原書刊行年)

池田香代子再話、C・ダグラス・ラミス対訳『世界がもし100人の村だったら』マガジンハウス、二〇〇一
ジョルジョ・アガンベン『バートルビー　偶然性について』高桑和巳訳、月曜社、二〇〇五、©一九九三
ジョルジョ・アガンベン『ホモ・サケル——主権権力と剝き出しの生』高桑和巳訳、以文社、二〇〇三、©一九九五
ジョルジョ・アガンベン『アウシュヴィッツの残りのもの——アルシーヴと証人』上村忠男、広石正和訳、月曜社、二〇〇一、©一九九八

ハンナ・アレント『人間の条件』志水速雄訳、ちくま学芸文庫、一九九四、©一九五八
ノーバート・ウィーナー『サイバネティックス――動物と機械における制御と通信』池原止戈夫ほか訳、岩波文庫、二〇一一、©一九四八、一九六一
レイチェル・カーソン『沈黙の春』青樹簗一訳、新潮文庫、改版一九七四、©一九六二
ジョン・ガルブレイス『ゆたかな社会　決定版』鈴木哲太郎訳、岩波現代文庫、二〇〇六、©一九五八
キャロル・グラック「『戦後』を超えて」『思想』二〇〇五年一二号
タイラー・コーエン『大停滞』池村千秋訳、NTT出版、二〇一一、©二〇一一
スチュアート・D・ゴールドマン『ノモンハン1939――第二次世界大戦の知られざる始点』麻田雅文解説、山岡由美訳、みすず書房、二〇一三、©二〇一二
E・F・シューマッハー『スモール・イズ・ビューティフル　人間中心の経済学』小島慶三、酒井懋訳、講談社学術文庫、一九八六、©一九七三
ヨーゼフ・シュンペーター『経済発展の理論』塩野谷祐一ほか訳、岩波書店、一九七七、©一九一二
ドストエフスキー『カラマーゾフの兄弟』米川正夫訳、岩波文庫、一九五七
タルコット・パーソンズ『社会体系論』佐藤勉訳、青木書店、一九七四
ピーター・バーンスタイン『リスク　神々への反逆』青山護訳、日本経済新聞社、一九九八
マルティン・ハイデッガー「仕事場からの手記」(『ハイデッガー全集第一三巻　思惟の経験から』)東専一郎訳、創文社、一九九四
マルティン・ハイデッガー『技術への問い』関口浩訳、平凡社、二〇一三

ジョルジュ・バタイユ『呪われた部分』生田耕作訳、二見書房、一九七三
ジョルジュ・バタイユ『至高性――呪われた部分』湯浅博雄訳、人文書院、一九九〇
ミシェル・フーコー『性の歴史Ⅰ　知への意志』渡辺守章訳、新潮社、一九八六、©一九七六
フランシス・フクヤマ『歴史の終わり（上下）』渡部昇一訳、三笠書房、一九九二、©一九九二
スチュアート・ブランド『地球の論点――現実的な環境主義者のマニフェスト』仙名紀訳、英治出版、二〇一一、©二〇〇九
フロイト「不安と欲動の生――『精神分析入門・続』第三二講」（『人はなぜ戦争をするのか　エロスとタナトス』）中山元訳、光文社古典新訳文庫、二〇〇八
ウルリヒ・ベック『危険社会――新しい近代への道』東廉、伊藤美登里訳、法政大学出版局、一九九八、©一九八六
ダニエル・ベル『脱工業社会の到来――社会予測の一つの試み（上下）』内田忠夫ほか訳、ダイヤモンド社、一九七五、©一九七三
ジャン・ボードリヤール『物の体系　記号の消費』宇波彰訳、法政大学出版局、一九八〇、©一九六八
ジャン・ボードリヤール『消費社会の神話と構造』今村仁司、塚原史訳、紀伊國屋書店、一九九五、©一九七〇
トマス・ホッブズ『リヴァイアサン』水田洋訳、岩波文庫、一九九二、©一六五一
カール・マルクス『資本論第一巻（上）』（マルクス・コレクション4）今村仁司ほか訳、筑摩書房、二〇〇五

カール・マルクス『デモクリトスの自然哲学とエピクロスの自然哲学の差異、ほか』(マルクス・コレクション1)中山元ほか訳、筑摩書房、二〇〇五
D・H・メドウズほか『成長の限界』大来佐武郎監訳、ダイヤモンド社、一九七二、©一九七二
D・H・メドウズほか『限界を超えて――生きるための選択』茅陽一監訳、ダイヤモンド社、一九九二、©一九九二
D・H・メドウズほか『成長の限界　人類の選択』枝廣淳子訳、ダイヤモンド社、二〇〇五、©二〇〇四
カール・ヤスパース「歴史の起原と目標」(『世界の大思想　ヤスパース』)重田英世訳、河出書房、一九六八、©一九四九
デイヴィッド・リースマン『孤独な群衆』加藤秀俊訳、みすず書房、一九六四、©一九五〇
ジャン＝フランソワ・リオタール『ポスト・モダンの条件――知・社会・言語ゲーム』小林康夫訳、水声社、一九八六、©一九七九
ニクラス・ルーマン『社会システム理論(上下)』佐藤勉訳、恒星社厚生閣、一九九三―一九九五、©一九八四
ジャン＝ジャック・ルソー『エミール(上)』今野一雄訳、岩波文庫、一九六二
プリーモ・レーヴィ『アウシュヴィッツは終わらない　あるイタリア人生存者の考察』竹山博英訳、朝日選書、一九八〇、©一九四七
リチャード・ローティ『偶然性・アイロニー・連帯――リベラル・ユートピアの可能性』斎藤純一ほか訳、岩波書店、二〇〇〇、©一九八九

欧文著作

Beck, Ulrich, *Risk Society: Towards a New Modernity*, tr. by Mark Ritter, Sage Publications, 1992. ©1986.

Borges, Jorge Luis, “Post-Lecture Discussion of His Own Writing” in *Critical Inquiry*, Vol. 1, No.4 (June 1975), p.710. Cited from “Introduction to The New Topographics” written by William Jenkins.

Gille, Bertrand, *Histoire des Techniques* (Encyclopédie de la Pléiade), Gallimard, 1978.

Lomborg, Bjørn, “Environmental Alarmism, Then and Now” in *Foreign Affairs*, 2012 July/August.

Virilio, Paul, *L'accident originel*, Edition Galilée, 2005.（ポール・ヴィリリオ『アクシデント事故と文明』小林正巳訳、青土社、二〇〇六）

Virilio, Paul, *Ce qui arrive*: Une exposition conçue par Paul Virilio 29 novembre 2002—30 mars 2003, Fondation Cartier pour l'art contemporain. (http://presse.fondation.cartier.com/wp-content/files_mf/presse_fichier_paulviriliofr. pdf)

あとがき

以前、このようなことを考えたことがある。

くらがりの中、前方に向かってみんなでボールを投げる。すると一番遠くまで投げた者のボールだけが闇の向こうから帰ってくる。

見えないけれども闇のむこうには壁がある。だから一番遠くまで投げられたボールだけがそれにぶつかり、また、手元に戻ってくるのである。

有限性という主題まで、私のボールは届いているか。

まだ私にはわからない。

自分で考えたことの全貌が、みえていない。この本で何かが成し遂げられたのかそうではないのかが、類比するものがないため、よくわからないのである。

ただ、まったく新しい問題を前にして、三年近くのあいだ、考え続けた。この主題はもう、世の中では忘れられかかっているのかもしれないが、ほんの少しは未知のできごとがさしだす問いかけに新しい応答をかえせたかもしれない、そういう手応えを感じている。

本書のきっかけとなったのは、いまから三年前の三・一一の原発事故だ。

直後に発表した短い文章に、私はこう書いている。

私は、今回の件を受けて、（中略）この惨事と失敗を教訓に、今後、原発と原子力エネルギーの問題をどう考えればよいのかを、根底的にどこまでも深く考え抜き、それへの対処を形として示すことが、私たちの、また私の責務だろうと、思っている。根底的に考え抜くとは、次の内容を含んでいる。

1　原発は、今後の日本社会の存続、また世界の未来にとって不可欠なのか。資源、環境、人口、南北格差という地球の有限性の問題のなかで、ウランという地下資源に依存し、使用済み燃料の廃棄について汚染の問題を解決できていない原子力エネルギーが、本当に有効な対策でありうるのか。

2　そうではない場合、代案はどう考えられるか。もし、原発と原子力エネルギーを今後、太陽エネルギーに代表される各種代替エネルギーへの転換に向け、順次縮小し、やがて廃棄にもちこむ移行策が妥当と考えられる場合、その現実的な展望とは、どのようなものか。そのために検討、考察されるべき項目とはどのようなものか。

3　これら、地球と社会の持続可能なありようを支える、今後我々が模索すべきあり方、考え方、哲学とはどのようなものか。

今回の災害は、たぶん将来、世界史最大の原発事故に数えられるだろう。その厄災の真下に生きて、私は、旧ソ連邦が一九九一年、チェルノブイリ原発事故のわずか五年後に崩壊しているのは、偶然ではないと感じている。（中略）「成長」を成長することで脱すること（Outgrowing Growth）。それ（そのことをめぐり考え抜くこと）が、今回の津波、地震、原発事故からなる災害の全貌のなかで亡くなった人、苦しんでいる人、今後も苦しみ続ける人に、私なら私が、自分の持ち場で応えることだろうと、考えている。（「死に神に突き飛ばされる――フクシマ・ダイイチと私」『一冊の本』二〇一一年五月号）

これから考えていく手がかりは、全くのシロートとして、技術、産業、科学といった未知の新しい領域に、「非正規的な思考」を駆使して、抗いながら、踏み入っていくことだろう、そういう意味のことも書いている。

いまその考えは、確信に近い。ポール・ヴィリリオ、ジャン＝ピエール・デュピュイなど、何人かの同時代人もいっているように、私たちは、かつて革命について、戦争について考えたように、いまは技術、産業、事故について考えることで、ようやく世界で起こっていることがらとそれがさし示す未来とに、向きあうことができるという気がする。

あれから、三年。その間、最初は、週刊の小さな刊行物（勤務する大学のゼミで刊行した『加藤ゼミノート』）に、次には、雑誌『新潮』に連載するかたちで、右にあげられたことがらを考え続けてきた。右の三点のうち、第一と第二の点について考えたことの一端は、この間刊行した三冊の本（『3・11 死に神に突き飛ばされる』二〇一一年、『ふたつの講演』二〇一三年、『吉本隆明がぼくたちに遺したもの』（高橋源一郎との共著）二〇一三年、ともに岩波書店刊）に記している。

それらを受け、この本が扱っているのは、このうち、もっとも大きな相手である最後、第三の問題である。それに、本文に記したように、見田宗介さんの問題構成に刺激されて、有限性に正面から向きあい、これを肯定する思想とはどのようなものか、という問いを手がかりに、取り組んでいる。

この本を書くなかで、私の環境にも変化があった。それは、息子の加藤良が昨年二〇一三年の一月一四日、不慮の事故で死んだことである。享年三五歳。このことで、私は突然、この世に自分がひとり、取り残されたと感じた。

彼は私に人が死ぬということがどういうことであるかを教えてくれた。

それは人が生きるとはどういうことか、ということでもある。彼の死がその後は、私が右のことを考え続けるもう一つの理由になった。この本に、彼の存在の影がいささかなりとさしていてくれることを、遺された者の一人として願っている。

この本を書くに際しては、多くの人に助けてもらった。その人たちの名前をここに記すと、長くなるので、ここには、一部のお名前だけを記すにとどめる。

『損害保険論』の著者の一人である早稲田大学商学部教授中出哲氏に、保険に関し、求めに応じて快くご教示をいただいた。若い友人の哲学の徒、石川輝吉君、筑摩書房の編集者、増田健史さんに連載終了の前後、やはり求めに応じる形で貴重な意見を寄せてもらった。また、この二年あまり、今年三月まで勤めた早稲田大学のゼミと授業で多くの学生諸君との応答からヒントを受けとった。なかでも現在他大学、あるいは他学部の大学院生となっている元ゼミ生の大坪真利子、長瀬海、須藤輝彦の三君に、問題意識を共有したうえ、原稿を読み、感想を述べてもらい、示唆をうけた。深く感謝します。

考えるところあり、今春、大学を辞め、一八年にわたる大学の教員生活に終止符を打ったが、この間、学生など若い人びととのつきあいが、私に多くの考える手がかりのほか、その理由をあたえてくれた。これまでに勤めた二つの大学、明治学院大学と早稲田大学のゼミ、講義の学生諸君にお礼を申し述べたい。

この本の最終の推敲の作業中に、特に息子の死後、陰に陽に私の生活を見守り、支えてくれた元出版人で歌人・批評家の畏友鷲尾賢也（小高賢）さんが急逝した。本になるまでは読まなくともよいといってきた鷲尾さんに、この連載を完成した本の形でぜひ読んでもらいたかった。ここに名を記し、感謝と哀悼の気持を伝えたい。

最後に、一方的な連載の要望を快く受けいれてくれた『新潮』編集長の矢野優氏、連載の第一歩からつきあい、波浪の高い日々をささえ、終点まで細やかな配慮のもと伴走してくれた『新潮』編集部の松村正樹さんに、深く感謝する。途中、息子の事故をはさんで二ヶ月の休載があった。その折りのお二人のお心遣いも、心に沁みた。ついで、単行本化にあたっては、前著『小さな天体』に続き、出版部の須貝利恵子さんにお世話になっている。本の内容を少しでもコンパクトな仕上がりとするうえで何と多くの的確で貴重な提言と助言をいただいたろう。お三方、どうもありがとう。こうして、連載開始からの長くて長い一年半が、終わろうとしています。

また、ここに名前を挙げないが、この間、多くの人、家族にも支えられた。みなさん、ありがとう。家族の二人にも、感謝したい。

もういまはいない息子、加藤良の思い出にこの本を捧げる。

二〇一四年五月

加藤典洋

特別な一冊

解説　吉川浩満

『人類が永遠に続くのではないとしたら』が再刊されることを嬉しく思う。この本は加藤さんの数多い著作の中でも特別な位置を占める一冊であるからだ。

特別といっても、代表作という意味ではない。代表作ということなら、『テクストから遠く離れて』『小説の未来』などの文芸評論、そして『敗戦後論』『戦後的思考』などの戦後日本論がまずは挙げられるはずだ。本書を代表作に推す人は多くないだろう。

この本が特別であるのは、加藤作品ができあがる過程がここまであからさまに示された著作はほかにないからである。ここには、加藤さんが取り組むべき問題に出会い、学び、考え、書いた軌跡が生々しく記録されている。本書は、その内容が意義深いだけでなく、我々がそこから加藤典洋という稀有な書き手のスタイルと方法論を学ぶことができる格好の教材でもあるという意味で、特別な一冊なのである。

そのスタイルと方法論とはどのようなものか。本稿ではこれについて私見を述べたい。

加藤さんのスタイル

「三・一一の原発事故は、私の中の何かを変えた。私はその変化に言葉を与えたいと思っている」――本書は、二〇一一年三月一一日の東日本大震災にともなう福島第一原子力発電所事故をきっかけに書き始められた。もとになった連載は早稲田大学の『加藤ゼミノート』で開始され、その後『新潮』に場所を移し、あいだに二か月の休載を挟んで（ご子息・加藤良氏が亡くなるという痛ましい出来事があった）、二〇一四年一月号で完結、六月に単行本として刊行されている。

大震災と原発事故は誰の目にも明らかな巨大な厄災であるが、加藤さんが目をつけたのは、それからしばらくたった二〇一一年一一月の小さな新聞記事である。損害保険会社でつくる日本原子力保険プールが、福島原発との損害保険契約を打ち切ることに決めたというニュースだ。ここでは、近代社会が長いこと頼りにしてきた「過失と責任という一対一対応の関係が、はずれている」、いま我々は「新しい局面に入ったのかもしれない」、そう加藤さんは直観するのである。

ここから本書が足を踏み入れるのは、これまでの加藤作品ではお目にかかったことのないようなテーマ群である。本書の考察対象は、加藤さんにとって親しい近代文学における社会と内面の対立、政治と文学の関係どころか、もはや文学ですらない。むしろそれらと無縁とも思えるような事柄である。大数の法則、収支相等の原則、給付・反対給付均等の原則といった保険の原理、ウルリヒ・ベックのリスク社会論、ガルブレイスやローマ・クラブの資本主義社会論、技術革新と産業事故に関する科学社会学的考察、等々。このように、三・一一の原発事故は、これまでとはまったく異なる、まったく新しい課題を加藤さんに与えたのだった。

本稿では加藤さんの議論の詳細には立ち入らない。のちに述べる特殊な制約によって、本書は第三者による追加の説明が不要と思えるほど丁寧にアーギュメントが進められているからだ。議論の執拗さに耐えられるなら、内容の理解はそれほど難しくないと思う。加藤さんの文章に対してしばしば指摘される、ニュアンスに富んでいるがゆえの「わかりにくさ」が苦にならないように感じるのは、私だけではあるまい。

そして、そこがポイントである。注目すべきは、本書が如実に示す、加藤さんがものを学び、考え、書く際のスタイル――加藤流に「語り口」と言ってもいい――である。

加藤さんは『言語表現法講義』（岩波書店、一九九六年）で、次のように述べている。

（前略）考えることは、書くこと同様、まず感じる、それをなぜ自分は感じたか、と吟味する仕方で、自分を基礎づけることでしか、自分の基礎――疑えないもの――をもてないからです。しかし、それは、その起点に置かれた「感じ」、いわゆる「実感」が間違いのないものだということではありません。実感は大いに間違うことがあり得る。しかし、にもかかわらず、人はそこからしか正当にははじめられない。そしてそこからはじめることで、一歩一歩、その正しさを確認する仕方で、また、誤りがあればそれを修正することで、ゴールの正しさに到達できる、そう僕は考えます。これは僕個人の考えですが、でもこの僕の考えは、文章を書くという経験から割り出されています。書くことは、こういう場所で、こういう形で、考えることと出会っているのです。(一三七—一三八頁)

本書において特筆すべきは、ここで述べられていることを加藤さん自身が実践するさまが生々しいまでに示された貴重なドキュメントになっているという点である。実際、本書の大部分は、加藤さんが頼りにした書き手たちの引用と、それに対する加藤さんの長い注釈とからなっている。ほとんど「勉強ノート」のようであるとさえ言える。そして考察の合間には、疑念や逡巡も率直に表明されている。

私の判断は、正しいだろうか。
間違っているだろうか。
この考察はどこで終わればよいのだろうか。
まだ私にはわからない。

加藤さんは本書において、「全くのシロートとして、技術、産業、科学といった未知の新しい領域に」踏み入っていかざるをえなくなった。しかも、リアルタイムで進行する事態を睨みながら論考を書き進めざるをえなかった。こうした制約は加藤さんにとって厳しい試練となったであろうが、我々読者にとってはまたとない僥倖だったと言うほかない。そのおかげで我々は、加藤さんの仕事の進め方を、その順番通りに、かぎりなく生に近いかたちで学べる教材を手に入れることができたのだから。

加藤さんの方法論

本書が加藤さん一流のスタイルを学べる格好の教材であると述べた。次に、本書において明快に示されている加藤さんの方法論について述べたい。

私の考えでは、加藤さんの方法論は、かつて加藤さんが自身の論考において引用したふたつのアフォリズムによって定式化することができる（吉川浩満『哲学の門前』紀伊國屋書店、二〇二二年、一二一―一四〇頁）。ひとつめはこうだ。

　君と世界の戦いでは、世界に支援せよ。

フランツ・カフカが残した断章のひとつである。初期の評論「君と世界の戦いでは、世界に支援せよ――島田雅彦再説」（『海燕』一九八五年一二月号、福武書店）のタイトルにもなった。

謎めいた言葉ではある。常識とは正反対のことを述べているようにも見える。自律した人間ならば、君と世界の戦いでは、君、つまり自分の勝利のために戦うのが当然だというのが普通の感覚であろう。実際、映画やドラマに出てくるヒーローやヒロインの多くはそうしている。

自分の理想のために、たとえ世界の全体を敵に回そうとも戦い続ける、そんな人を我々は尊敬し応援するのである。

だが、加藤さんはそれとは逆方向に進む。同論考において、加藤さんは最初、島田雅彦作品の軽い薄いパロディ的文体をうまく受け止めることができなかったと告白している。これまで加藤さんが親しんできた社会と内面（孤独）の対立・相克という近代／戦後文学的な図式がかぎりなく希薄であったからだ。しかし、若い世代にとって世界とはまさにそのように現れているのだ、島田の小説は人間の内面（孤独）が社会にほとんど浸透され尽くされた地点から書かれているのだと、加藤さんは納得するのである。

この認識に達したとき、加藤さんは、それまで長いあいだ自分の中に住まわせてきたというカフカのアフォリズムの意義を得心する。そしてカフカとともに、こう問いかけるのだ。ときに人間には、自分の世界が自分とは異質なものによって侵食されて、ついには自分が当の異物そのものになりかけている、そのようなかたちで世界が立ち現れることがあるのではないか。もし事態がそのようなものであるとしたら、その事態をしかるべく描くためには、自分の味方ではなく世界の味方をしなければならないのではないか、と。

これが加藤さんの批評を導く基本方針である。しかし、いったいどのようにしたら「世界に支援」することが果たされるのだろうか。これに答えを与えるのが、ふたつめのアフォリズムである。

きみは悪から善をつくるべきだ、それ以外に方法がないのだから。

「敗戦後論」(『群像』一九九五年一月号、講談社)の冒頭に掲げられたロバート・P・ウォーレンの言葉である。この論考で加藤さんは、先の大戦で死んだ日本の兵士や市民たちをまず悼むこと、それなしには戦後日本が抱えてきた「ねじれ」は解消されないと主張した。戦後日本において、まさしく「悪」の側に位置づけられてきた侵略国家・大日本帝国の死者を悼むことを通じて、「善」すなわちアジアの二千万の死者への謝罪にいたる道は可能かと問うたのである。戦後日本の知識層の常識とは逆方向の進み行きに、左右両派から激しい批判を浴びたのは周知の通りである。

なぜ、「悪から善をつくる」ことが「世界に支援」することにつながるのか。そもそも「悪から善をつくる」とはどういうことなのか。私の知るかぎり加藤さんはふたつのアフォリズムを結びつけて論じることはしていないが、私は次のように考えている。

まず、善であれ悪であれ、我々がなにかをつくりだそうとするとき、そのための材料は世界のどこかからもってこなくてはならない。なにか事をなすとき、その主語は私であるにせよ、活動のための材料は世界から調達する必要がある。料理をするには食材が、油絵を描くには絵の具が、記事を書くには題材が要るように。

さて、世界が変化するとき、すなわち君の世界がこれまでの自分とは異質なものによって侵食されるとき、君と世界とは戦闘状態に入る。その際、世界は必ず悪として君の前に現れるだろう。世界が悪として現れるといっても、それは世界が本来的に悪であるからでも、君が本来的に善であるからでもない。理由はただ、世界が君と対立するかたちで立ち現れることによる。世界がどのようであろうとも、また君がどのようであろうとも、君の前で世界は悪として現れるほかない。

そうなると必然的に、善をつくりだそうとするにしても、君はそれを悪のほうから出発してつくりだすしかなくなる。もし、君があくまでも自分を善の側に置いて悪を糾弾することに固執するならば、それは世界と向き合うことからの逃避となり、戦いはポーズだけの詐術へと堕すことになる。そうではなく、まず悪の側につき、その悪を支える理路をできるかぎり正確に解明したうえで、それを、善を支える理路へと組み換える作業が必要なのだ。このように考えると、悪から善をつくりだすべきだという言明は、そのじつ謎めいた逆説でもなんでもない。むしろ当然そのようになすべき事柄なのである。

加藤さんの仕事はひどく誤解されることが常だったが、それはこの異例の——しかしこれまで述べてきた意味では至極真っ当な——方法論ゆえではなかったかと思う。誰もが悪を糾弾し、自分の善なる主張を押し通そうと競っているときに、加藤さんだけはひとり悪の側に深く潜り込み、そこから善をとりだしてこようという異例の戦いに挑んでいたのである。

説明が少し長くなってしまった。それでは、加藤さんは本書においてどのような戦いを展開したのだろうか。この点についても本書は模範的である。三・一一をきっかけとして加藤さんは、我々の社会が産業リスクを制御できなくなる、すなわち世界の有限性が露呈するという危機的事態を重く受け止めた。しかし加藤さんが行ったのは有限性の否認・否定・克服ではない。逆に、もし有限性を肯定したうえで生まれる新たな価値観があるとすれば、それはどのようなものかと問うたのである。有限性の露呈という危機的事態（悪）の成立条件をできるだけ正確に解明し、そこから、それをもとにして未来の価値観（善）をつくりだそうとしたわけだ。本書において加藤さんは、そのような仕方で「世界に支援」したのだった。

君たちはどう生きるか

どれくらいの人が気づいたのかわからないが、本書原版のカヴァーをめくると、表紙には小さく本書の英語タイトルが印刷されていた。

And if humanity won't be around forever...
how should we live our lives, and by what new values?

「もし人類が永遠に続くのではないとしたら……／私たちはどのように生きるべきか、どのような新しい価値観によって生きるべきか？」――戦後日本論でキャリアをスタートさせた加藤さんは、本書において加藤典洋史上最大の、「類比するものがない」ような問題に取り組み、それに一定の答えを与えた。

無粋を承知でその答えを一四〇字程度にまとめるなら、次のようにでもなるだろうか。環境危機と産業リスクの時代、我々は世界の有限性に直面している。この有限性を肯定するとき、近代社会を駆動してきた我々の欲望もその意味を変える。欲望は「したい」だけでなく「しないのもいいな」も含んで薄まりつつ広がるだろう。この薄まった欲望こそ、希望の別名なのではないか——。

どこかで聞いたことがあるような、陳腐な文明論だと感じるかもしれない。私も自分で要約を作成しながら、なにか無意味なことをしているような、釈然としない心持ちになる。

一見したところ、目新しいことはいわれていないようだが、しっかり受けとれば、違う。そうなのだ。加藤さんの仕事をしっかり受けとるためには、結論（オピニオン）だけを抜き出しても意味がない。もちろん引用（エビデンス）だけを抜き出してみても同じだ。本書をしっかり受けとるには、加藤さんがどのように戦ったのかを、加藤さんとともに並走して確かめてみるしかない。つまり、この本を最初から最後まで、加藤さんとともに考え、ときには疑念や逡巡を表明しながら、実際に読んでみることだ。そうすると、オピニオンにもエビデンスにも還元できない、読者それぞれの「君と世界の戦い」がはじまることになる。加藤さんの批評はつねにそういうものであったし、本書もまたそのように書かれている。

年譜

加藤典洋

一九四八年（昭和二三年）
四月一日、山形県山形市に生れる。父光男、母美宇の次男。父は山形県の警察官。

一九五三年（昭和二八年）　五歳
幼稚園の入園試験に落第。

一九五四年（昭和二九年）　六歳
四月、山形市立第四小学校入学。

一九五六年（昭和三一年）　八歳
六月、父の転勤に伴い新庄市立新庄小学校に転校。

一九五八年（昭和三三年）　一〇歳
四月、鶴岡市立朝陽第一小学校に転校。一〇月、山形市立第八小学校に転校。

一九五九年（昭和三四年）　一一歳
四月、高校受験を控えた三歳年上の兄光洋を山形に残し、一家は転勤に伴い引っ越す。尾花沢市立尾花沢小学校に転校。家にあった『シートン動物記』全六巻を愛読。貸本屋に入りびたり、白土三平、つげ義春などの漫画、講談社版『少年少女世界文学全集』などを耽読する。家にテレビが入り、草創期のテレビで米国の番組、とりわけ無名時代のジェイムズ・コバーンの出る「風雲クロンダイク」に夢中になる。

一九六〇年（昭和三五年）　一二歳
四月、尾花沢市立尾花沢中学校入学。

一九六一年（昭和三六年）一三歳
四月、山形市立第一中学校に転校。志賀直哉、井上靖『あすなろ物語』、吉川英治『宮本武蔵』などのほか、デュマ『モンテ・クリスト伯』と間違って借り出したロマン・ロラン『ジャン・クリストフ』などに親しむ。
一九六三年（昭和三八年）一五歳
四月、山形県立山形東高等学校入学。弓道部ついで文芸部に入部。ヘルマン・ヘッセ『デミアン』、堀辰雄『聖家族』などに親しむ。
一九六四年（昭和三九年）一六歳
友人戸沢聰、村川光敏と同人雑誌を発刊。六月、家にあった『文學界』バックナンバーに連載中の大江健三郎『日常生活の冒険』を読み、同時代の日本文学の面白さに驚倒。手に入る大江健三郎の小説作品すべてを買い求めて読む。県立図書館から借り出した奥野健男の評論集『文学的制覇』を手がかりに倉橋由美子を知り、愛読。ほかに島尾敏雄、安部公房、三島由紀夫などを読む。コリン・ウィルソン『アウトサイダー』を手引きにドストエフスキー、ニーチェなどを知る。
一九六五年（昭和四〇年）一七歳
二月、新潮社より刊行された『現代フランス文学13人集』によってヌーヴォ・ロマンを知る。四月、父が鶴岡に転勤になり、一人山形に残って下宿。県立図書館から現代詩のシリーズを借り出し、鮎川信夫、田村隆一らの『荒地』グループを知る。『現代詩手帖』、『美術手帖』を愛読。詩人では特に長田弘、渡辺武信を好んだ。また市内の映画館でジャン・リュック・ゴダール「軽蔑」、フランソワ・トリュフォー「突然炎のごとく」、「ピアニストを撃て」を見、フランス現代映画のとりことなる。秋、山形東高文芸部誌『季節』第三〇号に小説「午後」と映画評「『軽蔑』について」を発表。山形北高の教師津金今朝夫氏にロレンス・ダレルの存在を教えられる。

一九六六年（昭和四一年）一八歳
四月、東京大学文科三類入学。東京都狛江市のアパートに兄と同居。近所に住んでいたクラスの友人斎藤勝彦の影響で小林秀雄を読みはじめる。九月より杉並区高井戸に一人引っ越す。本屋で見つけたJ・M・G・ル・クレジオの『調書』に刺戟を受ける。ドストエフスキー、ヘンリー・ミラー、カフカ、リルケ、ゲーテ、トーマス・マンなどを読む。学内サークル「文学集団」に所属。竹村直之、若森栄樹、石山伊佐夫らを知る。初夏、ビートルズ来日。フーテン風俗周辺の新宿東口、歌舞伎町、新宿二丁目、渋谷百軒店界隈でジャズなどを聴き、那須路郎、星野忠、鈴木一平らと遊ぶ。
一九六七年（昭和四二年）一九歳
四月、応募小説『手帖』が教養学部の銀杏並樹賞第一席入賞、学友会雑誌『学園』第四一号に掲載。一二月、同じ作品を『第二次東大文学』創刊号に転載。「文学集団」の一学年下に芝山幹郎、藤原利一（伊織）、平石貴樹がいた。ロートレアモン、ランボオ、ジャリ、アルトー、ダダイズムの諸作品などを耽読。フィリップ・ソレルス、ジャン・ルネ・ユグナンなど初期『テル・ケル』の書き手などに親しむ。受賞をきっかけにクラス担任の教師でもあった仏文学者平井啓之先生の知遇を得る。九月、杉並区阿佐谷に引っ越す。一〇月八日、第一次羽田闘争。前日友人に誘われ、断っていたが、翌日朝の新聞で炎上する装甲車を空から撮った写真を見、京大生山崎博昭が死亡したことを知って衝撃を受ける。一一月一一日、エスペランチスト由比忠之進が首相佐藤栄作の北爆支持に抗議して焼身自殺。翌一二日、第二次羽田闘争で生まれてはじめてデモに参加する。
一九六八年（昭和四三年）二〇歳
三月、一月以来の医学部の無期限ストライキのあおりを受け、東大卒業式中止。四月、東京大学文学部仏語仏文学科に進学。本郷に移るが、雰囲気になじめず、一年間の休学を決め、友人荻野素彦夫妻の住む大阪釜が崎・喫茶「銀河」付近で寄食生活をするが、大学闘争が全学に広まる気配となり、六月、帰京。その間、五月、パリで五月革命。七月、医学部を中心に東大闘争が全学に広がるにつれ、学友会委員に名を連ねていたことなどから闘争にしだいに関与する。四月、鈴木沙那美（貞美）、窪田晌（高明）らの同人雑誌『変触』第一号の特集「フィリップ・ソレルス『ドラマ』をめぐって」に「ソレルスに関しての試み・1」を、一〇月、同誌第二号に小説「男友達」、評論「〈意識と感受について〉前書き——ソレルスに関しての試み・その2」を発表。同月、東大全学無期限ストを決定。同月二一日、国際反戦デー新宿騒乱。一二月、東大次年度入試中止決定。世田谷区松原に引っ越す。なお、この年より、受験生対象の学生組織である東大文化指導会の機関誌『$\alpha\beta$』の編集部員となり、九月、同誌にエッセイ「閉ざられた傷口についての覚え書」を、一二月、「岸上大作ノオト——ぼく達のためのノオト」（無署名）を寄稿する。

一九六九年（昭和四四年）　二一歳

一月、『$\alpha\beta$』に李賀の詩にふれ「巻頭言」（無署名）を寄稿。同月一八、一九日、安田講堂攻防戦。三月、下宿を出るように言われ、武蔵野市吉祥寺に引っ越す。五月、『$\alpha\beta$』の特集「東大を揺るがした一カ年」にエッセイ「黙否する午前——〈東大闘争〉の提起している問題」を寄稿。九月、日比谷野外音楽堂での全国全共闘連合結成大会、赤軍派の出現を目撃。これを契機に以後全共闘運動は終熄にむかう。この年、プルースト、ジュネなどを読む。

一九七〇年（昭和四五年）　二二歳

無期限ストに終結宣言が出ないため、時々孤立した文学部共闘会議の少数の集まりに参加するほか、部屋で無為にすごす。講義には出ず、卒業論文はスト続行中につき、指導教員なしで執筆することを決める。ただ一人読める日本語の書き手として中原中也の詩と散文を読みつぐ。『ガロ』の漫画家安部慎一の作品を偏愛する。五月、『現代詩手帖』にエッセイ「〈背後の木〉はどのように佇立しているか」を、九月、友人藤井貞和のすすめで『犯罪』第一号に小説「水蠟樹」を発表。またこの年、北海道大学新聞に表現論を数回にわたり、また『都市住宅』に芸術論「〈未空間〉の疾駆」を発表。秋、東京大学をやめ、海外に向かう平井啓之先生と会食。一一月、『現代の眼』編集部の竹村喜一郎氏（現ヘーゲル研究者）から依頼を受け、評論を執筆中、三島由紀夫の自決にあう。この年、東大仏文の大学院の試験を受け落第。

一九七一年（昭和四六年）　二三歳

一月、『現代の眼』特集「現代の〈危険思想〉とは何か」に「最大不幸者にむかう幻視」を、三月、同誌の特集「総括・全共闘運動」に「不安の遊牧――〈全共闘〉をみごもる〈表現〉とは何か」を寄稿。世田谷区北沢に引っ越す。以後、就職のため、いくつか出版社を受けるがすべて落ちる。題目を長年準備してきたプルーストからロートレアモンに代え、一二月、指導教員なしのまま卒業論文を提出する。

一九七二年（昭和四七年）　二四歳

二月、連合赤軍事件起き、衝撃を受ける。東大仏文の大学院を受けるも再度落第。三月、『現代の眼』に「言葉の蕩尽――ロートレアモン覚え書」を発表。四月、唯一受かった国立国会図書館に就職。閲覧部新聞雑誌課洋雑誌係に配属。以後四年にわたり新聞雑誌の閲覧受付と出納業務、洋雑誌の管理に従事する。一〇月、清野宏、智子の長女清野厚子と結婚。一一月、はじめて妻と中原中也の生まれた山口県湯田を訪れる。

一九七四年（昭和四九年）　二六歳

六月、『新潮』に小説「青空」を発表。一一月、長女彩子誕生。

一九七五年（昭和五〇年）　二七歳

この年、勤務のかたわら、時折りボクシングの世界タイトルマッチを義弟の運び込むテレビで観戦するほかは中原中也論の執筆に没頭。一二月、『変触』第六号に「中原中也の方へ・1」として「初期詩篇の黄昏」を寄稿。

一九七六年（昭和五一年）　二八歳

一月、『四次元』第二号に「立身出世という無垢――中原中也の場所について」を発表。四月、国立国会図書館で整理部に異動となり、同第一課新収洋書総合目録係に配属。以後二年間、年に数十万枚に上るカードの整理に従事する。この前後、中原中也論の執筆を継続。

一九七七年（昭和五二年）　二九歳

一〇月、長男良誕生。中原中也について書き続けている間生まれた子どもの誕生日がそれぞれ中原の亡児文也の死亡の日（一一月一〇日）、誕生の日（一〇月一八日）と重なったことに因縁を感じる。

一九七八年（昭和五三年）　三〇歳

一一月、応募が受理され、国会図書館よりカナダ・ケベック州モントリオール大学東アジア研究所図書館に派遣される（一九八二年二月まで）。モントリオールに降り立ったのがその年最初の吹雪（タンペート）の日だった。同地でフランス語圏カナダ初の日本関係の研究および図書施設の拡充整備業務の傍ら、同大学の研究者に協力し、研究活動のコーディネイト業務等に従事。研究者のロバート・リケット（元和光大学教授）、アラン・ウルフ（元オレゴン大学教授）のほか、同じモントリオールにあるマックギル大学に勤める太田雄三氏（現同大名誉教授）と交遊を深める。日本より送った荷物のうち中原中也論草稿一千数百枚を入れた箱が届かず数年間の仕事が水泡に帰した。

一九七九年（昭和五四年）　三二歳

夏、家族でプリンス・エドワード島で保養。九月、マックギル大学に客員教授としてやってきた鶴見俊輔氏の講義を聴講する（一九八〇年春まで）。当時マックギル大学にいた辻信一（現明治学院大学名誉教授）を知る。鶴見氏の人柄に接し、世の中を斜に構えて生きるのは美しくないことをさとる。この年、ロバート・リケットとニューヨーク行。はじめての米国訪問。またアジア学会に参加するため、アラン・ウルフとワシントン行。

一九八〇年（昭和五五年）　三三歳

この年、車の運転をおぼえ、秋、フランス、スイス、イタリア、スペインを二十数日にわたり、家族で自動車旅行。何度か運転のまずさから死にかかるが、数千キロを走破して無事生還。

一九八一年（昭和五六年）　三三歳

九月、勤務するモントリオール大学東アジア研究所に客員教授として多田道太郎氏を招聘。多田氏との交遊はじまる。一一月、友人鈴木貞美のすすめで鈴木が編集委員をしていた『早稲田文学』に梶井基次郎、中原中也、小林秀雄にふれた評論「二つの新しさと古さの共存」を寄稿。

一九八二年（昭和五七年）　三四歳

二月、ニューヨーク、ロサンゼルス、ハワイに立ち寄った後、帰国。横浜市金沢区の狭い公務員住宅に落ち着く。国立国会図書館の蘆原英了コレクション準備室に配属。四月、同調査局調査資料課海外事情調査室に転属。フランス語担当として、国会議員を対象としたフランスの新聞記事の講読・翻訳紹介の業務に従事する。同調査室の客員調査員として同僚にロシア専門家の袴田茂樹氏、アメリカ担当の田久保忠衛氏（現日本会議会長）らがいた。八月から一一月にかけて三回にわたり『早稲田文学』に田中康夫の『なんとなく、クリスタル』を手がかりに江藤淳と日米の関係を論じた評論「『アメリカ』の影――高度成長下の文学」を発表。江藤氏より書状をいただく。以後、文芸評論家としての活動をはじめる。

一九八三年（昭和五八年）　三五歳

一月、当時『文藝』副編集長の高木有氏の依頼を受け、二月から一二月にかけ、四回にわたり、『文藝』の「今月の本」欄に新刊を素材とした長編書評を担当。村上春樹、柄谷行人、村上龍、川崎長太郎を扱う。また、夏に勤務先に当時『群像』副編集長の天野敬子氏の訪問を受け、『群像』一一月号に「崩壊と受苦――あるいは『波うつ土地』」を寄稿。

一九八四年（昭和五九年）　三六歳

九月、『文藝』九月号に江藤淳と本多秋五両氏の無条件降伏論争にふれ、世界史への原爆の登場の意味について考える「戦後再見――天皇・原爆・無条件降伏」を発表。

一九八五年（昭和六〇年）　三七歳

一月、『文藝』で竹田青嗣氏とともに江藤淳氏を囲んで鼎談「批評の戦後と現在」を行なう。三月、埼玉県志木市に引っ越す。四月、表題評論に「崩壊と受苦」、「戦後再見」を加え『アメリカの影』を河出書房新社より刊行。またこの年、『文藝』誌上でそれぞれ柄谷行人氏（五月号）、竹田青嗣氏（一一月号）と対談。一二月、『海燕』に新人作家島田雅彦を論じ「君と世界の戦いでは、世界に支援せよ」を発表。文学的内面の現代的な意味をめぐって富岡幸一郎氏と論争を行なう。また、この年、立教大学・シカゴ大学共催のシンポジウムに参加し、大江健三郎、ノーマ・

フィールド、酒井直樹の諸氏を知る。

一九八六年（昭和六一年）　三八歳

四月、一四年間勤めた国立国会図書館を退職し、新設された明治学院大学国際学部の文化部門の一つ、文学の担当教員として就任（助教授）。担当の講義は、二つの演習のほかに現代文学論、言語表現法。同月、『思想の科学』の特集「『戦後世代』107人」に「加藤三郎──小さな光」を寄稿。六月、『中央公論』に「リンボーダンスからの眺め」を、九月、『群像』に吉本・埴谷論争にふれて「還相と自同律の不快」を発表。

一九八七年（昭和六二年）　三九歳

二月、『世界』に「『世界の終り』にて」を発表。七月、弓立社より『批評へ』を刊行。この年、沖縄に研究旅行。同僚の都留重人氏の指導のもとに学部論叢『国際学研究』の創刊準備に携わる。また、多田道太郎氏らが主宰する現代風俗研究会に参加。梶井基次郎と京都新京極界隈にふれて同会例会で発表。一二月、現代風俗研究会年報『現代風俗'87』に「キッチュ・ノスタルジー・モデル」を寄稿。さらに『思想の科学』の編集委員会に顔を出すようになる（後に非会員のまま編集委員となる）。

一九八八年（昭和六三年）　四〇歳

一月、筑摩書房より『君と世界の戦いでは、世界に支援せよ』を刊行。三月、『国際学研究』第二号に「『日本人』の成立」発表。七月、朝日新聞社よりモネの絵画強奪事件に取材したテッド・エスコット著『モネ・イズ・マネー』を翻訳刊行。同月より『群像』に「日本風景論」を隔月連載開始（一九八九年六月まで）。四月、『文學界』でポストモダン思想が席捲するなか難解な用語を振り回す風潮に苦言を呈する座談会「批評は今なぜ、むずかしいか」（高橋源一郎、竹田青嗣両氏と）を行なう。これに批判を加えた浅田彰氏に、八月、『文學界』に「『外部』幻想のこと」を寄稿して反駁。柄谷行人、蓮實重彥らの論者を批判し、いわゆるポストモダン派と論争を行なう。また、この年の暮れより、『中央公論文芸特集』（季刊）に「読書の愉しみ」を七回にわたり連載を開始（一九八八年冬季号から一九九〇年夏季号まで）。

一九八九年（昭和六四・平成元年）　四一歳

一月、昭和天皇死去。毎日新聞に寄稿した文章により数次にわたる電話による脅迫を受ける。六月、中国で天安門事件。七月、宮崎勤事件起こる。八月、『思想の科学』の天皇死去の報道をめぐる特集「天皇現象――一九八九年の日蝕」を編集委員黒川創と企画（後に「図像と巡業」としてまとめ『ホーロー質』に収録）。一一月、現代風俗研究会の年報『現代風俗'90　貧乏』を責任編集。同月、ベルリンの壁崩壊。この年、七月より一年間、『月刊 ASAHI』書評委員を務める。

一九九〇年（平成二年）　四二歳

東欧革命の余震続く。一月、講談社より『日本風景論』刊行。八月、イラク、クウェートを侵攻。九月、『思想の科学』に「帰化後の氏名」、『中央公論文芸特集』秋季号に「中野重治の自由」を発表。一一月、中央公論社より「読書の愉しみ」の連載を『ゆるやかな速度』として刊行、現代風俗研究会年報『現代遺跡・現代風俗'91』に学生との共同研究「東京オリンピック・マラソンコースの発掘」を発表。この年一年間、共同通信の文芸時評を担当する。

一九九一年（平成三年）　四三歳

一月より、『本』に竹田青嗣氏と往復書簡「世紀末のランニングパス」を連載（一九九二年五月号まで）。同月一七日、湾岸戦争勃発。二月、柄谷行人、高橋源一郎から田中康夫、島田雅彦まで若い文学者を中心に組織された「文学者の討論集会」の名で反戦声明が発表されたのに対し、三月『中央公論文芸特集』春季号に「聖戦日記」を、五月、『群像』に「これは批評ではない」を書いてその対応を批判。孤立し、以後しばらく文芸ジャーナリズムから遠のく。六月、河出書房新社から笠井潔、竹田青嗣両氏との鼎談『対話篇　村上春樹をめぐる冒険』を刊行。市村弘正・松山巌両氏らの同人雑誌『省察』第三号に「洗面器を逆さにして、押しこむ……」、「わたしの肖像」を発表。八月、河出書房新社より『ホーロー質』を刊行。

一九九二年（平成四年）　四四歳

一月、平安神宮爆破その他で罪に問われた加藤三郎氏の思想の科学賞受賞作を含む著書『意見書──「大地の豚」からあなたへ』（思想の科学社刊）に解説「この本について──『世界革命戦線・大地の豚』からの声」を寄稿。同月より『太陽』で写真展、新作写真集を対象とした写真時評を担当する（一二月号まで）。三月、『国際学研究』第九号の共同研究報告「戦後日本の社会変動の研究──『高度成長』を鍵概念に」に「『高度成長』論覚え書──『高度』の語感をめぐって」を発表。七月、竹田青嗣氏との往復書簡『世紀末のランニングパス──1991-92』を講談社より刊行。一〇月、『Voice』に「考え方の順序」を、一二月、『思想の科学』に「感情論覚え書」を発表。この年、三ヵ月、終刊まぎわの『朝日ジャーナル』の書評委員を務める。一二月、平井啓之先生死去。

一九九三年（平成五年）　四五歳

一月、「がんばれチヨジ、という場面」を『新沖縄文学』に、二月、東京都写真美術館展「発言する風景」カタログに「風景の終り」を、一一月、『思想の科学』に「理解することへの抵抗」を発表。この年、四月から朝日新聞の書評委員を務め（一九九五年四月まで）、同じく、四月から読売新聞の文芸季評を担当する（一九九五年一月まで）。

一九九四年（平成六年）　四六歳

三月、初の書き下ろし評論として『日本という身体――「大・新・高」の精神史』を講談社より、ヴィジュアルなメディアについて論じた文章を集めた『なんだなんだそうだったのか、早く言えよ。――ヴィジュアル論覚え書』を五柳書院より刊行。春から夏にかけ、東京新聞より原稿依頼を受けたのをきっかけに、戦後の問題について徹底的に考える。八月、『思想の科学』の特集「日本の戦後の幽霊」を企画、中沢新一、赤坂憲雄両氏とそれぞれ「幽霊の生き方――逃走から過ぎ越しへ」、「三百万の死者から二千万の死者へ――戦後に死者を弔う仕方」と題する対談を行なう。一〇月、一連の短文五篇を東京新聞に寄稿（後「敗戦論覚え書」として『この時代の生き方』に収録）。この年あたりから三年間、大学で阿満利麿、竹田青嗣、西谷修の諸氏に

岸田秀、瀬尾育生、若森栄樹、百川敬仁の諸氏を加え、明治学院大学国際学部による近代天皇制研究の共同研究を行ない、本居宣長の輪読会、伊勢神宮、幸徳秋水墓所への研究旅行などに参加する。

一九九五年（平成七年）　四七歳

一月、『国際学研究』第一三号にこの間の大学での講義を素材に研究ノート「花田清輝『復興期の精神』私注（稿）（上）」を発表。同月、『群像』に「敗戦後論」を発表。翌月の朝日新聞の文芸時評で蓮實重彦氏に批判を受ける。八月、『世界』で西谷修氏と「世界戦争のトラウマと『日本人』」と題し対談し、高橋哲哉氏の『敗戦後論』批判に答えたことから、以後数年の間高橋氏との間に論争が起こる。一一月より『広告批評』で多田道太郎、鷲田清一の両氏との連載鼎談「立ち話風哲学問答」を開始する（一九九六年一一月まで一二回、一九九八年一〇月から一九九九年

一〇月まで一二回連載)。一二月、講談社より『この時代の生き方』を刊行。なお、この年、阿満利麿、竹田青嗣、西谷修らの諸氏と沖縄に研究旅行。『思想の科学』で五回にわたる特集「戦後検証」を企画する。

一九九六年(平成八年) 四八歳

四月、大学からの在外研究派遣により、パリにあるコレージュ・アンテルナシオナル・ド・フィロゾフィの自由研究員として一年間フランスに滞在。家族全員に猫三匹(ジュウゾウ、クロ、キヨ)を同道する。五月、『思想の科学』休刊。七月、福岡市の出版社海鳥社より対談・講演を集成した『加藤典洋の発言』シリーズ(全三巻)の第一巻『空無化するラディカリズム』を刊行。八月、『群像』に「戦後後論」を発表。夏、友人の瀬尾育生・荒尾信子夫妻とオーストリア、チェコ等を旅行。以後、積極的にヨーロッパ各地を旅した。コレージュのセミナーに顔を出し、ハンナ・アーレント論を準備。一〇月、編著『村上春樹 イエローページ』を荒地出版社より、『言語表現法講義』を岩波書店より刊行。一一月、海鳥社より『加藤典洋の発言』第二巻『戦後を超える思考』を刊行。

一九九七年(平成九年) 四九歳

二月、『中央公論』に「語り口の問題」を発表。四月、帰国。八月、「敗戦後論」、「戦後後論」、「語り口の問題」に加筆し『敗戦後論』を講談社より刊行。賛否両論が起こる。六月、『言語表現法講義』が第一〇回新潮学芸賞を受賞。一一月、『みじかい文章――批評家としての軌跡』、『少し長い文章――現代日本の作家と作品論』を五柳書院より同時刊行。またこの年以降、竹田青嗣、瀬尾育生の諸氏とともに共同研究組織「間共同体研究会」をはじめ、橋爪大三郎、見田宗介、大澤真幸といった諸氏を加え、討議を行なう。

一九九八年(平成一〇年) 五〇歳

四月、岩波書店より岩波ブックレット『戦後を戦後以後、考える——ノン・モラルからの出発とは何か』を刊行。六月、『敗戦後論』が第九回伊藤整文学賞を受賞。八月より『群像』で「戦後的思考」を隔月連載（一九九九年六月まで）。一〇月、『敗戦後論』の韓国語訳『謝罪と妄言のあいだで』を韓国・創作と批評社より刊行。同月、『加藤典洋の発言』シリーズの第三巻、講演篇『理解することへの抵抗』を海鳥社より刊行。

一九九九年（平成一一年）　五一歳

三月、岩波書店より『可能性としての戦後以後』を刊行。四月、作品社より編著『日本の名随筆98　昭和Ⅱ』を刊行。この月より一年間、大学より特別研究休暇をもらう。五月、平凡社より平凡社新書の一冊として『日本の無思想』を刊行。七月、江藤淳氏自死。九月、『中央公論』に「戦後の地平——江藤淳氏の逝去によせて」を寄稿。八月末から九月にかけ、パリに滞在し、イタリア、オーストリアを訪問。一一月、連載分に加筆し講談社より『戦後的思考』を刊行。この年、筑摩書房より三鷹市との共催の形で復活した太宰治賞の選考委員の委嘱を受ける。

二〇〇〇年（平成一二年）　五二歳

三月、岩波書店より『日本人の自画像』を刊行。五月、朝日新聞社より多田道太郎、鷲田清一両氏との鼎談『立ち話風哲学問答』を刊行。五月二六日、猫のキヨ、癌で死ぬ。この間続けてきた日本と戦後に関する仕事では、もうしばらく読者がいないのではないか、という感じに襲われる。七月、ポルトガル、フランスに短い旅行。一一月、径書房より橋爪大三郎、竹田青嗣両氏と『天皇の戦争責任』を刊行。この年、講談社より群像新人文学賞の選考委員の委嘱を受ける（二〇〇八年まで）。

二〇〇一年（平成一三年）　五三歳

七月、『一冊の本』で「現代小説論講義」の連載を開始(二〇〇三年一〇月まで)、文芸評論の世界に復帰する。九月、ニューヨークでの同時多発テロ。一一月、先に奈良女子大学で行なった討議をまとめた小路田泰直編『戦後的知と「私利私欲」——加藤典洋的問いをめぐって』が柏書房より刊行される。

二〇〇二年(平成一四年)五四歳

五月、クレインより『ポッカリあいた心の穴を少しずつ埋めてゆくんだ』を刊行。一〇月、『群像』に「『作者の死』と『取り替え子(チエンジリング)』」を発表。一一月、見田宗介、橋爪大三郎、宮台真司、竹田青嗣の諸氏を迎え明治学院大学国際学部付属研究所主催シンポジウム「9・11以後の国家と社会をめぐって」を企画、司会を行なう。基調発言「『世界心情』と『換喩的な世界』——9・11で何が変わったのか」を発表。一二月、トランスアートより編著『別冊・本とコンピュータ5 読書は変わったか?』を刊行。同月、猫のジュウゾウ死ぬ。この年、新潮社より小林秀雄賞選考委員の委嘱を受ける。

二〇〇三年(平成一五年)五五歳

一月、『論座』に前年のシンポジウム「9・11以後の国家と社会をめぐって」の記録を掲載。「『世界心情』と『換喩的な世界』」(短縮版)を発表。二月、『群像』に「『海辺のカフカ』と『換喩的な世界』」を発表。春、明治学院大学国際学部の内部事情から早稲田大学に移ることを決める。五月、長野県小諸市郊外浅間南麓に中村好文氏に設計を依頼していたごく小さな仕事小屋が建つ。以後夏は多くその小屋で過ごす。九月、『群像』に「『仮面の告白』と『作者殺し』」を発表。一一月、『国際学研究』第二四号の前記シンポジウム特集に「『世界心情』と『換喩的な世界』」(完全版)を発表。

二〇〇四年(平成一六年)五六歳

一月、この間『群像』に発表した文芸評論と『一冊の本』の連載をまとめ講談社より『テクストから遠く離れて』を、朝日新聞社より『小説の未来』を同時刊行。三月二七日、母美宇死去。四月、『新潮』に「『プー』する小説——『シンセミア』と、いまどきの小説」を発表。五月、荒地出版社より編著『村上春樹 イエローページ Part 2』を刊行。七月、『テクストから遠く離れて』、『小説の未来』が第七回桑原武夫学芸賞を受賞。八月、早稲田大学新設学部での英語での講義に備え、カナダ、バンクーバーのブリティッシュ・コロンビア大学英語夏期講座に参加。一一月、東京大学大学院「多分野交流演習」で「関係の原的負荷——『寄生獣』からの啓示」と題し講演。同月、晶文社より『語りの背景』を刊行。

二〇〇五年（平成一七年）五七歳

二月、鶴見俊輔『埴谷雄高』に解説「六文銭のゆくえ——埴谷雄高と鶴見俊輔」を寄稿。四月、明治学院大学国際学部を辞し早稲田大学国際教養学部教授に就任。米国、カナダ、デンマーク、シンガポール、韓国からの留学生からなる七名の受講生を相手にJapanese Contemporary Literature の授業を行なう。五月、岩波書店よりシリーズ「ことばのために」の一冊『僕が批評家になったわけ』を刊行。八月、再度、日米交換船の調査をかね、英語研修のためカナダ、バンクーバーのサイモン・フレーザー大学夏季英語講座に参加。九月、Intellectual and Cultural History of Post-War Japan の授業を担当。一〇月、河出書房新社『日本文芸史第七巻 現代Ⅰ』に第二部第二章「批評の自立」を、一一月、同第八巻『現代Ⅱ』に第一部第三章「批評」、第二部第二章「批評」を寄稿。同月、六本木ヒルズ森美術館での杉本博司氏の写真展「時間の終わり」展で同氏と特別対談を行なう。一二月、筑摩書房よりちくま文庫の一冊として『敗戦後論』を刊行。この年、講談社より講談社ノンフィクション賞選考委員の委嘱を受ける（二〇一〇年まで）。

二〇〇六年（平成一八年）　五八歳

一月、これまで書いた村上春樹に関する文章をまとめ若草書房より『村上春樹論集1』、二月、同『村上春樹論集2』を刊行。二月、『考える人』に「一九六二年の文学」を発表。三月、新潮社より黒川創氏とともに鶴見俊輔氏の戦時の経験を聞き記録にとどめた『日米交換船』を刊行。また、四月より朝日新聞で文芸時評を担当（二〇〇八年三月まで）。九月、編集グループSUREより鶴見俊輔氏他との談論記録『創作は進歩するのか』を刊行。同月、*The American Interest* 第二巻一号に“Goodbye Godzilla, Hello Kitty : The Origins and Meaning of Japanese Cuteness”を発表（翻訳マイケル・エメリック）。これをきっかけに同誌編集委員会委員長フランシス・フクヤマ氏を知る。一一月、『群像』に「太宰と井伏　ふたつの戦後」を発表。同月、猫のクロ死ぬ。

二〇〇七年（平成一九年）　五九歳

三月、筑摩書房より筑摩書房ウェブサイトで二〇〇五年から行なってきた人生相談「21世紀を生きるために必要な考え方」をまとめ『考える人生相談』を刊行。四月、『群像』に前年 *The American Interest* 誌に発表した英文論考の日本語原文「グッバイ・ゴジラ、ハロー・キティ」を発表。同月、講談社より『太宰と井伏――ふたつの戦後』を刊行。同月、勤務する早稲田大学国際教養学部のゼミでゼミ内刊行物『ゼミノート』の刊行を開始する（二〇一四年三月まで）。六月、『論座』に「戦後から遠く離れて――わたしの憲法『選び直し』の論」を発表。一〇月、父脳梗塞で倒れる。以後だいぶ機能回復するも後遺症残る。一二月二日、多田道太郎氏死去。
二〇〇八年（平成二〇年）六〇歳
六月、筑摩書房より前記ウェブサイトの人生相談の二〇〇六年以降分をまとめ『何でも僕に訊いてくれ――きつい時代を生きるための56の問答』を刊行。七月、『中原中也研究』第一三号に前年、中原中也の会で行なった講演「批評の楕円――小林秀雄と戦後」を発表。九月、妻、娘を伴い、パリを経由してイタリア・シチリア島に旅行。同月、『小説トリッパー』に「大江と村上――一九八七年の分水嶺」を発表。一二月、『群像』に「関係の原的負荷――二〇〇八、『親殺し』の文学」を発表。同月、朝日新聞出版よりこれまで行なった文芸時評と直近の文芸評論をまとめた『文学地図――大江と村上と二十年』を刊行。
二〇〇九年（平成二一年）六一歳
二～三月、プリンストン大学エバーハード・L・フェイバー基金とアジア研究学科より招聘され同大学を訪問、二月二五日、ゴジラと戦後日本について英語の講演（"From Godzilla to Kitty : Sanitizing the Uncanny in Post-war Japan"）を行なう。三月三一日、旧知の編集者入澤美時急逝。四月、『週刊朝日緊急増刊・朝日ジャーナル』に「『連帯を求めて』孤立への道を」を発表。七月、加藤ほか著『ことばの見本帖（ことばのために別冊）』（岩波書店）に「さようなら、『ゴジラ』たち――文化象徴と戦後日本」を寄稿。九月、『群像』に「村上春樹の短編を英語で読む」の連載を開始する（二〇一一年四月まで）。一九八五年刊行の『アメリカの影』を、講談社学術文庫版（一九九五年）をへて新たに講談社文芸文庫として再刊。同月二〇日、早稲田大学で親しかったロシア文学者、水野忠夫氏が急逝。一〇月二四日、思想の科学研究会主催の「『思想の科学』はまだ続く――五〇年史三部作完結記念シンポジウム」にパネラーとして参加。

二〇一〇年（平成二二年）　六二歳

二月、井伏鱒二『神屋宗湛の残した日記』（講談社文芸文庫）解説として「老熟から遠く」を発表。三月一三日、東京工業大学世界文明センターでの『大菩薩峠』研究キックオフ・シンポジウムで「『大菩薩峠』とは何か――文学史と思想史の読み替えの可能性に向けて」を講演。四月より、一年間の特別研究休暇で、デンマークと米国に赴任。前半はデンマーク、コペンハーゲン大学文化横断地域研究学部に客員教授として滞在（九月まで）。その間、ポーランドのオフィチエンシム（アウシュヴィッツ）、北極圏のノルウェイ・ロフォーテン諸島、アイスランド、ハンガリー、バスク地方など、研究をかねて、欧州各地を旅行する。ブリューゲルを手がかりにヨーロッパの南北と東西の構造を取りだしたい関心があった。五月一一日、ケンブリッジ大学ウォルフソン・カレッジのアジア中東学部で“From Godzilla to Hello Kitty”と題し、日本の文化史をめぐり講演。七月、『さようなら、ゴジラたち　戦後から遠く離れて』を岩波書店から刊行。八月二二日、米国紙ニューヨークタイムズに日本がGDPではじめて中国に世界二位の座を奪われたことで「ほっとした」と述べるコラム“Japan and the Ancient Art of Shrugging”を寄稿（翻訳マイケル・エメリック）。欧米の未知の読者から多数のメールが舞い込む。同月二八日、デンマーク、ミュン島での二日間の村上春樹氏のトーク・イベントに観衆の一人として参加。九月一七日、コペンハーゲン大学を離任する。ニューヨークにしばらく滞在の後、カリフォルニア州サンタバーバラへ。二三日以後、カリフォルニア大学サンタバーバラ校（UCSB）学際的人文研究所（IH

C）に客員研究員として赴任（二〇一一年三月まで）。ゼミ、講義、勉強会への参加などを通じ、マイケル・エメリック同大上級准教授、島﨑聡子コロラド大学ボールダー校准教授のほか、ジョン・ネイスン、ルーク・ロバーツ、キャサリン・ザルツマン゠リ、長谷川毅といったUCSBの教授たちと親交を結ぶ。また、友人たちに勧められ、拙著『敗戦後論』への米国での批判に対する反論を執筆する。読んでみて、米国に流通している主な批判が拙著の原テクストをほぼ読まないでされた杜撰なものとわかったため（しかし、反論はその後曲折を経たあと、いまだ欧米での発表にいたらず）。

二〇一一年（平成二三年）　六三歳

一月一四日、コロラド大学ボールダー校で“From Godzilla to Hello Kitty”と題し、講演。三月、カズオ・イシグロを論じた“Send in the Clones”（翻訳マイケル・エメリック）を*The American Interest* 六巻四号に発表。同月三日、UCSBのIHCで先の講演を拡張した“From Godzilla to Hello Kitty: Sanitizing the Uncanny in Postwar Japan”を講演。一一日、東日本大震災、福島第一原発事故が発生。三一日、一年の研究休暇を終え、震災直後の故国に帰国。四月より共同通信で隔月交代コラム「楕円の思想」を担当（もう一人の担当はマイケル・エメリック）、その第一回取材のため、同月六日、友人の住む南相馬市を訪れる。同地域に原子炉爆発後、日本の新聞記者が一人も入っていないことに衝撃を受ける。五月、「死に神に突き飛ばされる――フクシマ・ダイイチと私」を『一冊の本』に、「ヘールシャム・モナムール――カズオ・イシグロ『わたしを離さないで』を暗がりで読む」（先のイシグロ論の日本語版）を『群像』に、「独裁と錯視――二十世紀小説としての『巨匠とマルガリータ』」を『新潮』に、それぞれ発表。六月、南相馬市での経験を記し日本のメディアを批判する「政府と新聞の共同歩調」を『週刊朝日緊急増刊　朝日ジャーナル』に寄稿。同月二五日、第一五回ASCJ（日本アジア研究学会）大会、第三セッション"Murakami Haruki: A Call for Academic Attention"で司会を務める。七月、米国で書き下ろしたJポップ論、『耳をふさいで、歌を聴く』をアルテスパブリッシングより刊行。八月、『村上春樹の短編を英語で読む　1979～2011』を講談社より刊行。九月二二日、東京日仏会館でフランスの詩人・演劇家クリストフ・フィアットと「福島以降、ゴジラをどう考えるか」と題し対談を行なう。一〇月、『小さな天体　全サバティカル日記』を新潮社より刊行、同月、中尾ハジメ著『原子力の腹の中で』（編集グループSURE）に討論者として参加。一一月、夏に書き下ろした論考「祈念と国策」を収録して『3・11　死に神に突き飛ばされる』を岩波書店より刊行。一二月、井伏鱒二『鞆ノ津茶会記』（講談社文芸文庫）解説として「『黒い雨』とつながる二つの気層」を発表。

二〇一二年（平成二四年）　六四歳

三月、「ゴジラとアトム――一対性のゆくえ」を慶應義塾大学アート・センターBooklet第二〇号に発表。同月三日、山口県立大学で「戦後思想　そのポストコロニアルな側面」を講演。一六日、吉本隆明氏が死去。一七日、『中国新聞』に「此岸に立ち続けた思想――吉本さん追悼」を発表。一九日、『毎日新聞』に「『誤り』と『遅れ』から戦後思想築く――吉本隆明さんの死に際して」を発表。以後、学内の刊行物『ゼミノート』を自らが編集人となって毎週発行態勢に変え、「三・一一以後の思想」の模索を目的に考察をノートし、後に連載「有限性の方へ」へと合流する草稿群の執筆・掲載を開始する。五月、『新潮』に「森が賑わう前に」を発表。同月一四日と二八日、東京工業大学世界文明センターで「三・一一以後を考える」と題し、連続講演。七月、菅野昭正編『村上春樹の読みかた』（平凡社）に「村上春樹の短編から何が見えるか――初期三部作を中心に」を寄稿。同月二日、埼玉高社研修会で「戦後とポスト戦後――その境界をどこに置くか」と題し、講演。一四日、早稲田大学校友会宮城県支部で「三・一一以後の世界をどう考えるか」と題し、講演。八月二六～二八日、新潟県妻有大地の芸術祭の里での福島からの避難家族を主対象にした林間学校で宮沢賢治「やまなし」を題材に授業を行なう。九月二九日、福岡ユネスコ協会で「考えるひと　鶴見俊輔」と題し、講演。同月、『新潮』に「海の向こうで「現代日本文学」が亡びる――あるいは、通じないことの力」を発表。一三日、朝日カルチャーセンター新宿で「吉本隆明と三・一一以後の思想Ⅰ――戦後から三・一一へ」を講演。一二月一日、第六七回日本文学協会年次総会で「理論と授業――理論を禁じ手にすると文学教育はどうなるのか」を講演。同月四日、朝日カルチャーセンター新宿で「吉本隆明と三・一一以後の思想Ⅱ――先端へ、そして始源へ」を講演。一五日、台湾日本語文学会年次大会で「村上春樹の国際的な受容はどこからくるか――その文学の多層性と多数性」を基調講演。

二〇一三年（平成二五年）　六五歳

一月、『ふたつの講演　戦後思想の射程について』を岩波書店より刊行。同月一四日、都心に雪降りしきる早朝、息子加藤良、事故で死ぬ。二〇日、友人の京都・徳正寺僧侶井上迅（扉野良人）の勧めにより埼玉県朝霞市の葬場で葬儀。喪主挨拶を読む。二月、「有限性の方へ」を『新潮』に連載開始（五～六月を除き、二〇一四年一月まで)。同月六日、底板にふれる——『姥捨』をめぐって」を講演。三月、黒川創氏との共著『考える人・鶴見俊輔』を弦書房から刊行。四月、大学の基礎演習の教材に『ソクラテスの弁明』・「クリトン」・「パイドン」を選ぶ。五月、高橋源一郎氏との共著『吉本隆明がぼくたちに遺したもの』を岩波書店から刊行。九月、『シンフォニカ』第一号に「小説が時代に追い抜かれるとき——みたび、村上春樹『色彩を持たない多崎つくると、彼の巡礼の年』について」を発表。一〇月一三日、第五二回日本アメリカ文学会年次総会で「overshoot(限界超過生存)——有限性の時代を生きること」と題し、基調講演。サリンジャー研究の先駆をなした米文学者井上謙治氏にお目にかかる。一一月、鶴見俊輔『文章心得帖』(ちくま学芸文庫)解説として「火の用心——文章の心得について」を発表。この月、インターナショナル・ニューヨークタイムズ(以下、INYT)紙の固定コラムニストに就任。以後、天皇、安倍政権の右傾化、沖縄問題、原爆投下などにふれ、月一回、コラムを掲載する(翻訳マイケル・エメリック、二〇一四年一〇月まで)。一二月、上野延代『蒲公英 一〇一歳——叛骨の生涯』に「上野延代という人」を寄稿。同月一四日、早稲田大学RILAS主催シンポジウム「東アジア文化圏と村上春樹——越境する文学、危機の中の可能性」に参加、「六十九年後の村上春樹と東アジア」を発表。中国の小説家閻連科氏と知る。この年、早稲田大学坪内逍遙大賞選考委員に委嘱を受ける。

二〇一四年(平成二六年) 六六歳

二月、河合隼雄『こころの読書教室』(新潮文庫)解説として「そこにフローしているもの」を寄稿。同月一〇日、友人の鷲尾賢也

（元講談社取締役、歌人の小高賢）が急逝。一四日、告別式で友人代表として弔辞を読む。三月、『小高賢』に「まだ終わらないもの――小高賢さんのこと」を発表。同月三一日、早稲田大学国際学術院国際教養学部を退職、同名誉教授となる。四月、二〇〇七年四月から毎週刊行してきた『ゼミノート』を全二〇九号で終刊とする。またこの月より、岩波書店ウェブサイトで「村上春樹は、むずかしい」を月一回更新で連載開始（二〇一五年六月まで）。五月、中尾ハジメとの共著『なぜ「原子力の時代」に終止符を打てないか』を編集グループSUREより刊行。六月、『人類が永遠に続くのではないとしたら』（「有限性の方へ」を改題）を新潮社より刊行。またこの月から、前記『ゼミノート』を引き継ぐ続編『ハシからハシへ』を以後、不定期刊（平均月に二度）、一〇〇部未満の規模で知友に配るウェブ刊行を開始する。同月、『ｋｏｔｏｂａ』で佐野史郎氏と「『ゴジラ』と『敗者の伝統』」と題し対談。『吉本隆明全集7』月報に「うつむき加減で、言葉少なの」を発表。七月、『新編　特攻体験と戦後』（島尾敏雄・吉田満対談）に解説「もう一つの『0』」を発表。同月六日、父加藤光男、死去。同月一日、安倍政権、集団的自衛権行使を閣議決定。一一月一一日、日本記者クラブで「七〇年目の戦後問題」と題し、講演。一二月一三日、東京外国語大学で「33年目の『アメリカの影』」と題し、講演。このあと、翌年八月まで戦後論の執筆に没頭する。

二〇一五年（平成二七年）六七歳

一月、『うえの』に「上野の想像力」を寄稿。二月八～九日、北川フラム企画の奥能登国際芸術祭キックオフ・シンポジウムにパネラーとして参加。三月、季刊誌『ｋｏｔｏｂａ』に「敗者の想像力」を連載開始（二〇一六年一二月まで）。四月、『ｍｙｂ』新装版第

一号に「戦後の起源へ　今、私の考えている
こと」を発表。五月二四日、大竹昭子、堀江
敏幸両氏らの企画「ことばのポトラックｖ
ｏｌ．12」に参加、朗読を行なう。七月、一
九九七年刊の『敗戦後論』を、ちくま文庫版
（二〇〇五年）をへて新たにちくま学芸文庫
として再刊（解説内田樹・伊東祐吏）。同月
二〇日、鶴見俊輔氏が死去。二八日、『毎日
新聞』に「『空気投げ』のような教え――鶴
見俊輔さんを悼む」を寄稿。九月、『すば
る』に「死が死として集まる。そういう場
所」を発表。同月六日、義母清野智子が死
去。一〇月、『戦後入門』をちくま新書より
刊行。『世界』に「鶴見さんのいない日」
を、『岩波講座現代第一巻　現代の現代性』
に「ゾーエーと抵抗――何が終わらず、何が
始まらないか」を発表。同月一七日、新潟で
の坂口安吾生誕祭で「安吾と戦後――戦争・
占領・戦後を彼はどう通行したか」を講演。

一一月七日、竹内整一名誉教授主宰の東大院
臨時「多文化交流演習」『人類が永遠に続く
のではないとしたら』書評会に参加、多彩な
研究者を迎えて討議。同月一四日、東洋大学
国際哲学研究センターで「フィードバックと
生体系、コンティンジェンシー、リスクと贈
与――『人類が永遠に続くのではないとした
ら』、次の問いへの手がかり」と題し、講
演。二五日、扉野良人に招かれ京都に滞在
（一二月二日まで）。二九日、京都・徳正寺で
「戦後ってなんだろう」と題しトーク。扉野
の友人ほしよりこと知る。ともに越前海岸の
宇佐美爽子氏アトリエを訪問する予定も宇佐
美氏体調崩され、果たさず。一二月、『村上
春樹は、むずかしい』を岩波新書より刊行。
一九九九年刊の『日本の無思想』を『増補改
訂　日本の無思想』として平凡社ライブラリ
ーより再刊。同月五日、日本ヤスパース協会
第三二回大会で「敗戦という光のなかで――

ヤスパースの考えたこと」と題し、講演。九日、日本記者クラブで「『戦後入門』をめぐって――戦後七〇年目の戦後論」と題し、講演。

二〇一六年（平成二八年）　六八歳

一月、『現代思想』で見田宗介氏と「現代社会論／比較社会学を再照射する」と題し対談を行なう。同月二四日、義父清野宏が死去。二月、『うえの』に「少しずつ、形が消えていくこと」、『法然思想』第二号に「世界をわからないものに育てること――伝記という方法」、『早稲田文学』春号に「水に沈んだ峡谷への探索行の報告（抄）」を発表。三月、『山田太一エッセイ・コレクション3　昭和を生きて来た』（河出文庫）に解説「空腹と未来」を発表。同月二九日、ウェブサイト「10・8　山﨑博昭プロジェクト」に「私の秘密」を発表。四月一六日、桐光学園で「ヒト、人と出会う⁉」と題し、講演。五月、『法然思想』第三号に「称名とよびかけ」を発表。同月五日、水俣フォーラム水俣病公式確認六〇年記念特別講演会で「水俣病と私――〝微力〟について」と題し、講演。二三日、この間、交遊のはじまっていた宇佐美爽子氏が急逝。二八～三〇日、台湾淡江大学の村上春樹研究センター主催第五回村上春樹国際シンポジウムで「『1Q84』における秩序の崩壊、そして再構築」と題し、基調講演。ポーランド語の翻訳者アンナ・ジェリンスカ゠エリオットと知る。早稲田大学での教え子、英国ニューカッスル大学准教授のギッテ・M・ハンセンと再会。三〇日、東呉大学で「『小説』をめぐるいくつかの話」と題し、講演。六月、大澤真幸編『憲法9条とわれらが日本　未来世代へ手渡す』（筑摩書房）にインタビュー「『明後日』のことまで考える――九条強化と国連中心主義」（聞き手・大澤真幸）を発表。七月、『新潮』に

「死に臨んで彼が考えたこと――三年後のソクラテス考」を発表。『図書』で石内都氏と「苦しみも花のように静かだ――永遠のフリーダ・カーロ」と題し対談を行なう。『飢餓陣営せれくしょん5　沖縄からはじめる「新・戦後入門」』に「加藤典洋氏に聞く『戦後』の出口なし情況からどう脱却するか」（聞き手・佐藤幹夫）を、内田樹編『転換期を生きるきみたちへ　中高生に伝えておきたいたいせつなこと』（晶文社）に「僕の夢――中高生のための『戦後入門』」を発表。同月、シンポジウム「鶴見俊輔と後藤新平」にパネラーとして参加、「鶴見と後藤の変換式」を発表。八～一〇月、INYT紙寄稿コラムの日本語版などを収めた『日の沈む国から　政治・社会論集』、文学論を編んだ『世界をわからないものに育てること　文学・思想論集』、吉本隆明氏、鶴見俊輔氏など大事な人々をめぐる文を集めた『言葉の降る日』を月ごと、私的な三部作の心づもりで岩波書店から刊行。八月八日、天皇、生前退位の意向をビデオメッセージで表明。同月一五日、ニューヨークタイムズ紙に“The Emperor and the Prime Minister”（翻訳マイケル・エメリック）を発表。九月一四～一五日、日経ビジネス電子版に「『シン・ゴジラ』、私はこう読む」（前・後編、藤村公平記者インタビュー）を発表。この月、『うえの』に「今年の夏に思うこと」を発表。鶴見俊輔遺著『敗北力　Later Works』（編集グループSURE）に解説を執筆。一〇月、『新潮』に「シン・ゴジラ論（ネタバレ注意）」を発表。同月一五日、朝日カルチャーセンターで「シン・ゴジラの誕生――ゴジラ、3・11以後の展開」と題して講演。二二日、梅光学院大学で「文学、このわけのわからないもの」と題して講演。二六日、足利女子高校のキャリア支援講演で「文章の研ぎ方――おいしいご飯のような文章を書くには」と題して講演。二九日、下北沢B&Bで、近著『日の沈む国から』をめぐってトーク。またこの月、二〇一四年八月より不定期刊でウェブ刊行してきた『ゼミノート（加藤ゼミノート）』の続編『ハシからハシへ』全五巻五〇号を通号二六九号をもって終刊する。一一月、講談社文芸文庫『戦後的思考』を刊行、解説は東浩紀氏。同月二六日、共同通信新春対談のため田中優子氏と対談収録。一二月、『学鐙』冬号に「『複雑さを厭わずに考える』こと」を発表。

二〇一七年（平成二九年）　六九歳

一月、岩波書店の『図書』に「大きな字で書くこと」と題し、一ページの連載を開始（〜二〇一九年七月）。同じく同書店より岩波現代文庫として『増補　日本人の自画像』を刊行。二月、ベン・ファウンテン『ビリー・リンの永遠の一日』（上岡伸雄訳）書評「テキサススタジアムでイラク戦争を。」を『波』に発表。同月二五日、妻方の甥西條央のタイ人女性との結婚式出席にかこつけ、ひとりラオスの古都ルアンプラバンに数日を遊んだ後、タイ奥地ウドンタニ近郊の花嫁の生まれた村で結婚式に出席。その後プーケット島に飛んでリゾートホテルでの披露宴に参列。四月、『myb』第三号に「もうすぐやってくる尊皇攘夷思想のために――丸山真男と戦後の終わり」を発表。同月、黒川創氏の新作『岩場の上から』をめぐり『新潮』で対談。五月二一日、一橋大学で開かれた二〇一七年日本哲学会大会で哲学者森一郎氏が企画された「戦後再考　加藤典洋『戦後入門』を手がかりに」と題するワークショップ討議に参加。この月、『うえの』に「明治一五〇年と『教育勅語』」を発表。集英社新書として『敗者の想像力』を刊行。六月一日、私にとって六〇年代『ガロ』の偶像（アイドル）の一人、マンガ家・鈴木翁二氏を迎える荻窪の書店「Title」でのトークに詩人の福間健二氏とともに参加。七月九日、大阪の河合塾で「三〇〇年のものさし——二一世紀の日本に必要な『歴史感覚』とは何か」と題し、文化講演会の一環として友人・野口良平の企画による講演を行なう。二五日、ジュンク堂書店池袋本店で『敗者の想像力』をめぐりマイケル・エメリックUCLA准教授とトーク。八月二七日、信州岩波講座で「どんなことが起こってもこれだけは本当だ、ということ——激動の世界と私たち」と題して講演。この日、妻厚子、小諸の整骨院にて脊椎を損傷、以後、翌年八月まで圧迫骨折による重度の腰痛に苦しむ。九月一一日、東浩紀氏ほかによる新著『現代日本の批評 1975—2001』をめぐって東氏と対談。この月、幻戯書房より『もうすぐやってくる尊皇攘夷思想のために』を刊行。一〇月一九日、かわさき市民アカデミーで「人が死ぬということ」と題して講演。二〇日、代官山ヒルサイドテラスで北川フラム氏と鶴見俊輔をめぐるトーク。一一月二〇日、ジュンク堂書店池袋本店で松家仁之氏の新作『光の犬』をめぐるトーク。またこの月、長年望んでいた吉本隆明氏との座談会「半世紀後の憲法」、対談「存在倫理について」を収録した『対談——戦後・文学・現在』を而立書房より刊行。嬉しさあり。一二月一〜五日、九州を訪問、熊本市で開催された「水俣病展2017」で二日、「加藤典洋さんと映画『水俣病—その20年』を見る」と題して講演。その後福岡に移り、旧知の花乱社社主別府大悟氏らと旧交を温め、秋芳洞をへて中原中也の生地湯田温泉に遊ぶ。

二〇一八年（平成三〇年）七〇歳

一月、『三田文學』一三二号に「一八六八年と一九四五年——福沢諭吉の『四年間の沈黙』」を発表。またこの月以後、創元社の

「戦後再発見」双書の一冊として刊行する憲法九条論の執筆を開始。二月二日、ブックファースト新宿店で装丁家桂川潤氏と桂川氏新著『装丁、あれこれ』をめぐりトーク。三月六〜九日、ニューカッスル大学での村上春樹デビュー四〇周年記念シンポジウム"Eyes on Murakami: 40 Years with Murakami Haruki"に参加。八日、"From 'harahara' to 'dokidoki,' Murakami Haruki's Use of Humour and his Predicament since *1Q84*"と題して基調講演を行う。主宰はギッテ・M・ハンセン同大准教授。翻訳ワークショップも同時開催され、柴田元幸、ジェイ・ルービン、辛島デイヴィッドなど多彩な翻訳者たちが各国から参集したほか、マイケル・エメリック、エルマー・ルーク、ロバート・スワード、アンナ・ジェリンスカ＝エリオットなど旧知の懐かしい友人たちも集合、旧交を温める。一〇日、パリに移動、一五日まで定宿のホテルに荷をほどき息子の旧友北学と数日を遊ぶ。二四日、北海道横超会で「戦後、吉本隆明に『自己表出』のモチーフはどのようにやってくるのか——戦中と戦後をつなぐもの」と題して講演。同地で詩人の高橋秀明氏、写真家の中島博美氏を知る。四月より一年の予定で信濃毎日新聞に「水たまりの大きさで」と題する月ごとのエッセイの連載を開始（〜二〇一九年三月）。またこの月から再度、早稲田大学の図書館から大量の本を借り受け、九条論の執筆を本格的に再開。五月九日、太宰賞の選考に出席、これをもって選考委員を辞任する。岩波書店より『どんなことが起こってもこれだけは本当だ、ということ。——幕末・戦後・現在』（岩波ブックレット）を刊行。七月、晶文社より白井晟一の原爆堂をめぐる対話集『白井晟一の原爆堂四つの対話』を刊行。八月、『私の漱石『漱石全集』月報精選』（岩波書店）に「「それ以前」の漱石――世界のはずれの風」が収録される。同月、安岡章太郎『僕の昭和史』（講談社文芸文庫）に解説「一身にして二生をへること」を執筆。一〇月一一日、日仏会館でのカナダ・ケベック州の思想家ジェラール・ブシャール氏の講演「間文化主義とは何か――多様性に開かれたネーションの再構築へ向けて」（司会・伊達聖伸上智大准教授）に対話者として参加。一二日午前、この間打ち込んできた九条論千枚超（四百字詰め原稿用紙換算）の第一稿を脱稿の後、小林秀雄賞贈呈式に参加。『新潮45』問題をめぐる他の賞の委員挨拶に嫌気、途中で退席する。その後、疲労感あり。一一月二一日、先月より続いていた息切れが貧血によるもので実は病気を発病していたことが発覚し衝撃を受ける。同様にショックを受ける妻を面白がらせるため突如、言葉いじりをはじめ、毎日見せるようになり、それが齢七〇歳にしてはじめて「詩みたいなもの」の制作（?）に手を染める端緒となる。三〇日、埼玉医大総合医療センターに入院。治療を開始。

二〇一九年（平成三一・令和元年）七一歳

一月中旬、治療の感染症罹患による肺炎となり一週間あまり死地をさまよう。二月上旬、ようやく肺炎をほぼ脱し、中旬、都内の病院に転院。以後、入院加療を続ける（三月下旬まで）。今後はストレスのかかる批評のたぐいからは手を引くこととする。同月、友人瀬尾育生の導きにより『現代詩手帖』に「小詩集『僕の一〇〇〇と一つの夜』その1」を発表（～四月）。四月、『すばる』に一年前のニューカッスル大学村上春樹シンポジウムで行なった講演の日本語オリジナル版「『はらら』から『どきどき』へ――村上春樹における『ユーモア』の使用と『1Q84』以後の窮境」を発表。これを日本の文芸誌に掲載してもらうのに一年かかる。感慨深し。『加藤ゼミノート総目次&総索引』とCDのセット（本文全文を含むCDと有機的に連動）を一〇〇名弱の知友、旧知のメディア関係者に送付する。四月、創元社より『9条入門』（「戦後再発見」双書8）を刊行。五月、講談社文芸文庫『完本　太宰と井伏　ふたつの戦後』を刊行。解説は與那覇潤氏。

同十六日、肺炎のため死去。

七月、『群像』に「追悼　加藤典洋」（竹田青嗣「魚は網よりも大きい」、原武史「追憶」）、『小説トリッパー』二〇一九年夏号に「追悼　加藤典洋」（内田樹「加藤典洋さんを悼む」、マイケル・エメリック「「加藤先生」」、津村記久子「加藤先生と私」）、『現代詩手帖』に福間健二「実感からはじめる方法　追悼・加藤典洋」、八月、『新潮』に「追悼　加藤典洋」（黒川創「批評を書く、ということ」、マイケル・エメリック「加藤先生、その人」）、『すばる』に「追悼　加藤典洋」（橋爪大三郎「加藤ゼミの加藤さん」、ギッテ・M・ハンセン「Old Catoへ」、長瀬海「孤立を恐れない」）、『現代詩手帖』に瀬尾育生「加藤典洋の一〇〇〇と一つの夜　追悼・加藤典洋」、『ちくま』に「追悼　加藤典洋」（橋爪大三郎「主流に抗う正統（あまのじゃく）」、荒川洋治「加藤典洋さんの文章」）、同月一八日、TOKYO FM、FM長野、FM高知、エフエム山形で加藤典洋をめぐる特別番組「ねじれちまった悲しみに」（出演・小川哲、マイケル・エメリック、上野千鶴子、長瀬海、藤岡泰弘、語り・藤間爽子）が放送される。九月、『群像』に高橋源一郎「彼は私に人が死ぬということがどういうことであるかを教えてくれた」が掲載される。一〇月、ちくま学芸文庫『村上春樹の短編を英語で読む　1979〜2011』（上・下）を刊行。解説は松家仁之氏。一一月、岩波書店より『大きな字で書くこと』を刊行。

同月、私家版『詩のようなもの　僕の一〇〇〇と一つの夜』を刊行し、関係者に送付する。一二月、『飢餓陣営』二〇一九冬号に特集「追悼　加藤典洋」が掲載される。
二〇二〇年（令和二年）
一月、『すばる』に遺稿「第二部の深淵――村上春樹における「建て増し」の問題」を掲載。同月、講談社選書メチエ『超高層のバベル　見田宗介対話集』に対談「現代社会論／比較社会学を再照射する」が収録される。岩波現代文庫『僕が批評家になったわけ』を刊行。解説は高橋源一郎氏。同月、別冊 eleking『じゃがたら――おまえはおまえの踊りをおどれ』（Pヴァイン）に「じゃがたら」（『耳をふさいで、歌を聴く』アルテスパブリッシング）が収録される。二月、『わたしのベスト3　作家が選ぶ名著名作』（毎日新聞出版）に「加藤典洋・選　小川洋子」が収録される。三月、『文學界』に松浦寿輝「柔構造の人」（連載「遊歩遊心」第六回）が掲載される。四月、『群像』に與那覇潤「歴史がこれ以上続くのではないとしたら――加藤典洋の「震災後論」」が掲載される。講談社文芸文庫『テクストから遠く離れて』を刊行。解説は高橋源一郎氏。同月、岩波現代文庫『可能性としての戦後以後』を刊行。解説は大澤真幸氏。ゲンロン叢書『新対話篇』に東浩紀との対談「文学と政治のあいだで」が収録される。五月、講談社文芸文庫『村上春樹の世界』を刊行。解説はマイケル・エメリック氏。八月、『文學界』に川崎祐「ポッカリあいた穴を見つめて」が掲載される。同月、『ベスト・エッセイ２０２０』（日本文藝家協会編、光村図書出版刊）に「助けられて考えること」が収録される。九月、『現代詩手帖』の特集「現代詩アンソロジー 2010–2019」に「たんぽぽ」が収録される。同月、集英社より『オレの東大物語　1966〜1972』を刊行。解説は瀬尾育生氏。一〇月、荒川洋治『文学は実学である』（みすず書房）に「加藤典洋さんの文章」が収録される。一一月、『すばる』に橋爪大三郎氏による『オレの東大物語1966～1972』の書評が掲載される。一二月、『現代詩手帖』の「２０２０年代表詩選」に「半分」が収録される。

二〇二一年（令和三年）

五月、ちくま新書『9条の戦後史』を刊行。野口良平「この本の位置――「あとがき」に代えて」が付された。

二〇二二年（令和四年）

四月、『吉本隆明　没後10年、激動の時代に思考し続けるために』（河出書房新社）に高橋源一郎、瀬尾育生と行ったロングインタビュー「詩と思想の60年」が収録される。五月、而立書房より小浜逸郎、竹田青嗣、橋爪大三郎ほかとの討論『村上春樹のタイムカプセル　高野山ライブ１９９２』を刊行。

二〇二三年（令和五年）

二月、岩波現代文庫『増補　もうすぐやってくる尊皇攘夷思想のために』を刊行。解説は野口良平氏。三月、岩波現代文庫『大きな字で書くこと／僕の一〇〇〇と一つの夜』を刊行。解説は荒川洋治氏。四月一五日、毎日新聞に橋爪大三郎氏による『大きな字で書くこと／僕の一〇〇〇と一つの夜』の書評が掲載される。七月、『群像』に長瀬海「僕と「先生」」（大学の教授と学生という立場で出会った文芸評論家加藤典洋の姿を描くエッセイ）が掲載される（一〇月、二〇二四年一月にも掲載）。

（著者作成、編集部補足）

本書は「新潮」二〇一三年二～四、七～十二月号、二〇一四年一月号での連載「有限性の方へ」に加筆訂正を行って刊行された『人類が永遠に続くのではないとしたら』（二〇一四年六月、新潮社）を底本としました。

人類が永遠に続くのではないとしたら

加藤典洋

2024年2月9日第1刷発行

発行者……森田浩章
発行所……株式会社 講談社
〒112-8001 東京都文京区音羽2・12・21
電話 編集（03）5395・3513
販売（03）5395・5817
業務（03）5395・3615

デザイン……水戸部 功
印刷……株式会社ＫＰＳプロダクツ
製本……株式会社国宝社
本文データ制作……講談社デジタル製作

ISBN978-4-06-534504-7

▶解=解説 案=作家案内 人=人と作品 年=年譜を示す。 2024年2月現在

講談社文芸文庫

講談社文芸文庫

小島信夫—抱擁家族　大橋健三郎-解／保昌正夫—案
小島信夫—うるわしき日々　千石英世—解／岡田 啓—年
小島信夫—月光|暮坂 小島信夫後期作品集　山崎 勉—解／編集部—年
小島信夫—美濃　保坂和志—解／柿谷浩一—年
小島信夫—公園|卒業式 小島信夫初期作品集　佐々木 敦—解／柿谷浩一—年
小島信夫—各務原・名古屋・国立　高橋源一郎-解／柿谷浩一—年
小島信夫—[ワイド版]抱擁家族　大橋健三郎-解／保昌正夫—案
後藤明生—挾み撃ち　武田信明—解／著者—年
後藤明生—首塚の上のアドバルーン　芳川泰久—解／著者—年
小林信彦—[ワイド版]袋小路の休日　坪内祐三—解／著者—年
小林秀雄—栗の樹　秋山 駿—人／吉田凞生—年
小林秀雄—小林秀雄対話集　秋山 駿—解／吉田凞生—年
小林秀雄—小林秀雄全文芸時評集 上・下　山城むつみ-解／吉田凞生—年
小林秀雄—[ワイド版]小林秀雄対話集　秋山 駿—解／吉田凞生—年
佐伯一麦—ショート・サーキット 佐伯一麦初期作品集　福田和也—解／二瓶浩明—年
佐伯一麦—日和山 佐伯一麦自選短篇集　阿部公彦—解／著者—年
佐伯一麦—ノルゲ Norge　三浦雅士—解／著者—年
坂口安吾—風と光と二十の私と　川村 湊—解／関井光男—案
坂口安吾—桜の森の満開の下　川村 湊—解／和田博文—案
坂口安吾—日本文化私観 坂口安吾エッセイ選　川村 湊—解／若月忠信—年
坂口安吾—教祖の文学|不良少年とキリスト 坂口安吾エッセイ選　川村 湊—解／若月忠信—年
阪田寛夫—庄野潤三ノート　富岡幸一郎-解
鷺沢萠—帰れぬ人びと　川村 湊—解／著者、オフィスめめ-年
佐々木邦—苦心の学友 少年倶楽部名作選　松井和男—解
佐多稲子—私の東京地図　川本三郎—解／佐多稲子研究会-年
佐藤紅緑—ああ玉杯に花うけて 少年倶楽部名作選　紀田順一郎-解
佐藤春夫—わんぱく時代　佐藤洋二郎-解／牛山百合子-年
里見弴—恋ごころ 里見弴短篇集　丸谷才一—解／武藤康史—年
澤田 謙—プリューターク英雄伝　中村伸二—年
椎名麟三—深夜の酒宴|美しい女　井口時男—解／斎藤末弘—年
島尾敏雄—その夏の今は|夢の中での日常　吉本隆明—解／紅野敏郎—案
島尾敏雄—はまべのうた|ロング・ロング・アゴウ　川村 湊—解／柘植光彦—案
島田雅彦—ミイラになるまで 島田雅彦初期短篇集　青山七恵—解／佐藤康智—年
志村ふくみ-一色一生　高橋 巖—人／著者—年

講談社文芸文庫

庄野潤三 ―夕べの雲　阪田寛夫―解／助川徳是―案
庄野潤三 ―ザボンの花　富岡幸一郎-解／助川徳是―年
庄野潤三 ―鳥の水浴び　田村 文―解／助川徳是―年
庄野潤三 ―星に願いを　富岡幸一郎-解／助川徳是―年
庄野潤三 ―明夫と良二　上坪裕介―解／助川徳是―年
庄野潤三 ―庭の山の木　中島京子―解／助川徳是―年
庄野潤三 ―世をへだてて　島田潤一郎-解／助川徳是―年
笙野頼子 ―幽界森娘異聞　金井美恵子-解／山﨑眞紀子-年
笙野頼子 ―猫道 単身転々小説集　平田俊子―解／山﨑眞紀子-年
笙野頼子 ―海獣｜呼ぶ植物｜夢の死体 初期幻視小説集　菅野昭正―解／山﨑眞紀子-年
白洲正子 ―かくれ里　青柳恵介―人／森 孝―年
白洲正子 ―明恵上人　河合隼雄―人／森 孝―年
白洲正子 ―十一面観音巡礼　小川光三―人／森 孝―年
白洲正子 ―お能｜老木の花　渡辺 保―人／森 孝―年
白洲正子 ―近江山河抄　前 登志夫―人／森 孝―年
白洲正子 ―古典の細道　勝又 浩―人／森 孝―年
白洲正子 ―能の物語　松本 徹―人／森 孝―年
白洲正子 ―心に残る人々　中沢けい―人／森 孝―年
白洲正子 ―世阿弥 ―花と幽玄の世界　水原紫苑―人／森 孝―年
白洲正子 ―謡曲平家物語　水原紫苑―解／森 孝―年
白洲正子 ―西国巡礼　多田富雄―解／森 孝―年
白洲正子 ―私の古寺巡礼　高橋睦郎―解／森 孝―年
白洲正子 ―[ワイド版]古典の細道　勝又 浩―人／森 孝―年
鈴木大拙訳 -天界と地獄 スエデンボルグ著　安藤礼二―解／編集部―年
鈴木大拙 ―スエデンボルグ　安藤礼二―解／編集部―年
曽野綾子 ―雪あかり 曽野綾子初期作品集　武藤康史―解／武藤康史―年
田岡嶺雲 ―数奇伝　西田 勝―解／西田 勝―年
高橋源一郎 -さようなら、ギャングたち　加藤典洋―解／栗坪良樹―年
高橋源一郎 -ジョン・レノン対火星人　内田 樹―解／栗坪良樹―年
高橋源一郎 -ゴーストバスターズ 冒険小説　奥泉 光―解／若杉美智子-年
高橋源一郎 -君が代は千代に八千代に　穂村 弘―解／若杉美智子・編集部-年
高橋たか子 -人形愛｜秘儀｜甦りの家　富岡幸一郎-解／著者―年
高橋たか子 -亡命者　石沢麻依―解／著者―年
高原英理編 -深淵と浮遊 現代作家自己ベストセレクション　高原英理―解

著者	書名	解説／年譜等
高見順	如何なる星の下に	坪内祐三──解／宮内淳子──年
高見順	死の淵より	井坂洋子──解／宮内淳子──年
高見順	わが胸の底のここには	荒川洋治──解／宮内淳子──年
高見沢潤子	兄 小林秀雄との対話 人生について	
武田泰淳	蝮のすえ｜「愛」のかたち	川西政明──解／立石 伯──案
武田泰淳	司馬遷─史記の世界	宮内 豊──解／古林 尚──年
武田泰淳	風媒花	山城むつみ-解／編集部──年
竹西寛子	贈答のうた	堀江敏幸──解／著者──年
太宰治	男性作家が選ぶ太宰治	編集部──年
太宰治	女性作家が選ぶ太宰治	
太宰治	30代作家が選ぶ太宰治	編集部──年
田中英光	空吹く風｜暗黒天使と小悪魔｜愛と憎しみの傷に 田中英光デカダン作品集 道籏泰三編	道籏泰三──解／道籏泰三──年
谷崎潤一郎	金色の死 谷崎潤一郎大正期短篇集	清水良典──解／千葉俊二──年
種田山頭火	山頭火随筆集	村上 護──解／村上 護──年
田村隆一	腐敗性物質	平出 隆──人／建畠 晢──年
多和田葉子	ゴットハルト鉄道	室井光広──解／谷口幸代──年
多和田葉子	飛魂	沼野充義──解／谷口幸代──年
多和田葉子	かかとを失くして｜三人関係｜文字移植	谷口幸代──解／谷口幸代──年
多和田葉子	変身のためのオピウム｜球形時間	阿部公彦──解／谷口幸代──年
多和田葉子	雲をつかむ話｜ボルドーの義兄	岩川ありさ-解／谷口幸代──年
多和田葉子	ヒナギクのお茶の場合｜海に落とした名前	木村朗子──解／谷口幸代──年
多和田葉子	溶ける街 透ける路	鴻巣友季子-解／谷口幸代──年
近松秋江	黒髪｜別れたる妻に送る手紙	勝又 浩──解／柳沢孝子──案
塚本邦雄	定家百首｜雪月花(抄)	島内景二──解／島内景二──年
塚本邦雄	百句燦燦 現代俳諧頌	橋本 治──解／島内景二──年
塚本邦雄	王朝百首	橋本 治──解／島内景二──年
塚本邦雄	西行百首	島内景二──解／島内景二──年
塚本邦雄	秀吟百趣	島内景二──解
塚本邦雄	珠玉百歌仙	島内景二──解
塚本邦雄	新撰 小倉百人一首	島内景二──解
塚本邦雄	詞華美術館	島内景二──解
塚本邦雄	百花遊歴	島内景二──解

講談社文芸文庫

塚本邦雄 ─ 茂吉秀歌『赤光』百首　島内景二─解
塚本邦雄 ─ 新古今の惑星群　島内景二─解／島内景二─年
つげ義春 ─ つげ義春日記　松田哲夫─解
辻 邦生 ── 黄金の時刻の滴り　中条省平─解／井上明久─年
津島美知子 - 回想の太宰治　伊藤比呂美─解／編集部──年
津島佑子 ─ 光の領分　川村 湊─解／柳沢孝子─案
津島佑子 ─ 寵児　石原千秋─解／与那覇恵子─年
津島佑子 ─ 山を走る女　星野智幸─解／与那覇恵子─年
津島佑子 ─ あまりに野蛮な 上・下　堀江敏幸─解／与那覇恵子─年
津島佑子 ─ ヤマネコ・ドーム　安藤礼二─解／与那覇恵子─年
坪内祐三 ─ 慶応三年生まれ　七人の旋毛曲り 漱石・外骨・熊楠・露伴・子規・紅葉・緑雨とその時代　森山裕之─解／佐久間文子─年
鶴見俊輔 ─ 埴谷雄高　加藤典洋─解／編集部──年
鶴見俊輔 ─ ドグラ・マグラの世界｜夢野久作 迷宮の住人　安藤礼二─解
寺田寅彦 ─ 寺田寅彦セレクション Ⅰ 千葉俊二・細川光洋選　千葉俊二─解／永橋禎子─年
寺田寅彦 ─ 寺田寅彦セレクション Ⅱ 千葉俊二・細川光洋選　細川光洋─解
寺山修司 ─ 私という謎 寺山修司エッセイ選　川本三郎─解／白石 征──年
寺山修司 ─ 戦後詩 ユリシーズの不在　小嵐九八郎─解
十返肇 ── 「文壇」の崩壊 坪内祐三編　坪内祐三─解／編集部──年
徳田球一・志賀義雄 ─ 獄中十八年　鳥羽耕史─解
徳田秋声 ─ あらくれ　大杉重男─解／松本 徹──年
徳田秋声 ─ 黴｜爛　宗像和重─解／松本 徹──年
富岡幸一郎 - 使徒的人間 ─カール・バルト─　佐藤 優──解／著者──年
富岡多恵子 - 表現の風景　秋山 駿──解／木谷喜美枝─案
富岡多恵子編 - 大阪文学名作選　富岡多恵子─解
土門 拳 ── 風貌｜私の美学 土門拳エッセイ選 酒井忠康編　酒井忠康─解／酒井忠康─年
永井荷風 ─ 日和下駄 一名　東京散策記　川本三郎─解／竹盛天雄─年
永井荷風 ─ [ワイド版]日和下駄 一名　東京散策記　川本三郎─解／竹盛天雄─年
永井龍男 ─ 一個｜秋その他　中野孝次─解／勝又 浩──案
永井龍男 ─ カレンダーの余白　石原八束─人／森本昭三郎─年
永井龍男 ─ 東京の横丁　川本三郎─解／編集部──年
中上健次 ─ 熊野集　川村二郎─解／関井光男─案
中上健次 ─ 蛇淫　井口時男─解／藤本寿彦─年

講談社文芸文庫

講談社文芸文庫

埴谷雄高 ― 死霊 I II III 鶴見俊輔 ― 解／立石 伯 ― 年
埴谷雄高 ― 埴谷雄高政治論集 埴谷雄高評論選書1 立石伯編
埴谷雄高 ― 酒と戦後派 人物随想集
濱田庄司 ― 無盡蔵 水尾比呂志 ― 解／水尾比呂志 ― 年
林京子 ― 祭りの場｜ギヤマン ビードロ 川西政明 ― 解／金井景子 ― 案
林京子 ― 長い時間をかけた人間の経験 川西政明 ― 解／金井景子 ― 年
林京子 ― やすらかに今はねむり給え｜道 青来有一 ― 解／金井景子 ― 年
林京子 ― 谷間｜再びルイへ。 黒古一夫 ― 解／金井景子 ― 年
林芙美子 ― 晩菊｜水仙｜白鷺 中沢けい ― 解／熊坂敦子 ― 案
林原耕三 ― 漱石山房の人々 山崎光夫 ― 解
原民喜 ― 原民喜戦後全小説 関川夏央 ― 解／島田昭男 ― 年
東山魁夷 ― 泉に聴く 桑原住雄 ― 人／編集部 ― 年
日夏耿之介 ― ワイルド全詩（翻訳） 井村君江 ― 解／井村君江 ― 年
日夏耿之介 ― 唐山感情集 南條竹則 ― 解
日野啓三 ― ベトナム報道 著者 ― 年
日野啓三 ― 天窓のあるガレージ 鈴村和成 ― 解／著者 ― 年
平出隆 ― 葉書でドナルド・エヴァンズに 三松幸雄 ― 解／著者 ― 年
平沢計七 ― 一人と千三百人｜二人の中尉 平沢計七先駆作品集 大和田 茂 ― 解／大和田 茂 ― 年
深沢七郎 ― 笛吹川 町田 康 ― 解／山本幸正 ― 年
福田恆存 ― 芥川龍之介と太宰治 浜崎洋介 ― 解／齋藤秀昭 ― 年
福永武彦 ― 死の島 上・下 富岡幸一郎 ― 解／曾根博義 ― 年
藤枝静男 ― 悲しいだけ｜欣求浄土 川西政明 ― 解／保昌正夫 ― 案
藤枝静男 ― 田紳有楽｜空気頭 川西政明 ― 解／勝又 浩 ― 案
藤枝静男 ― 藤枝静男随筆集 堀江敏幸 ― 解／津久井 隆 ― 年
藤枝静男 ― 愛国者たち 清水良典 ― 解／津久井 隆 ― 年
藤澤清造 ― 狼の吐息｜愛憎一念 藤澤清造 負の小説集 西村賢太編・校訂 西村賢太 ― 解／西村賢太 ― 年
藤澤清造 ― 根津権現前より 藤澤清造随筆集 西村賢太編 六角精児 ― 解／西村賢太 ― 年
藤田嗣治 ― 腕一本｜巴里の横顔 藤田嗣治エッセイ選 近藤史人編 近藤史人 ― 解／近藤史人 ― 年
舟橋聖一 ― 芸者小夏 松家仁之 ― 解／久米 勲 ― 年
古井由吉 ― 雪の下の蟹｜男たちの円居 平出 隆 ― 解／紅野謙介 ― 案
古井由吉 ― 古井由吉自選短篇集 木犀の日 大杉重男 ― 解／著者 ― 年
古井由吉 ― 槿 松浦寿輝 ― 解／著者 ― 年
古井由吉 ― 山躁賦 堀江敏幸 ― 解／著者 ― 年
古井由吉 ― 聖耳 佐伯一麦 ― 解／著者 ― 年

講談社文芸文庫

著者	書名	解説・年譜
古井由吉	仮往生伝試文	佐々木 中—解／著者—年
古井由吉	白暗淵	阿部公彦—解／著者—年
古井由吉	蜩の声	蜂飼 耳—解／著者—年
古井由吉	詩への小路 ドゥイノの悲歌	平出 隆—解／著者—年
古井由吉	野川	佐伯一麦—解／著者—年
古井由吉	東京物語考	松浦寿輝—解／著者—年
古井由吉 佐伯一麦	往復書簡『遠くからの声』『言葉の兆し』	富岡幸一郎-解
古井由吉	楽天記	町田 康—解／著者—年
北條民雄	北條民雄 小説随筆書簡集	若松英輔—解／計盛達也—年
堀江敏幸	子午線を求めて	野崎 歓—解／著者—年
堀江敏幸	書かれる手	朝吹真理子-解／著者—年
堀口大學	月下の一群（翻訳）	窪田般彌—解／柳沢通博—年
正宗白鳥	何処へ｜入江のほとり	千石英世—解／中島河太郎-年
正宗白鳥	白鳥随筆 坪内祐三選	坪内祐三—解／中島河太郎-年
正宗白鳥	白鳥評論 坪内祐三選	坪内祐三—解
町田康	残響 中原中也の詩によせる言葉	日和聡子—解／吉田凞生・著者-年
松浦寿輝	青天有月 エセー	三浦雅士—解／著者—年
松浦寿輝	幽｜花腐し	三浦雅士—解／著者—年
松浦寿輝	半島	三浦雅士—解／著者—年
松岡正剛	外は、良寛。	水原紫苑—解／太田香保—年
松下竜一	豆腐屋の四季 ある青春の記録	小嵐九八郎-解／新木安利他-年
松下竜一	ルイズ 父に貰いし名は	鎌田 慧—解／新木安利他-年
松下竜一	底ぬけビンボー暮らし	松田哲夫—解／新木安利他-年
丸谷才一	忠臣藏とは何か	野口武彦—解
丸谷才一	横しぐれ	池内 紀—解
丸谷才一	たった一人の反乱	三浦雅士—解／編集部—年
丸谷才一	日本文学史早わかり	大岡 信—解／編集部—年
丸谷才一編	丸谷才一編・花柳小説傑作選	杉本秀太郎-解
丸谷才一	恋と日本文学と本居宣長｜女の救はれ	張 競—解／編集部—年
丸谷才一	七十句｜八十八句	編集部—年
丸山健二	夏の流れ 丸山健二初期作品集	茂木健一郎-解／佐藤清文—年
三浦哲郎	野	秋山 駿—解／栗坪良樹—案
三木清	読書と人生	鷲田清—解／柿谷浩—年

講談社文芸文庫

三木清——三木清教養論集 大澤聡編　大澤 聡——解／柿谷浩一——年
三木清——三木清大学論集 大澤聡編　大澤 聡——解／柿谷浩一——年
三木清——三木清文芸批評集 大澤聡編　大澤 聡——解／柿谷浩一——年
三木卓——震える舌　石黒達昌——解／若杉美智子-年
三木卓——K　永田和宏——解／若杉美智子-年
水上勉——才市｜蓑笠の人　川村 湊——解／祖田浩一——案
水原秋櫻子-高濱虚子 並に周囲の作者達　秋尾 敏——解／編集部——年
道籏泰三編-昭和期デカダン短篇集　道籏泰三——解
宮本徳蔵——力士漂泊 相撲のアルケオロジー　坪内祐三——解／著者——年
三好達治——測量船　北川 透——人／安藤靖彦——年
三好達治——諷詠十二月　高橋順子——解／安藤靖彦——年
村山槐多——槐多の歌へる 村山槐多詩文集 酒井忠康編　酒井忠康——解／酒井忠康——年
室生犀星——蜜のあわれ｜われはうたえどもやぶれかぶれ　久保忠夫——解／本多 浩——案
室生犀星——加賀金沢｜故郷を辞す　星野晃一——人／星野晃一——年
室生犀星——深夜の人｜結婚者の手記　髙瀨真理子-解／星野晃一——年
室生犀星——かげろうの日記遺文　佐々木幹郎-解／星野晃一——解
室生犀星——我が愛する詩人の伝記　鹿島 茂——解／星野晃一——年
森敦——われ逝くもののごとく　川村二郎——解／富岡幸一郎-案
森茉莉——父の帽子　小島千加子-人／小島千加子-年
森茉莉——贅沢貧乏　小島千加子-人／小島千加子-年
森茉莉——薔薇くい姫｜枯葉の寝床　小島千加子-解／小島千加子-年
安岡章太郎-走れトマホーク　佐伯彰一——解／鳥居邦朗——案
安岡章太郎-ガラスの靴｜悪い仲間　加藤典洋——解／勝又 浩——案
安岡章太郎-幕が下りてから　秋山 駿——解／紅野敏郎——案
安岡章太郎-流離譚 上・下　勝又 浩——解／鳥居邦朗——年
安岡章太郎-果てもない道中記 上・下　千本健一郎-解／鳥居邦朗——年
安岡章太郎-[ワイド版]月は東に　日野啓三——解／栗坪良樹——案
安岡章太郎-僕の昭和史　加藤典洋——解／鳥居邦朗——年
安原喜弘——中原中也の手紙　秋山 駿——解／安原喜秀——年
矢田津世子-[ワイド版]神楽坂｜茶粥の記 矢田津世子作品集　川村 湊——解／高橋秀晴——年
柳宗悦——木喰上人　岡本勝人——解／水尾比呂志他-年
山川方夫——[ワイド版]愛のごとく　坂上 弘——解／坂上 弘——年
山川方夫——春の華客｜旅恋い 山川方夫名作選　川本三郎——解／坂上 弘—案・年
山城むつみ-文学のプログラム　著者——年

講談社文芸文庫